스위트 케이지 1

초판 1쇄 발행 | 2018년 1월 12일

지은이 ⓒ 이수련 2018
일러스트 ⓒ Coyo 2018

교정교열 | 문보람
총괄 디자인 | Coyo
편집 | 문보람
표지 편집 | 서유미

펴낸이 | 김혜랑
펴낸곳 | (주)메르헨미디어
등록일자 | 2016년 12월 28일
등록번호 | 제 2016-000253 호
ISBN 979-11-88503-53-7 04810
ISBN 979-11-88503-52-0 (세트)

※ 이 도서의 국립중앙도서관 출판시도서목록(CIP)은 서지정보유통지원시스템 홈페이지(http://seoji.nl.go.kr)와 국가자료공동목록시스템(http://www.nl.go.kr/kolisnet)에서 이용하실 수 있습니다. (CIP제어번호 : CIP2017033206)

nabinovel@nabinovel.net

http://nabinovel.net

Chapter.

서장

　아래가 넓고 위가 좁은 타원 형태의 은색 단조 새장은 폭풍우에 성이 나 벌떡 일어난 파도와도 같은 물결을 그려냈다. 안쪽 꼭대기에 달린 샹들리에는 새장이 좌우로 움직일 때마다 나붓나붓 흔들리며 반짝였다. 샹들리에가 발하는 빛이 촘촘한 은색 물결을 타고 흐르다 군데군데 박혀 있는 색색의 보석에 반사되어 새장 안으로 돌아왔다. 환한 등 아래에서 잘게 떨리는 팔이 무언가를 갈구하듯 뻗어지는가 싶더니 이내 힘없이 툭 떨어졌다.

　"……훗."

　"아니죠. 먼저 배워야, 잡힐 듯 잡히지 않을 듯 흩어져 저 멀리 높이 달아날 수 있지 않겠어요."

부질없는 행동을 비웃는 남자의 낮은 저음에 팔의 주인이 어깨를 들썩였다. 울고 있지는 않았다. 이마에 맺힌 땀이 아래로 향한 것뿐이었다. 여자는 무거운 고개를 간신히 들었다. 뚝, 이마에서 떨어진 또 한 방울의 땀이 콧등을 쳤다. 어지럽고 덥고 몽롱해서 남자가 하는 말의 의미가 잘 와닿지 않았다.

　"어째서인지는 누구보다도 아가씨가 제일 잘 알 텐데요."

　새장 밖에서 나른한 미소를 띠고 있던 남자의 기세가 돌변했다. 강제로 손가락을 집어넣어 여자의 이와 입술을 벌린 남자는 까만 비단 끈으로 어깨를 덮는 장발을 한데 모으고 삐죽삐죽한 앞머리는 뒤로 쓸어 넘겼다.

　연기가 뿜어져 나오고 새장 밖에서 타고 있던 양초들에서 나는 향이 짙어지자 여자의 몸에서 솟아나는 땀이 한층 더 많아졌다. 아직도 가물거리는 의식을 꿋꿋하게 부여잡고 본능을 따르지 않으려고 애를 쓰고는 있었으나 조만간 한계에 다다를 것만 같았다.

　"안타깝지만 난 아가씨에게 자비를 베풀 마음은 안 드네요."

　남자의 어투가 차가워졌다. 같은 공간에 있어도 향의 영향을 받지 않는지 남자는 냉정했다. 헐떡이며 눈을 감고 외면하는 여자를 보고 혀를 찬 후 향초의 개수를 늘린 것이 조금 전이다. 어마어마한 크기의 새장 속 음란하게 흐트러진 여자의 모습을 보고도 남자는 전혀 달아오르지 않는 듯이.

남자가 눈짓으로 가리킨, 허공에 떠 있던 새장은 바닥으로 안착했다. 문이 열리게 하는 역할을 하는 손잡이는 오닉스로 만들어졌으며 남근의 형태를 띠고 있었다. 손잡이를 돌려야만 새장에서 나갈 수 있지만, 속옷만 입고 있는 여자의 두 손목은 각각 두 발목과 수갑으로 구속되어 있어 손을 쓸 수가 없는 상황이었다.

　"애원해봤자 소용없어요."

　미약과도 같은 향을 뿜어내는 양초는 심지어 여자의 오감을 예민하게 만들고 몸을 한껏 달아오르게 했다. 사나운 으르렁거림에 몽롱해지던 정신이 한 박자 늦게나마 돌아왔다. 추태도 잊고 간질간질한 가슴과 다리 사이를 손잡이에 비비고 싶은 욕구를 꾹 누르며 여자는 기억을 되짚었다.

　어쩌다 이렇게 되었더라.

1장.
소설 속으로

등을 덮는 긴 적금색 머리는 꼼꼼한 빗질이 이어지자 엉킴이 줄어들었다. 타고난 결이 좋은지 관리에 많이 소홀했는데도 빗질만으로 윤기를 어느 정도 되찾았다. 먼지가 쌓인 거울에 비친 아가씨는 무표정하게 거울 속 자신을 응시하고 있었다. 느릿하게 깜빡이던 갈색 눈이 차분히 자신의 모습을 훑었다.

하얀 피부는 기미나 주근깨, 여드름 하나 없이 깨끗했다. 작아도 오뚝한 콧대와 새초롬한 눈매가 잡티 없는 피부와 어우러졌다. 청순가련한 미인은 아니어도 이만하면 어디 가도 못났다는 무시는 듣지 않을 수 있겠다 싶었다.

"청순……가련?"

무슨 이유에서였을까. 문득 뇌리를 스친 다른 사람의 얼굴이 있었으나 금세 사라졌다. 떠오를 듯 말 듯 희미한 잔상을 잡으려던 순간, 머리가 뾰족한 것에 찔리는 것처럼 쑤셨다.

"앗."

그러나 관자놀이를 누르기도 전에 통증은 언제 왔었느냐는 듯 빠르게 사라졌다. 정신을 차리고 다시 응시한 거울에는 무릎에 손을 가지런히 모으고 앉아 있는 묘령의 여인이 비쳤다. 묘령이라고 표현하긴 했지만 확실히 스물은 넘은 연령으로 보였다.

"클로에 파르세……. 내 이름이란 말이지."

다소 위화감이 남아 있긴 하지만 거울 속 여인의 얼굴은 무척 익숙했다. 기억에 남아 있는 스스로의 얼굴과 똑 닮아 있었다. 다른 사람의 가죽을 뒤집어쓰고 있지도 않은데 위화감을 느끼는 이유는 아마도 그녀를 부르는 이름 때문이리라.

처음 눈을 뜬 이후로 내내 혼란스러워하는 그녀를 보면서도 주변 사람들은 의외로 태연했다. 기억을 잃은 척 흉내를 내는 데도 전혀 놀라거나 당황해하지 않았다. 기억을 언제 되찾을 수 있을지 초조해하지도 않았고, 가족을 알아보지 못하는 그녀를 채근하지도 않았다. 변했을 것이 틀림없는 그녀를 평상시처럼 대했다. 결국 그녀도 클로에라 불리는 데에 익숙해졌다.

"으음. 정리해보자면."

정서적으로 안정을 찾고 난 후에는 조금씩 주변을 파악할 수 있는 여유도 생겼다. 그 결과 마지막 기억이 끊기기 전까지 읽고 있던 소설 속 등장인물의 몸에 들어온 것 같다는 판단을 내렸다. 그 등장인물들 중에서도 비중 적은 조연 정도는 되는 캐릭터에 들어온 듯했다.

무엇보다도 평범한 일반인을 몰래 데려다 몰래카메라를 찍을 리도 없고, 『트루먼 쇼』와 같은 상황이 아니라는 정도는 저택 바깥으로 몇 번 나가보기만 해도 알 수 있었다. 한국은 당연히 아니고 해외 세트장도 아니었다. 영화 등에서 보던 중세 시대와 비슷한 풍경이었지만 진짜 중세라고 보기엔 거리가 깔끔하고 문물이 제법 발달해 있었다.

"우선 여긴 내가 알던 지구가 아니고."

현재 머무르는 곳이 한국은 물론 지구가 아니라는 현실을 받아들이는 과정은 생각 외로 거부감이 들지 않았다. 클로에라 불리는 것에 먼저 익숙해져 그런지, 떠올리지 못한 다른 이유가 있는지는 모르겠다. 다만 그녀를 돌보아주던 유모 아주머니가 푸근하게 웃으며 한국이 무엇이냐고 되묻는 순간 깨달았다. 별다른 저항 없이 역시 그렇구나, 납득하고 받아들이고 있던 자신을.

"난 마법사였고."

또한 클로에 파르세는 마법사였다. 마법이 보편화된 세상이다 보니 마법사는 어엿한 하나의 직업이었고, 오라비는 클로에가 훌륭한 마법사였다고 자랑스럽게 말해주었다. 마법사라고 한들 마법을 쓰는 방법도 모르고 실감도 나지 않아 믿지 않으려 했더니, 멀리 있는 상대와 화상으로 연락으로 주고받는 거울 등 이런저런 증거를 보여주는 바람에 믿을 수밖에 없었다.

"몰락귀족의 딸이고."

당초 쉽사리 와닿지 않았던 「몰락」의 의미는 의식주 중 의복 분야에서 체감했다. 지금 입고 있는 엠파이어 드레스는 풍만한 가슴과 조화를 이루지 못하고 부해 보이며 겉돌았다. 체형에 맞게 만들지 못했다는 의미였다. 거칠고 뻣뻣한 천에 쓸려 발갛게 부은 피부가 옷에 가려져 있기도 했다.

의식을 잃고 쓰러져 있던 클로에는 한 달을 꼬박 잠들어 있다가 일어났다고 했다. 의사는 원인은 모르겠지만 마법과 관련된 문제가 아니겠느냐는 추측만 내놓았을 따름이라고 했다. 다행히 일어나지 못하는 것만 빼면 다른 문제는 없어 막대한 병원비를 감당하기 힘들었던 파르세 부부는 잠든 딸을 그대로 집에 두었다. 자식을 아끼지만 돈이라는 현실적인 문제 앞에서는 뾰족한 수가 없었던, 그 정도의 귀족 집안이었던 셈이다.

"그리고……."

다행히 일주일 전쯤 클로에 파르세는 깨어났다. 비록 예전의 클로에가 아닐지언정, 파르세 부부의 딸이자 네르딘 파르세의 하나뿐인 여동생은 사라진 기억을 제외하면 건강하게 깨어났다.

"하루아침에 생전에 없던 오빠도 생겼고."

들기로 가족 구성은 양친과 오라비인 네르딘, 클로에까지 총 넷. 조그만 파르시에 영지와 함께 자작 위를 대대로 물려받을 수 있는 파르세 가문. 수도가 삶의 터전인 중앙귀족은 아니지만 시골에서 오순도순 잘 살아오다 이번 대에 시골의 저택을 정리하고 수도로 올라왔으며, 비록 고급품은 아니지만 대중성으로 승부하는 과실주를 특산품으로 생산하는 영지를 운영하고 있다고 했다.

파르세라는 성, 과실주라는 힌트로 지금 있는 곳이 소설 속 세상이 아니겠느냐는 추측은 확신으로 바뀌었더랬다. 입 밖으로 꺼내지 않은 생각을 읽기라도 한 듯, 네르딘은 기억을 잃은 척하는 클로에에게 간략하게나마 그간의 사정을 요약해주었다.

마냥 사람 좋기만 하고 의심할 줄 모르는 파르세 자작 부부였지만 수도로 올라온 이후 썩 일이 잘 풀린 편은 아니었다. 먼저 시동생 부부의 간절한 요청을 차마 모른 척하지 못하고 보증을 섰고, 하루아침에 자취를 감춘 시동생 부부의 빚을 대신 떠안았다. 그래도 당시에는 수도로 올라오며 정리했던 재산이 남아 있어서 버틸 수 있었다.

빚을 갚고 어느 정도 숨을 돌릴 수 있겠다 했을 즈음에는 큰 돈을 투자했던 사업이 실패하고 뒤이어 네르딘의 약혼이 깨졌다. 일방적이라고는 하나 어느 쪽의 요청이었는지는 들을 수 없었다. 마침 클로에가 기억을 잃었으니 잘되었다며 자세히 설명해주기를 꺼리는 것으로 보아, 제법 큰 상처를 남긴 모양새였으리라 짐작할 따름이었다.

심지어 요즘에는 하던 과실주 사업도 잘되지 않는 실정이라고 했다. 자작에게 사업 감각이 있는 것도 아니었고, 좋은 술을 고를 줄 아는 미각과 후각은 있었지만 그뿐이었다. 근래 모종의 일까지 겹쳐 결국 파르세 자작은 또다시 막대한 빚을 떠안기 직전이 되었다.

아무리 귀족 지위를 유지하고 있다고는 하나, 이제는 더 이상 수도로 막 올라왔던 그 시절 같을 수는 없는 법. 중앙의 사교계에선 파르세 자작 부부의 출입을 꺼릴뿐더러 제게 빌붙을까 간단한 인사조차 받아주지 않는 실정이라고 했다. 하물며 비빌 언덕 하나 없는 시골 귀족이니만큼 더더욱.

"소설에서는 일개 엑스트라의 사연 따윈 세세하게 알려주진 않아서 소설과 똑같이 진행되었는지는 모르겠지만. 그래도 클로에 파르세라는 여자가 지금쯤 무엇을 하려는지 정도는 짐작이 가네."

이 나라에서는 신랑의 집에서 신부의 집에 지참금을 보내는 관례가 있다. 지참금은 원래 신부 측에서 준비해야 맞지만, 이 세계에서는 귀한 자식을 보낸 데 대한 감사의 의미로 신랑 측에서 혼납금을 건네기로 되어 있다. 물론 남자가 신부 집으로 들어가면 지참금은 신부 측에서 준비한다.

관례이니만큼 어떻게 상의하는가에 따라 내용물은 달라질 수 있지만 보통 보석이나 영지, 돈 등 유형의 형태를 띠는 것부터 사업권 등 무형의 형태를 띠는 것까지 다양했는데, 귀족인 이상 지참금을 생략하는 경우는 없다고 봐야 했다. 그렇기에 네르딘이 결혼 시장에서 외면을 당하고 있는 중이라면, 이는 곧 클로에는 여자이니 지참금을 받을 수 있다는 뜻이 된다. 그 때문에 클로에 파르세는 황실마법사라는 꿈을 포기하며 결혼을 결심하고, 끝내 비참한 미래를 맞게 된다.

"자, 그러면 내가 주인공이 아닌 건 확실하고."

소설에서의 남자주인공 후보는 셋이었다. 이름하여 오르시니 공작가의 3형제.

먼저 그중 첫째가 장남, 다니엘레 오르시니다. 현 공작이 지명한 후계자이며 차기 공작이 될 남자다. 매사 엄격하고 자로 잰 것같이 반듯한 성격이어서 의젓하고 믿을 수 있다는 판단으로 후계자 자리를 맡겼다고 한다. 융통성이 조금 부족하다는 평도 듣지만 두 동생이 그 정도는 보완해주기 때문에 단점은 상쇄되는 편이었다. 머리카락 한 올도 삐져나오지 않게 넘긴 짧은 흑발에 오르시니 특유의 황금안이 가장 선명한 남자고, 여주인공과 얽히는 첫 번째 후보였다.

"으음. 여주인공과 다니엘레의 첫 만남은."

소설 속에서 여주인공과 다니엘레 오르시니가 처음 만나는 계기를 제공한 사람은 다름 아닌 파르세. 정확히는 파르시에 영지의 특산품인 과실주였다. 저렴하지만 맛이 좋고 품질이 좋아 좋게 봐준 한 귀족이 제가 연 파티에 파르시에의 도수 약한 과실주를 함께 내었다. 여주인공은 도수가 약하고 달다는 말에 혹해 과실주를 마시고 알레르기 반응을 일으켜 쓰러지는데, 마침 그 자리에 다니엘레 오르시니가 있었다.

"술에 알레르기가 있으면 마시지를 말지……."

여주인공은 다니엘레의 옆모습을 훔쳐보는 데에 정신이 팔려 술에 약한 체질임을 잊고 마셨다. 쓰러졌는데도 한 떨기 가녀린 백합 같은 청초한 자태에 차가운 목석이나 다름없는 다니엘레의 시선이 움직여버리고, 결국 여주인공을 부축하기에 이른다. 어떤 여자가 접근해도 차갑게 내려다보던 다니엘레의 이상 반응에 사교계가 술렁였고, 파르시에 영지의 과실주는 한동안 사모하는 남성의 마음을 사로잡기 위한 용도로 매출이 잠시 늘어났었다. 그러나 곧 이어진 다니엘레 오르시니의 「여성에겐 어울리지 않는 저급 술.」이라는 평가에 외면당하고 만다.

"파르세의 과실주가 여주인공과 장남과의 첫 번째 접점이고."

차남, 지안니 오르시니. 마법 전문 아카데미를 최연소 수석으로 졸업한 마법계의 천재. 졸업하자마자 황제에게 충성을 맹세하고 황실마법사로 들어갔다. 황궁은 황제직속 친위대와 전투부대인 마법사단과 마법학연구소, 그리고 그 외 잡다한 업무를 맡는 실무부대 등의 단체를 거느리고 있는데 지안니는 황궁의 모든 마법사 단체를 총괄하는 직위를 부여받았다. 이성적이지만 냉정하다는 소문의 지안니는 3형제 중 제일 잔혹한 남자였다. 지안니를 통제할 수 있는 사람은 다니엘레와 황제, 현 오르시니 공작밖에 없다는 말이 떠돌 정도로.

여주인공은 다니엘레와 친해지고 공작저에 몇 차례 초대받아 드나들면서 지안니와도 만나게 된다. 지안니는 처음에는 쭈뼛거리면서 인사를 하는 여주인공을 무시한다. 다니엘레와 달리 한눈에 반하지도 않았던 지안니가 여주인공의 존재를 인지하게 된 이유는.

"이 두 사람은 어떻게 만났더라…… 잠깐, 이때도 파르세였네?"

여주인공은 남작 영애였다. 여주인공의 아버지인 페인 남작은 파르세 자작과 같은 사업에 투자했다가 실패한다. 대외적으로는 모든 실패의 책임이 파르세 자작에게 돌아갔기 때문에 여주인공의 아버지는 타격이 보다 덜한 편이었으나 가세는 기울 수밖에 없었다. 이에 여주인공이 점점 다니엘레를 만나기 힘들어하며 거리를 두려 하자 지안니가 형을 위해 여주인공의 뒷조사를 하게 된다.

형을 위해 시작한 조사였으나 진행할수록 여주인공이 지안니의 이상형에 꼭 맞는 인물임을 느끼게 된다. 형의 여자를 뺏을 마음은 없으나 여주인공에 대한 감정을 누르지 못하고 결국 힘들어하는 여주인공의 곁으로 다가가 도움을 주기 시작한다. 형에게 걸맞은 여자로 만들어주겠다는 명목으로.

"사업 실패가 여주인공과 차남의 접점의 계기고……."

마지막 삼남, 미타이 오르시니. 전장의 사자. 검을 들면 말이 없어지고 누구보다 무시무시해지지만 칼만 내려놓으면 호쾌한 어리광쟁이 막내가 된다. 차가운 두 형도 미타이에게는 한 발 물러서 주었다. 다분히 막내답지만 그래도 어엿한 기사로 성장한 삼남은 황제를 골치 아프게 하는 국경전이 일어날 때마다 몸을 아끼지 않고 달려가 선봉에 서서 승리를 안고 돌아오곤 했다. 가장 어려도 가장 덩치가 큰 삼남을 두고 모두들 귀여운 사자라고 놀리곤 했다.

"미타이와 여주인공의 접점……은, 그래, 파르세 가문의 몰락은 정해진 운명이었을지도 모르겠다……."

미타이와 여주인공이 만나게 되는 계기를 제공하는 이 또한 파르세였다. 클로에의 오라비 네르딘. 약혼녀에게 차인 충격으로 실의에 빠진 그에게 잠시 방황하던 시기가 있었다. 오라비는 기억을 잃었으니 마침 잘되었다며 약혼녀가 누구였는지는 절대 알려주지 않았지만, 정략약혼이었어도 최선을 다해 사랑

했다는 사실은 슬픔에 가득 찬 눈빛만으로도 충분히 알 수 있었다. 그렇기에 여동생을 아끼는 사람 좋아 보이는 오라비가 실수를 저질렀을 터.

오라비의 방황이라고 해봐야 혼자 술을 마시고 혼자 취해 혼자 꺼이꺼이 울다가 혼자 잠드는 정도에 불과했는데 그날은 일이 꼬였다. 취한 오라비에게 괜찮으냐며 다가온 한 여자를 붙잡고 울었는데 하필 그 여자가 여주인공이었다. 여주인공이 사색이 되어 놓아달라 해도 오라비는 더더욱 세게 매달려 울었고 지나가던 미타이가 여주인공을 구해주었다. 오라비는 미타이의 주먹 한 방에 나가떨어졌고, 그 후로 어떻게 되었는지는 소설에 나오지 않았다. 그저 미타이가 오라비의 얼굴을 기억해두고 후에 어떤 남자인지 알아냈다는 부분까지만 나왔더랬다.

미타이에게 여성은 모두 귀엽지만 그중에서도 여주인공은 특히나 더 귀여운 존재였다. 음전하게 감사의 인사를 건네는 여주인공을 보고 반했지만 그의 두 형도 그녀를 좋아한다는 사실을 알아버렸다. 희망이 있다면 여주인공의 마음이 아직 정해지지 않았다는 것뿐.

"결말이 뭐였더라. 기억이 안 나네⋯⋯."

딱히 이런 내용을 보려고 골라서 찾아보지는 않았다. 휴대폰을 중고로 샀는데 공장초기화를 했다던 폰에 덜렁 들어 있던 소설 파일이었다. 처음에는 읽을 생각을 하지 않았는데, 하루

날 잡고 쓸데없는 파일을 정리하다 어디 한번 읽어나 보자 하고 열었더랬다. 분명 그리 좋아하는 취향이 아니었음에도 불구하고 이상하게도 읽을수록 빠져들었다.

여자주인공을 좋아해 동시에 쫓아다니는 3형제. 형제간 우애가 돈독했지만 같은 여자를 좋아하게 되면서 우애가 깨질 뻔하기도 한다. 치열한 경쟁 끝에 차남과 삼남이 겨우겨우 마음을 정리한 다음 맏형의 사랑을 응원하기로 하고, 클로에 파르세를 비롯한 맏형의 사랑을 방해하고 괴롭히는 모든 존재는 제거해 버린다.

여주인공은 수줍게 항상 한 발짝 물러나 형제간 다툼을 지켜보면서 말리지도 않고 자신을 괴롭히던 악역들의 파멸을 인자한 미소를 지으며 바라본다. 모든 일이 마무리되면서 여주인공에겐 세 남자 중 한 명을 선택해야 하는 날이 다가오는데…….

여주인공도 남자주인공들도 어느 누구도 응원하지 않고 중립적으로 보기는 했지만, 한 여자와 세 남자의 밀고 당기는 연애를 보며 죽어가고 있던 연애세포가 다시 살아나려 한다는 느낌은 느꼈었다. 그러나 그 찰나, 소설 내용에 빠진 나머지 파란불로 바뀐 줄 착각하고 횡단보도를 건너다 차에 치였고 눈을 떴을 땐 클로에 파르세가 되어 있었다.

꼭 소설 속 인물이 되어야만 했다면 파르세 자작 부부가 잘못된 선택을 하기 전으로 들어왔다면 좋았을 텐데. 그러나 불행히도 소설 속 클로에가 지참금을 많이 받을 수 있는 자리를 찾아다니는 시기로 들어와버렸다. 물어보는 족족 순진하게 대답해주는 네르딘과 유모를 넌지시 떠본 바로는 그랬다.

그뿐이랴. 술에 취해 주정을 부렸는지 누군가에게 한 대 맞은 일도 있었다 했고, 최근에는 유력자에게 단단히 찍혀 과실주 사업이 부쩍 힘들어졌다는 한탄도 들었다. 즉, 소설 속 남자 주인공들에게 파르세라는 이름이 안 좋은 의미로 각인된 후라고 봐야 했다. 이보다 더 절망적일 수는 없었다.

클로에 파르세라는 캐릭터의 미래는 기억한다. 지참금을 많이 주는 재취 자리를 구하는 데에는 성공하지만 결혼하는 상대는 부인을 때리는 취미를 가진 쉰 살은 더 많은 남자였고, 지참금마저 클로에를 속이고 건네지 않는다. 이 캐릭터의 죽음만큼은 소설의 결말까지 보지 않았어도 알았다. 여주인공이 마음을 정하기 전에, 사교계에서 떠드는 클로에 파르세에 대한 비참한 말로를 흘려듣는 장면을 읽었기 때문이다.

"그런데 이건 이상하단 말이지."

클로에 파르세의 얼굴은 원래 자신의 얼굴과 꼭 닮아 있었다. 소설에서 재취라도 할 수 있었던 이유에는 요염한 인상이 한몫했다고 되어 있었는데, 거울에 비친 얼굴을 보고 있자니 어디가 요염한 걸까 의문만 들었다. 눈매가 새초롬하니 올라갔고 입술이 도톰하고 눈썹이 가늘긴 하지만 유혹적이기보다는 원래의 모습과 놀라우리만치 같을 따름이었다.

"으음. 뭐가 뭔지 잘은 모르겠지만. 일단."

얼굴 생김새를 고민할 때가 아니다. 오늘은 과거의 클로에가 가장무도회에 참가하려던 날이라고 들었다. 꾸미는 것을 도와주던 유모가 눈시울을 훔치며 말해준 바에 의하면 과거의 클로에는 오늘 열릴 무도회에 입고 갈 드레스도 일찌감치 구해두었다고 했다. 옷장에 섞여 있는 다양한 시대의 복식 중에서 유모가 일말의 고민 없이 꺼내 온 엠파이어 드레스는 옷감도 좋지 않고 아무 장식도 없어 고대했던 무도회에 입고 갈 만한 옷으로는 보이지 않았지만, 훌쩍이는 모습을 보자니 가타부타 사족을 붙일 만한 분위기는 아니어서 얌전히 드레스를 입었다.

"파티에 나가보는 게 좋겠지?"

과거의 클로에가 짜둔 미래를 순순히 따를 생각은 아니었지만 만일을 대비하여 나가보기로 했다. 소설의 무대가 사교계 위주인 이상, 처한 현실을 더 자세히 파악하려면 파티에 참가해야 도움이 되리라. 아프다는 핑계를 대고 집 근처만 탐색하듯 둘러보던 단계는 슬슬 마무리할 때가 되었다.

∞

무시를 당하지 않으려면 에스코트를 해줄 남성을 동반하는 편이 좋았지만, 아쉽게도 지금의 클로에에겐 가족 말고는 아무런 인맥이 없었다.

그나마 오늘은 가면무도회여서 격식을 보다 덜 차려도 되는 자리라는 점이 다행이라면 다행이었다.

금이 발린 벽과 대리석 바닥은 홀을 밝히는 거대한 샹들리에 아래서 눈이 부실 정도로 빛이 나고 먼지 하나 없을 정도로 깨끗해 화려하다는 인상은 주었지만 그뿐이었다. 가면무도회를 주최한 측은 재력은 제법 되었지만 우아하게 포장하는 법은 알지 못했다. 한마디로 세력을 과시하고자 돈을 바르긴 했으나 알짜배기들을 초대할 정도는 되지 못하는 급의 파티였다. 그러나 누구든지 상관없을 남자를 물색하려던 과거의 클로에는 개의치 않은 듯했다.

그래도 파티에 참석한 사람의 수는 제법 되었다. 자유분방한 가면무도회이니만큼 젊은 사람들도 많아 보였다. 가볍게 하룻

밤을 즐길 목적으로 온 듯한 이들이 대부분이었다. 추측을 뒷받침하기라도 하듯 각양각색으로 차려입고 온 드레스 중에는 단정하다고 보기엔 힘든 디자인도 많았다. 오히려 큰 가슴과 조화를 이루지 못하는 클로에의 드레스가 이 무도회장에서 제일 얌전한 복장으로 보였다.

또한 쓰고 있는 가면도 수준 차이가 심하게 나서, 보석은커녕 마분지처럼 두꺼운 종이를 여러 겹 대고 물감으로 칠한 것과 다름없는 수준의 가면은 장식을 하는 보람이 없었다. 클로에는 보일 듯 말 듯 한숨을 쉬며 구석에 오도카니 서 있었다. 아무리 미화해보려고 해도 벽을 장식하는 꽃조차 되지 못하는 신세였다.

소설에서는 클로에가 적극적인지 소극적인지조차 묘사되어 있지 않았다. 여주인공을 괴롭히고 3형제와의 사랑을 방해하는 악역보다도 존재감이 없게 그려졌음에도 비참한 운명을 맞이했었다. 클로에의 이름보다 파르세라는 성이 더 많이 등장할 정도로 의미가 없는 존재였음에도.

"난 이렇게 살아 있는데."

화려한 무대를 눈부신 듯 쳐다보던 지금의 클로에는 가만히 고개를 틀었다. 과거의 자신이 어떠했는지는 이제 상관이 없다. 어차피 똑같이 연기할 수도 없고, 당연하겠지만 불구덩이에 뛰어들 생각도 없다.

재취라는 미래를 따르고 싶은 생각이 없는 이상 고를 수 있는 선택지는 별로 없었다. 원래 꿈대로 마법사로 취직해 소소하게나마 가족에게 생활비를 보태며 살아간다는 방법과, 이 세계에는 없고 지구에는 있었던 무언가를 이용해 크게 한 몫 번다는 방법뿐이다. 파르세 자작에게 없던 사업 머리가 제게 있을 리 만무하고 주인공처럼 조언을 해주거나 도움을 줄 조력자 또한 없다는 문제가 걸리긴 하지만.

"마법사가 되면 멋있을지도."

재취 자리 대신 마법을 공짜로 가르쳐줄 선생님을 찾아서 꼬드겨볼까. 솔직히 다시 공부하다 보면 몸에 배어 있던 능력이 발휘되지 않을까 살짝 기대가 되긴 했다. 만화나 영화에서나 보던 마법을 자신이 쓴다는 상상을 하니 제법 고양되기도 했고. 클로에는 꼼지락꼼지락 주먹을 폈다 쥐었다 하며 리나 인버스가 쓰던 「파이어 볼!」을 쓰거나 해리 포터가 쓰던 「아씨오!」를 쓰는 자신의 모습을 상상했다. 『반지의 제왕』에서 엘프가 쓰던 마법도 좋은데. 그러나 그건 엘프어를 몰라서 건너뛰고.

그렇게 혼자 노는 동안 아무도 클로에에게 말을 거는 사람이 없었다. 가면 너머 얼굴을 확인하지 않아도 가볍게 건드려볼 흥미조차 생기지 않았나 보다. 벽과 물아일체가 되어 브라운관 너머 세상을 보듯 멍하니 보던 클로에의 시야에 낯익은, 아니 실제로 보는 것은 처음이었지만 왜인지 익숙한 머리와 머리핀이 눈에 띄었다.

이슬도 머물지 못하고 미끄러워 떨어질 것 같은 고운 직모. 초승달 모양으로 사파이어가 촘촘히 박힌 핀으로 반머리를 고정하고 엉덩이까지 찰랑이는 은발을 늘어뜨렸다. 화려한 샹들리에 밑에서 고요히 빛나는 진주 같은 피부는 목과 쇄골, 손등만 드러나 있다. 자유로운 옷차림들 사이에서 음전하게 온몸을 꽁꽁 싸맨 드레스는 부각될 수밖에 없었다. 달콤한 과일 향이 날 것 같은 도톰한 입술은 희미한 미소를 유지하고, 모두가 흘깃거리며 수군대도 당당하게 서 있는 여자는 그야말로 여주인공다웠다.

"근데 여주가…… 가면무도회에 오는 장면이 있었던가?"

여주인공 시점으로 돌아가는 소설 내에서 여주인공이 참석했던 파티는 거의 기억하고 있다. 미타이가 선물한 머리핀을 하고 파티에 참석해서 미타이가 기뻐하는 에피소드는 있었지만 그 에피소드의 무대는 가면무도회가 아니었다. 몰락귀족 영애가 된 클로에와 오르시니 3형제의 사랑을 한 몸에 받는 여주인공이 같은 파티에 참석할 일은 없었을 텐데, 여주인공은 사파이어 머리핀을 하고 가면무도회에 홀로 왔다. 미타이가 같이 왔다면 여주인공을 혼자 둘 리 없으니 혼자 왔다고 봐야 하리라.

"여주…… 맞지?"

여주인공의 자태에 홀린 부나방들이 몇 차례 다가갔으나 단호한 거절에 입맛을 다시며 물러났다. 기억 속 소설의 여주인공은 마냥 가녀리고 연약하고 동정심이 많고 마음이 약해 거절을 잘 못 하는 성격이었다. 그래서 악역에게 계속 당하곤 했는데 막상 실제로 보니 그렇지도 않았다. 머리색만 보고 착각했나 싶을 정도였다.

결국 계속 다가오는 남자들을 귀찮아하고 짜증 내는 기색이 여기까지 느껴질 정도였다. 혀를 찬 것 같기도 했다. 여주인공이 미세하게 고개를 돌린 방향에 클로에가 멀뚱히 서 있었기 때문에 눈이 마주쳤을지도 모르겠다는 착각까지 들었다.

그러나 다시 보았을 땐 여주인공의 입술은 미동도 없었고 어느샌가 고개도 원래대로 돌아가 반듯하게 앞을 바라보고 있었다. 조금 전 클로에가 본 모습은 모두 착각이었다는 듯.

귀찮게 구는 남자들을 혼자 상대하던 여주인공은 성큼 발걸음을 옮겼다. 조명으로 대낮과도 같은 무도회장을 떠나 복잡한 무리를 가르고 어딘가로 이동했다. 여주인공이 가는 방향에는 밖으로 이어지는 문이 있었다.

"어딜 가는 거지."

출구로 통하는 입구는 아니다. 아마 사담을 나눌 수 있는 조용한 정원이나 휴게실로 갈 수 있는 복도 혹은 별관으로 통하는 회랑이 나오는 문으로 보였다. 여주인공은 내부 구조에 익숙한 듯 두리번거리지도 않고 즉각 문밖으로 나섰다.

"어라."

무도회장 공기가 답답해서 나갔겠거니 싶어 더 이상 신경을 쓰지 않고 주스나 마시려 했다. 그러나 여주인공이 나갔던 곳으로 분위기가 좋지 않은 두 명의 남자가 따라나서는 장면을 보던 클로에의 훌쩍임이 멈췄다. 겉으로는 멀쩡해 보이는 두 남자의 뒷모습을 보고 괜히 분위기가 좋지 않다고 생각한 이유를 스스로도 알 수 없어서였다.

"아무래도 여주인공답게…… 협박 정도는 자주 당하긴 했었지?"

순한 성격으로 묘사된 여주인공은 협박도 자주 받는다. 같은 여자가 화장실로 불러내서 할 때도 있고, 질투에 눈이 먼 여자의 사주를 받은 남자들이 할 때도 있다. 물론 소설답게 아무리 3형제가 없는 자리에서 협박을 한들, 가해자들은 보복을 당하게 되어 있었다.

여주인공이 3형제에게 아무 말도 하지 않았고, 3형제 또한 눈에 띄게 움직였다는 서술은 없었지만……. 여주인공은 매번 비참한 최후를 맞이한 「누군가」에 대한 사교계 가십을 흘려듣곤 했다. 클로에 파르세 때처럼.

대개는 한 사람씩 여주인공을 찾아오거나 불러냈지만 딱 한 번, 함께 찾아온 두 남자에게 위협을 당한 적이 있었다. 가면무도회에서 일어났다고 언급된 적은 없지만.

"잠깐만, 뭔가 떠오를 것도 같……."

불길한 느낌이 등골을 타고 흘러 내용을 기억해내려고 애를 썼다. 그때 여주인공이 무언가 모진 말을 들었던가? 마음의 상처를 입을 만한 사건이었다는 것만 기억이 날 뿐, 정확한 내용은 도통 기억이 나질 않았다. 희미하게나마 떠오르지도 않는다면 읽을 때 흘려 넘겼을 정도로 임팩트가 약한 사건이었다고 봐야 할 텐데. 그런데도 왜 이리 불길하게 느껴지는지는 알 수가 없었다.

"여주인공과 남자 둘……. 남자 둘…… 아!"

순간, 누군가 닫힌 문의 빗장을 열어준 것처럼 갑자기 기억이 떠올랐다. 클로에는 뛰듯이 여주인공이 나간 방향으로 향했다.

"그때 그 에피소드!"

과실주 사건 외에도 파르세라는 성이 여주인공을 곤경에 빠트리는 사건이 또 있었다. 여주인공은 두 남자에게 출생의 비밀을 빌미로 약점을 잡히고 협박을 당한 적이 있었는데, 그 배후로 파르세가 지목되었더랬다. 그러니 남자주인공 입장에서 여주인공과 파르세의 관계란 참으로 거슬리는 악연이었으리라. 인과응보의 화살이 소설 속 클로에에게 돌아온 이유도 그 일이 결정적이었을 터.

"이번 한 번만이, 아얏."

불투명한 유리문을 나서니 긴 회랑이 나타났다. 기둥 사이로 얼굴을 내미는 운치 있는 장미 정원을 음미하며 옆 별관으로 이동할 수 있게 지어진 회랑은 저 멀리서 직각으로 꺾여 있었다. 바로 그 꺾인 부분에 여주인공이 서 있었다.

가까이 다가가는 사이 언젠가 읽었던 장면이 떠오르며 잠시 관자놀이가 지끈거렸다.

가면이 없는 여주인공은 청순한 얼굴로 눈물짓고 눈을 아래로 내리깐 채 비틀비틀 서 있다. 아니야, 거짓말……! 등의 애처로운 호소를 무시한 두 남자가 비열한 미소를 지은 채 여주인공을 위협하듯 에워싸고 내려다본다.

소설에서 본 장면이다. 여주인공이 뒤로 물러서다 기둥에 부딪히면 두 남자는 한층 신이 나 더 크게 말한다.

"파르세는 다 알고 있더라고."

낄낄 웃음소리가 커지고 여주인공의 동요 또한 눈에 띌 정도로 커졌다. 여주인공과 클로에는 얼마 떨어져 있지 않았지만 아무도 클로에 쪽을 신경 쓰지 않았다. 머릿속에 자연스럽게 그려진 장면이 눈앞에 그대로 펼쳐지고 있었다. 클로에는 갑작스러운 두통에 눈가를 꾹꾹 누르면서도 귀를 쫑긋 세웠다.

"「그」에게 네 이야기를 들었지."

"폐인가의 피 따위는 흐르지 않는다고."

여주인공이 숨기고 싶어 했던 비밀은 그녀가 고아라는 사실이었다. 자식이 없던 남작 부부가 그녀를 입양해 친딸과 다름없이 키웠지만, 출신은 여주인공이 소설에서 내내 약점이라 여겼던 치부였다. 여주인공은 그녀를 거둬준 남작 부부의 명예에 금이 가지 않도록 뼈를 깎는 노력으로 사교계 예절을 배우는 데 매진했다.

"페인 남작도 재밌어. 그렇게 자랑하고 다녔던 딸이 친딸도 아니었다니."

"이런 여자인지 알기나 할까?"

재미있어 죽겠다는 듯 이어지는 남자의 폭로에 여주인공의 안색이 하얘졌다.

지금 보고 있는 광경이 현실인지, 지끈지끈 머리가 깨질 것 같은 와중에도 떠오르는 소설 장면을 현실에다 덧씌우고 있는 중인지 알 수가 없었다. 클로에는 후우 후우 숨을 천천히 들이쉬며 눈을 깜빡였다.

'그러니까……'

협박을 계기로 한동안 여주인공의 사교계 생활은 무척 힘들어졌었다. 비싼 드레스에 색 있는 음료를 쏟는 것은 기본, 발을 밟거나 거는 것은 당연하며 겉으로는 웃다가도 부채로 입을 가리고 들으란 듯이 「천한 것이 들어와서 냄새가 난다.」고 하질 않나, 드레스에 손을 대 무도회장에서 부끄러운 꼴을 당할 뻔한 적이 한두 번이 아니었다. 점차 따돌림은 심해져 티파티나 살롱에 초대하지 않거나, 설령 초대한다 하더라도 시간과 장소, 드레스코드를 일부러 다르게 알려주는 일도 허다했다. 3형제가 나서기 전까지 여주인공은 홀로 감내하며 고독한 싸움을 했다.

'아마도 이쯤에.'

배후이자 원흉의 성이 드러났다.

"파르세가 그렇게 된 게 다 네 탓이라며? 하하!"

「파르세」로부터 여주인공의 비밀을 들었노라고, 이 두 남자가 그렇게 말했기 때문이다.

충격에 빠진 여주인공이 입술을 깨물고 두 남자를 노려보았지만 가녀린 외양 탓에 하나도 위협적이지 않았다. 당연히 두 남자는 휘파람을 불고, 우쭈쭈 조롱해댔다.

"그래서 생각했지. 「그」를 위해서 복수를 해줘야 하지 않을까."

소설에서는 「그」가 누군지 명확하게 나오지 않았다. 지금도 마찬가지였다. 그러나 듣고 있노라면 적어도 두 남자는 파르세를 위해서 여주인공을 괴롭히는 것처럼 보였다. 그리고 이들이 언급하는 「그」는 과연 누구인가.

소설 속에서 세 사람의 대화를 엿듣고 황급하게 자리를 뜨는 한 여자가 있었다. 여주인공은 달아나는 여자의 뒷모습만 보았다. 붉은 기운이 도는 긴 곱슬머리에 하얀 드레스. 고양이처럼 도망간 여자가 누구인지 모르겠다며 한숨을 쉬며 3형제에게 털어놓았었다. 여주인공은 엿들었던 여자의 정체를 끝까지 몰랐다고 서술하고 있었지만…….

"이즈리에 양."

소설 내용대로라면 훔쳐듣기만 하고 바로 들킨 도둑처럼 도망가야 했을 클로에가 여주인공의 이름을 부르며 세 사람 사이에 끼어들었다. 두통은 여전히 남아 있었지만 아프다고 뒤에 물러나 있을 수는 없었다.

"누구신가요?"

가면을 벗지 않았기 때문인지 여주인공은 다행히도 클로에를 알아보지 못했다. 두 남자 역시 마찬가지였겠지만 클로에의 정체를 궁금해하는 기색은 아니었다.

"지금 하고 계신 머리핀을 이즈리에 양께 선물하신 분이 찾으시더군요. 늦지 않게 가보시는 것이 좋을 듯해요."

클로에는 두 남자를 무시하고 빙그레 미소 지으며 여주인공에게 가면 너머로 눈짓했다. 외진 곳까지 굳이 온 그녀가 미심쩍겠지만 머리핀에 담긴 의미를 알고 있는 사람은 없으니 마냥 의심할 수는 없으리라. 그 탓인지 여주인공의 파란 눈이 갈팡질팡 흔들리는 것처럼 보였다. 클로에는 안심하라는 듯 싱긋 미소 지었다.

'달의 여신으로도 칭송받는 미모에 저런 청순한 분위기라니, 반칙이잖…… 어?'

클로에를 가늠하느라 그랬는지 잠깐이나마 여주인공의 입매가 딱딱하게 굳고 처연한 눈매가 훅 올라갔다. 상반된 분위기에 순수하게 감탄을 하던 중 미묘한 느낌에 눈이 동그랗게 뜨였다.

"여기까지 알려주러 오셔서 감사해요. 저, 성함이……?"

"지나가던 심부름꾼일 뿐이랍니다. 더 늦기 전에 가보셔요. 누구신지는 몰라도 걱정으로 가득 차서 찾으시던걸요."

"……그런가요. 먼저 가보아야겠네요. 두 신사분도 밤이슬은 너무 오래 맞지 마시고 들어오세요. 그럼."

여주인공이 사르르 미소를 지으니 묘하던 분위기는 깔끔하게 사라졌다. 클로에는 어서 여주인공이 이 자리를 벗어나길 바라며 거짓말을 이었다. 미타이에게 직접 부탁받은 듯한 클로에의 말에 여주인공이 목례를 하고 자리를 벗어났다.

"이게 지금……."

남자가 분통을 터트렸다. 여주인공에게 가하려던 위해가 중간에 가로막혔으니 짜증이 날 만도 했다. 따라서 그들을 방해한 사람의 얼굴이 궁금하기도 할 터였다. 한 남자가 클로에의 가면을 벗기려 팔을 뻗었다.

"뭐야!"

피해야 한다는 생각은 들었는데 위압적으로 다가오는 팔을 보니 긴장한 몸이 생각처럼 움직여주질 않았다. 반사적으로 눈을 감은 클로에의 귓가에 벌컥 화를 내는 소리가 들렸다.

"너⋯⋯."

뻗었던 팔은 허공에서 멈춘 채였다. 남자가 미간을 찌푸리며 손을 쥐었다 폈다 했으나 그뿐이었다. 무슨 이유에서인지 가면을 벗겨보려던 마음이 바뀐 듯 씨근덕거리기만 할 뿐, 끝까지 팔을 뻗지 않았다.

"발, 빼세요."

"뭐?"

클로에는 콩닥콩닥 뛰는 가슴을 진정시키려 애를 썼다. 떨리는 목소리를 남자가 눈치채지 않기를 바라며 바짝바짝 마르는 입술을 축였다.

우선 소설 내용과는 다르게 곤경에 빠진 여주인공을 가만히 두고 보지 않았다. 빼내는 데에 성공했다. 그러니 엿듣기만 하고 여주인공의 비밀을 고의로 소문냈다는 오해는 하지 않겠지. 설마 구해주기까지 했는데 오해를 할까.

"이런 일 할 필욘 없잖아요."

여주인공을 협박하고 위협을 가했으니 두 남자의 파멸은 당연한 수순이겠으나, 나선 이유가 이들을 구하기 위해서는 아니었다. 개입하고 싶어서 벌인 일도 아니었다. 클로에가 괜히 일면식도 없는 사람 두엇 구하겠다고 쓸데없는 참견을 할 이유는 없었다. 그렇다면 대체 왜 아직도 이 자리에 남아 상대를 하려는가 하면.

"게르 공자."

정면에 서 있는 남자의 이름이 생각났다. 누군가가 귀에 속삭여주는 것만 같았다. 이름이 불린 남자의 표정이 딱딱하게 굳었다.

"더 깊이 잠기기 전에, 지금이라도 빠져나와야 하지 않을까요."

게르의 집안은 예술품에 조예가 깊었다. 또한 취미로 끝내지 않고 안목을 이용해 돈을 벌어온 가문이었다. 큰 규모의 갤러리도 여럿 운영 중이고 때문에 감정사로 활동하는 여주인공과도 한 번씩 마주칠 일이 있었던 것으로 묘사되어 있었다.

소설 속에서 게르는 미술품 바꿔치기에 발을 담그고 있었다. 정교한 모작과 진품을 바꿔치기한 후 진품을 빼돌리는 과정에서 실수를 저질러버렸고 그에 상응하는 대가를 치러야 하는 상황에 처했었다. 게르가 생각해낸 타개책은 여주인공을 이용하는 것이었다.

일단 인기가 많은 화가의 미공개 작품이 사후에 발견되었다는 소문을 퍼트렸다. 관심이 고조된 가운데 그럴듯한 위작을 구한 다음 평판 높은 감정사를 데려와 거짓 감정을 하게 만들고자 했다. 거짓말을 하게끔 만들기 위한 적당한 약점이 있는 사람을 찾았고, 게르의 눈에 띈 사람이 바로 여주인공이었던 셈이다. 협박할 만한 약점이 있으면서 마음 약하고 힘도 없는 감정사. 여주인공은 정말 좋은 먹잇감이었으리라.

"뭘 알고 지껄이는 거야?"

두루뭉술한 경고에도 게르는 즉각적으로 반응하며 험상궂게 얼굴을 일그러뜨렸다. 사나운 반응에 클로에의 입 안도 말라붙었다. 떨리고 있는 손을 감추기는 했지만 겁먹었다는 사실을 들킬까 두려워졌다.

"그, 그리고. 라스 공자. 당신도 마찬가지예요."

더듬었던 앞부분을 듣지 못했길 바라며 빠르게 말을 이었다. 게르라는 이름이 자연스럽게 떠올랐던 것처럼 나머지 한 남자의 이름도 어렵지 않게 떠올릴 수 있었다. 게르가 클로에에게 손을 들 때도 가만히 두고 보고만 있던 라스의 눈에 불쾌한 빛이 어렸다.

"치졸한 짓을 누가 했는지 과연 모를까요?"

게르가 여주인공의 약점을 협박용으로 쓰고 만다면, 그에 만족하지 않고 실제로 퍼트리는 쪽은 라스였다. 이유야 단순했다. 여주인공이 라스의 구애를 단호하게 거절했기 때문이다.

라스 때문에 여주인공은 따돌림을 당하면서도 끝까지 입을 다물었다. 부서질 듯 가녀리면서도 굳은 심지로 버텨냈다. 아슬아슬하면서도 의연한 모습에 새삼 여주인공에게 반한 남자 주인공들은 당연히 되갚아주고자 했다.

여주인공의 출신에 대한 정보를 정말로 파르세가 먼저 알려주었는지는 알 수 없다. 여주인공에게도 기실 그 부분은 중요한 문제가 아니었다. 그저 엿듣다 달아나는 여자가 소문을 낸 근원지라 추측하고 말았을 뿐.

"누군가가 대신 화살받이가 되면 당신들은 무사할 것 같죠. 그런 데 신경 쓰기보다 불꽃놀이나 대비하는 게 좋을걸요."

실제로 소문을 퍼트린 사람이 라스였다는 사실은 아주 늦게 밝혀진다. 소설 속 클로에가, 소설 속 파르세 가문이 이미 잘못된 이후에. 게르와 라스가 파르세를 방패로 삼으려고 한 이유는 하나밖에 없었으리라. 사교계에 거의 드나들지 않는 시골 귀족이라서 선택했겠지.

불꽃놀이라는 암호로 지칭되는 밀수품 거래 현장을 단속반이 덮치는 때가 바로 게르와 라스가 여주인공을 협박한 이후였다. 클로에는 당사자가 아니면 알 수 없을 말을 흘리며 시치미를 떼고 도박을 했다. 게르와 얼굴이 붉어진 라스가 서로 눈짓을 주고받았다.

"다신 애먼 이름을 꺼내지 말아요. 쓸데없는 말이 떠다니게 만들지도 말고. 기회는 이번 한 번뿐이고, 그들은 다 알고 있으니까."

중요한 것은 허세였다. 두 남자의 얄팍한 머릿속을 전부 알고 있다는 허세, 어떤 꿍꿍이속인지 알고 있다는 허세. 다 알고 있으니 파르세의 이름을 이용하는 행위를 오늘만 봐준다는 경고.

"제기랄!"

미친 듯이 심장이 뛰었다. 쿵 쿵 울리는 소리는 다행히 두 남자에게는 들리지 않을 것이다.

벗지 않은 가면이 가장을 도와주었다. 애써 태연한 척 입꼬리를 끌어 올리고 날카롭게 가면 너머로 노려보는 흉내를 냈다. 두 남자는 클로에의 연기를 알아차리지 못한 것 같았다. 이를 갈며 클로에 쪽으로 다가서려다 멈칫하더니, 신경질을 내면서 몸을 돌렸다.

처음이자 마지막 개입이 제발 성공했기를. 많이 바라지도 않았다. 최소한 여주인공을 둘러싼 음해에서 파르세의 이름이 주동자로 오르내리지 않기를. 그리고 여주인공에 관한 소문이 퍼지지 않았으면. 그렇게 이제 만날 일 없이 각자 갈 길을 가면 되지 않을까.

멀리 사라지는 두 남자의 등을 보며 겨우 소리 없이 어깨의 힘을 풀었을 때였다.

"안도하기에는, 일러요."

스산한 한기가 뒤에서 훅 덮쳐왔다. 목덜미의 솜털을 곤두서게 만드는 저음이었다. 바로 긴장을 풀면 안 된다고 친절하게 조언을 건네는 것처럼 들렸지만, 이상하게도 손바닥에 땀이 맺히기 시작했다.

소설 내용대로라면 여주인공과 게르, 라스가 자리를 뜬 회랑에는 클로에만 남아 있어야 맞았다. 그랬는데 그녀 외에도 또 다른 손님이 있을 줄이야. 목소리의·주인을 확인하려 뒤로 도는 움직임이 뻣뻣했다.

"만나서 반가워요, 아가씨."

회랑의 기둥이 만들어낸 새까만 그림자에 녹아들어 있던 남자가 소리 없이 모습을 드러냈다. 클로에를 응시하고 있는 옅은 금안이 싸늘하게 빛났다. 망토를 두른 남자도 그녀처럼 가면을 쓴 채였지만 클로에는 불행히도 가면의 남자가 누구인지 알 것만 같았다.

차라리 어깨를 뒤에서 잡기라도 했다면 소리를 지르며 팔을 휘두르고 도망갔을 텐데. 눈 깜짝할 사이, 분명히 어느 정도 거리 뒤에 있던 남자가 갑자기 코앞에 바짝 붙어 섰다. 마법. 소설에 들어온 이후 사람이 직접 사용하는 마법을 처음 목격한 순간이었다.

클로에는 주춤주춤 본능을 따라 뒤로 물러나려다 치맛자락을 밟고 휘청했다. 가면의 남자는 그녀의 몸에 섣불리 손을 대지 않았고 뒤로 넘어지는 그녀를 잡아주지도 않았다. 그럼에도 클로에는 엉덩방아를 찧지 않고 허공에서 엉거주춤한 자세로 멈추었다. 얼굴을 마주한 순간 나른하던 금안이 가늘어졌다.

"돌려주세요."

아주 가벼운 손짓만으로도 클로에의 어설픈 가면이 벗겨졌다. 남자는 제 얼굴을 보이지도 않으면서 클로에의 가면을 빼앗아버렸다. 클로에는 팔을 위로 뻗어, 일으켜달라는 부탁 대신 가면을 달라 부탁했다.

남자의 얼굴이 가까이 다가오자 클로에는 반사적으로 숨을 멈추었다. 흑발에 금안의 조합을 지니고 있는 캐릭터는 흔치 않았다. 소설에서는 금안을 특정 가문의 특징으로 묘사했다.

그 가문의 이름은 「오르시니」였다.

"아직 끝나지 않았어요…… 가면무도회."

"아아."

오르시니 성을 달고 있는 젊은 남자 중에서 긴 흑발을 하나로 모아 묶고 있는 남자라면 3형제 중 차남인 지안니 오르시니다. 이동 마법을 특기로 하는 광기의 마법사. 지안니의 「이동」은 단순하게 순간이동에 국한되어 있지 않다. 그는 이동 마법을 살상용으로 활용하는 데에 특화된 마법사였다. 예를 들면, 장기의 일부를 「이동」시키는 식으로.

직접적으로 서술되어 있지 않았어도 오르시니 3형제가 소설 속 클로에와 파르세 가문을 비참하게 만든 장본인임을 알고 있는 클로에였다. 지안니가 그녀의 이름이 기억해낼 시간을 주고 싶지 않았다.

누가 봐도 조악한 가면을 구명줄처럼 되찾으려는 클로에가 의아했는지 유심히 내려다보며 건네주지 않던 지안니는 변명 아닌 변명에 의미를 알 수 없는 소리를 냈다. 가면을 이리저리 살펴보고 씻 웃고는 클로에를 향해 가면을 내밀었다.

"꺄악!"

내민 가면을 받으려고 손을 내밀면서도 피부가 스치지 않으려 애를 쓰는데 클로에의 몸이 붕 떴다. 일으켜진 것이 아니라 말 그대로 붕 뜬 것이다.

지탱하는 지면이 사라져 놀란 클로에가 비명을 지르며 팔을 이리저리 휘둘렀지만 잡히는 것은 아무것도 없었다. 수영을 못 하는 사람이 구명조끼를 입고 발이 닿지 않는 바다에 들어가버린 것처럼 팔다리를 볼썽사납게 휘저었다.

"잠시, 실례."

바닥에 언제 내동댕이쳐질지 몰라 덜컥 겁이 나 눈가에 눈물이 팽 돌았을 때 나른한 저음이 클로에의 몸부림을 멈추게 만들었다. 이윽고 지안니가 공중에 떠 있는 그녀의 허리를 감았다.

"흡."

가깝다. 너무 가깝다. 가면을 받을 때 그렇게 스치지 않으려고 무던히도 애를 썼는데, 꼼짝없이 지안니의 품에 안긴 꼴이 되었다. 지안니의 가슴이, 어깨가, 얼굴이 지척이었다. 하마터면 혀를 깨물 뻔했다.

"고양이 아가씨, 이름을 물어봐도 될까요?"

"로잘리예요."

클로에는 본명 대신 무작정 먼저 떠오른 가명을 다급하게 던졌다. 생존 본능 덕분인지 더듬지도 않았다. 거의 기계적인 반사였다. 얼굴색 하나 변하지 않고 대답했는데도, 지안니는 무슨 이유에서인지 피식 웃었다. 속내를 꿰뚫린 것 같은 착각이 들게 하는 비웃음이었다.

"네, 로잘리라 치고."

딱 봐도 믿어지지 않지만 이름 정도는 속아 넘어가주겠다는 의미였다.

"아가씬 왜 그랬을까요?"

"무슨 말씀이신지."

그리고 중요한 궁금증은 넘어갈 생각이 없다는 뜻이기도 했다. 클로에가 쓰고 있던 가면의 눈구멍에 손가락을 끼운 지안니는 보란 듯이 팽글팽글 돌렸다. 회전하는 속도가 조금씩 빨라지더니 휙 허공으로 던져졌다. 가면은 아예 회랑 밖 덤불 속으로 떨어졌다.

"아이쿠, 이런."

지안니는 날아가버린 가면을 보고 책을 읽듯 고저 없이 감탄사를 던졌다. 일부러다. 분명히 일부러 던졌다. 아무리 혀를 차며 실수인 척 한들 가면을 돌려줄 생각 따위 없다는 것이 드러난 것이다.

"대답하면 가면을 줄게요."

"꺅!"

왜 가면을 던져버렸는지 이유를 밝힌 지안니가 입꼬리를 끌어 올렸다. 지안니에게 어느 정도는 잡혀 있기도 하겠다, 허공에 둥둥 떠 있는 자세에도 어느 정도는 익숙해졌다. 조금은 안정을 느끼자 벗어나야겠다는 생각을 할 여유도 생겼다. 빠져나가려 이리저리 뒤척이자, 지안니가 딱 딱 엄지와 중지를 마찰시켜 소리를 냈다. 다시금 기우뚱 기우뚱 몸이 앞뒤 좌우로 불규칙하게 흔들리는 바람에 비명이 절로 터졌다.

"재밌지 않아요?"

클로에가 왜 무서워하고 비명을 지르는지 이해가 가지 않는다는 어투였다. 질문과 함께 흔들림이 멈추자 비명도 멈췄다. 아니, 흔들림이 멈추기 전에 갑자기 무언가에 막힌 듯이 아무리 애를 써도 공기의 울림이 성대를 타고 나오지 않았다.

이런 게 마법인가? 믿을 수 없어 두 손으로 목을 감싸 쥐었지만 달라지는 것은 없었다. 난데없이 목소리를 잃어버리다니. 마법이 풀리면 돌아올 수는 있는 건가? 뻐끔뻐끔 풀어달라고 호소했지만 사람이 들을 수 있는 음성으로 치환되지는 않았다.

"제법 많이 봐주고 있거든요, 내가. 마음 같아서는 그 여자의 면상을 짓이기고 싶었는데. 적당한 때에 고양이가 나타난 덕에 자제할 수 있었어요."

지안니는 허공에 떠 있던 클로에를 내려주었다. 마법을 풀고 천천히 두 다리로 서게 했다. 다만 목소리를 빼앗아간 마법은 풀어주지 않았다. 그러고는 양손을 들어 손바닥을 쫙 펴고 펼쳐 보였다.

"열을 셀 동안 도망가요. 도망가서 10분 동안 내게 안 들키고 꽁꽁 숨어 있어요. 그래서 잘 숨으면, 아가씨를 혼낼 때 좀 봐줄게요."

지안니의 꿍꿍이를 알 수가 없었다. 뜬금없이 내기를 제안하더니 도망가면 봐준다고 했다. 아마도 그가 클로에를 혼낼 일이라고 함은, 여주인공과 관련된 일일 터. 아마도 아까 지안니는 클로에의 정체를 알아버린 것 같았다. 잔혹한 소설 속의 지안니가 본성을 드러내지 않는 대상은 여주인공뿐이었다. 클로에는 여주인공이 아니니 그의 주특기인 이동 마법을 몸으로 체감하게 되리라. 마법사를 올려다보는 시선이 불안에 떨렸다.

"대신 잡히면, 좀 아프게 혼나보도록 해요. 그러니, 하나."

선심 쓰듯 기회를 준다고 하곤 있지만 절대적으로 그녀에게 불리했다. 그럼에도 달아날 수밖에 없었다. 공포가 후들거리는 다리를 움직이게 했다. 클로에는 비틀비틀 서서 빠르게 주변을 훑었다.

어디지, 어디로 가야 하지? 정원에 몸을 숨기거나 사람 사이에 숨거나.

족쇄를 찬 듯 무거운 다리를 억지로 움직여 뛰었다.

셋. 천천히 숫자를 세는 소리가 뒤에서 클로에의 몸을 짓눌렀다.

먼저 무도회장으로 들어가자. 사람들 사이에 숨었다가…… 아니, 아니야. 무도회장엔 여주인공이 있을지도 모른다. 아까 여주인공에게 미타이가 부른다는 식으로 말을 해버렸으니, 무도회장으로 돌아갔다가 여주인공이 미타이는 대체 어디 있느냐고 물으려 클로에를 잡아버리면 곤란해진다. 그렇다면 바로 정원으로 빠져서 밖으로 도망을…….

방향을 잡은 후 회랑 중간에서 빠져나와 정원으로 들어섰다. 바삭바삭 풀 밟히는 소리도 불안할뿐더러 뛰는 데 방해도 되기에 구두를 벗어버렸다. 치마가 쓸리는 소리가 날까 봐 종아리가 드러나게 질끈 묶어 올렸다. 클로에는 정신없이 정원으로 뛰어들었다.

산책 중에 사적인 공간을 가질 수 있도록 머리 높이의 정원수들로 일종의 담을 만들어 곳곳에 배치한 정원은 일종의 미로였다. 처음 오는 곳이라 길은 당연히 모르지만 넓게 트인 곳으로는 가지 못하니 남은 선택지가 없었다.

왼손을 빼곡히 서 있는 나무 담에 대고 발을 내디뎠다. 지체할 시간이 없었다. 열을 세고도 남았지만 지안니는 일부러 느긋하게 출발할 심산인지 아직 따라붙지 않아 지금이 거리를 벌릴 기회였다.

'미로 흉내를 낸 줄 알았더니 진짜 미로인가 보네.'

그러고 보니 초대장에 「미로에서 낭만적인 유희를.」이라는 문구가 있었던 것도 같았다. 관심이 없어 대충 넘겼지만. 서너 번 정도 막힌 길과 마주치고 나서야 밖으로 빠져나가는 것은 포기하기로 했다. 막힌 길 때문에 되돌아가다가 지안니와 만나 버리는 것보다는 차라리 어딘가에 숨어서 시간을 때우는 것이 나을지도 모른다. 클로에는 다섯 번째 막힌 길을 바라보며 생각을 바꿨다.

이번에 막힌 길은 한 그루의 나무가 외따로 서 있고 장미 담장이 그 나무를 빙 에워싸고 있는 구조였다. 쉬어갈 벤치도 없고 어떤 용도로 심어둔 나무인지는 짐작하기 어려웠으나 클로에의 눈에 들어온 것은 나무가 아닌 담장 사이에 난 틈이었다. 다른 곳에 비해 얼기설기 얽혀 있는 장미 덩굴 아래 몸을 숨길 수 있을 것만 같은 공간이 보였다.

밝은 낮이라면 숨어봤자 바로 들킬지도 모르지만 지금은 깜깜한 밤이었다. 10분이라는 제한 시간이 있으니 꼼꼼히 살피기도 힘들 터. 클로에는 두 눈을 질끈 감고 아래로 축 늘어져 있는 장미 덩굴을 잡아 올리고 영차영차 기어 들어갔다. 뾰족뾰족한 가시와 잎에 여기저기 생채기가 났지만 입술을 깨물었다. 몸을 둥글게 말아 가능한 한 구겨 넣고, 들었던 덩굴을 아래로 내려 가지런히 정리한 후 클로에는 따끔거리는 감각을 참고 숨을 죽였다.

여기까지 몇 분의 시간이 지났을까. 숨을 죽이자 고요가 무겁게 가라앉은 정원에 저벅 저벅 발소리가 등장했다. 벌써 여기까지 오다니. 클로에는 더욱 힘껏 몸을 웅크렸다. 발은 느긋하게 걸어 들어와 외따로 서 있는 나무를 한 바퀴 돌고는 빠져나갔다. 눈을 부릅뜨고 덩굴 사이로 발이 사라질 때까지 클로에는 숨을 멈췄다. 하나, 둘……. 발이 사라지고도 셋을 더 세었다. 그리고도 힘을 풀지 않고 아주 가늘게 숨을 내쉬었다.

"장미와 고양이라."

"……!"

그리고 그때, 사라졌던 발이 눈 깜짝할 사이에 나타났다. 비명도 지르지 못하고 내다보는데 장미 덩굴들이 제거되었다. 넓은 바깥에는 피식 웃으며 서 있는 지안니가 기다리고 있었다.

"도망가서 숨으라 했지, 멋대로 다쳐도 된다고는 안 했는데 말이죠."

"……."

획, 무언가에 몸이 앞으로 당겨졌다. 구르듯 나온 클로에의 몸이 지안니의 발치에 엎어졌다. 비키라고 외치고 싶었지만 여전히 목소리는 나오지 않았다. 지안니는 두 손으로 넘어진 클로에를 부축하며 일으켜주었다.

"9분 59초. 잡아버렸네요."

잡힌 것으로도 모자라 이윽고 사형선고와도 같은 귓속말이 치고 들어왔다.

∞

자의가 아닌 타의로 저택에서 나왔다. 가면을 쓰고 있어도 시선을 잡아끄는 위험한 분위기가 내재되어 있는 남자가 빠져나가는데 아무도 눈여겨보지 않았다. 지안니의 망토를 뒤집어쓴 클로에는 내심 지안니를 알아보는 방해자가 나타나길 바랐던 작은 소원이 이루어지지 않는 현실에 작게 탄식했다.

아무 장식도 가문의 표식도 없는 까만색의 사륜마차가 대기하고 있었다. 정체를 드러내고 싶어 하지 않는 귀족들이 애용하는 마차라더니, 창문도 안을 들여다볼 수 없게끔 덧창이 대어져 있고 어두운색의 작은 커튼이 내부를 완벽하게 차단하고 있었다. 기다리고 있던 마부조차도 모자를 깊이 눌러쓰고 옷깃을 높이 세워 얼굴이 드러나지 않았다. 마차를 끄는 네 마리의 말도 우람한 흑마였고 마차의 바퀴까지 까만색이어서 마치 감옥 같은 느낌이 들었다. 클로에의 발걸음이 주춤했다.

마차의 문을 열어준 후 올라탈 수 있게끔 받침대를 내려주고 허리를 숙이며 연극배우처럼 인사를 한 지안니는 클로에를 향해 고개를 들었다. 마차의 안은 깜깜해서 들어갔다간 집어삼켜져 다시 나오진 못할 것만 같았다. 머뭇거리던 클로에를 말없이 재촉하는 눈빛이었다. 지안니의 인내심은 짧던가, 길던가? 적어도 이대로 뒤돌아 도망가는 여자를 순순히 보내줄 사람은 아니다. 클로에는 꿀꺽 침을 삼키고 마차에 올라섰다.

팟, 어두웠던 내부는 사람이 들어서자 자동으로 밝아졌다. 의외로 시원하고 상큼한 공기의 마차 안은 밖에서 봤을 때보다 넓었고, 앞뒤로 마주 보며 앉는 좌석 사이의 간격도 넓었다. 엉덩이를 대고 앉는 부분이 둥글게 솟아 있는 좌석은 보기만 해도 푹신해 보였지만, 매끈하게 윤기가 흐르는 재질은 차갑게만 느껴졌고 색까지 까매 위압감만 선사할 뿐이어서 쉽게 앉을 곳을 찾지 못했다. 클로에는 두리번두리번 조금이라도 더 도망가기 쉬운 위치가 어디일지를 고민했다.

"고양이 자리는 거기."

지안니가 탁, 문을 닫고 먼저 자리를 잡더니 고민하던 클로에에게도 앉을 위치를 정해주었다. 한가운데이면서 지안니와 마주 보고 앉는 역방향 자리였다. 거부하려고 했지만 이내 마차가 출발하는 흔들림이 느껴지고 가면을 벗은 지안니가 재차 말없이 응시하자 견딜 수 없어져서 하는 수 없이 정해준 자리에 앉았다.

"어디로…… 가나요?"

"왜 까만색일까요?"

마법이 언제 풀려 있었는지, 다시 목소리를 낼 수 있게 되었다. 지안니는 클로에더러 고양이라고 부르고 있지만 정작 클로에는 고양이 앞의 생선이 된 기분이었다. 적당히 눈 둘 곳을 찾지 못해 시선을 피했다가 밖을 내다볼 수 없도록 꼼꼼하게 막아놓은 창문만 재차 발견했을 따름이다. 마차 안의 불을 밝힌 밤, 그림자로나마 내부의 움직임을 파악할까 염려한 것인지 커튼은 무려 3중이었다. 괜한 커튼 때문에 덜커덕 불안감만 가중된 클로에는 마차의 목적지만이라도 물어보려고 했으나 지안니는 엉뚱한 반문만을 돌려주었다.

"어…… 우, 우아해서요……?"

클로에의 몸에 들어오니 없던 순발력이 조금이라도 생긴 걸까. 최고치에 달한 생존 본능은 열심히 지안니라는 폭탄을 건드리지 않으려고 애를 쓰고 있었다.

"티가 안 나거든요."

땡! 오답에 안타까워하던 지안니가 정답을 들려주었다. 티가 안 나? 무슨 티가. 그 티가 흔히 떠올리는 먼지가 아니리라는 것은, 심상치 않은 분위기만 봐도 알 수 있었다. 아, 네. 억지로 웃는 척을 하며 어떻게 받아칠지 궁리하던 클로에의 귀에 달칵, 소리가 들렸다.

"앗."

클로에가 앉아 있던 자리에서 쑤욱 무언가가 튀어나왔다. 깜짝 놀라 벌떡 일어서려고 했지만 그전에 발목과 손목이 잡혔다. 구두를 신지 않고 정원을 뛰느라 더러워진 발은 밑에서 튀어나온 족쇄에 구속당했고 고리형 수갑에 걸려든 두 손목도 차렷 자세로 옴짝달싹할 수 없게 되어버렸다.

"묻어도 흔적이 약하게 남는 색이라서요."

오답을 제시한 클로에 대신 상냥하게 정답을 알려주며 미소지었다. 나긋나긋하게 알려주고 있는데도 오히려 들을수록 한기가 느껴지게 하는 능력이라니. 있는 힘껏 팔다리를 움직여보려고 해도 어딘가에 묻히기라도 한 듯 꼼짝도 하지 않았다. 무엇이 묻는지를 상상에 맡긴 덕에 심장이 빠르게 뛰기 시작했을 때, 지안니가 좌석 밑에서 어떤 상자를 꺼냈다.

고풍스러운 금장 세공이 되어 있는 상자의 뚜껑을 열고 밑단을 죽 잡아당기니 상자는 5단 계단식으로 길게 펼쳐졌다. 각각의 칸에는 정체를 알 수 없는 도구들이 잔뜩 있었는데 모르긴 몰라도 상자의 정체는 바로 알았다.

지안니의 검은 상자. 여주인공에게는 상자의 안을 보여줄 일이 없었는데도 이미 상자 안에 든 내용물이 무엇인지 얼추 파악하고 있었다. 지안니에게 마차가 「우아하다」며 칭찬과 감탄을 아끼지 않은 여주인공이 흘긋 금장 세공 상자를 보고 지안니가 없는 자리에서 「저게 그 유명한 자백 고문 도구로군.」이라고 중얼거린 적이 있었기 때문이다.

"그래, 제법 우아한 취향이긴 하죠."

비웃는 듯한 미소에 클로에는 뒤늦게 실수를 깨달았다. 그녀는 지금 우연히 여주인공이 했던 말을 따라 한 셈이 되었다. 여주인공이 마차에 대해 어떤 표현으로 칭찬을 했는지 아는 사람은 당사자 둘뿐이어야 하는데, 클로에가 똑같은 칭찬을 한 것이다.

"그, 그게."

순발력의 발로라고 생각했는데 사실은 책에서 본 글귀가 뇌리에 남아 있었던 것일까. 정말 우연이었지만 당황해버린 클로에를 본 이상 지안니가 우연이라는 말을 믿어줄 리 없었다.

"고양이 아가씨. 고통스럽게 혼나고 싶어요, 조금 덜 고통스럽게 혼나고 싶어요?"

둘 다 싫다. 어느 쪽이든 혼나고 싶을 리가. 하얗게 질린 채 도리도리 고개를 젓는데 지안니는 피식 웃고 말았다. 물어보는 척 했을 뿐, 그가 쓰고 싶은 방법을 쓸 작정으로 보였다. 지안니가 손가락 마디 두 개 크기의 유리병의 마개를 뽑자 달콤한 향이 새어 나왔다. 병의 마개를 연 채 그냥 두기만 하고 강제로 마시게 하지 않았음에도 달콤한 향은 방향제처럼 마차 안에 자욱이 메워졌다.

"난 말이에요, 아가씨한테 아주 많이 화가 나 있거든."

"……네?"

향은 끊임없이 코 속으로 파고들었다. 달콤한 향이 마차 안을 도배하게 둔 행동 말고는 예상외로 가만히 눈을 감고만 있던 지안니가 먼저 입을 열었다.

설마 아까 곤경에 처한 여주인공을 구하고자 난입했던 것을 두고 그러나. 나름 변명을 해보고 싶었지만 어느샌가 눈을 뜬 지안니와 시선이 마주쳤다. 무서운 금안을 보니 저절로 입이 다물렸다.

"아가씨가 저지른 짓을 본 순간 내가 아가씨를 어떻게 해버리고 싶었는지 알아요?"

스윽 지안니가 일어나 다가오는 바람에 생겨난 그림자가 클로에를 덮쳤다. 마법사다 보니 마른 편이라고 묘사되어 있었는데 실제로 보니 아니었다. 살짝 고개를 뒤로 젖히고 올려다봐야 할 만큼 키가 크고, 마르긴 했으되 클로에의 몸이 쏙 들어갈 정도의 체격으로 보아 결코 깡마르거나 유약한 타입은 아니었다. 그런 그가 장신의 몸을 일으키니 마차가 꽉 차는 느낌이 들었다.

"눈을 가리고 팔다리는 묶어두고. 아무도 모르는 곳에 가둬두고 싶었어요."

"그게, 무슨……."

목을 뒤로 꺾어 지안니를 올려다보는데 갑자기 눈앞이 핑 돌았다. 어지러운 느낌이 들어 눈을 몇 차례 깜박였지만 어지럼증은 줄어들지 않고 대신 몸이 붕 뜨는 느낌이 들었다. 그리고 조금씩 땀이 나기 시작했다. 그녀를 이대로 납치하듯 어딘가로 끌고 가 가둬두겠다는 협박 때문인지 향 때문인지는 애매했다.

조금씩 커진 땀방울이 뺨을 타고 흘러내렸다. 마차 안은 여전히 서늘한데 달구어지기 시작한 몸이 열을 호소했다. 핑글, 마차의 천장이 흔들린 듯하지만 실제로는 클로에가 휘청했을 터였다.

찰랑거리는 액체가 담긴 유리병의 위치가 클로에와 한층 더 가까운 곳으로 옮겨졌다. 코가 아직도 마비되지 않았는지 달콤한 향이 계속해서 야금야금 파고들었다. 이제는 몸이 뜨거워진 이유가 짐작이 갔다. 저 향 때문이다.

"아악!"

클로에의 머리채가 한 움큼 잡히고 목이 뒤로 꺾였다. 미약한 제지가 막히고 콜록, 기침이 터져 나왔다. 긴 머리 다발이 뭉텅이째 끈에 묶이고 아래로 당겨져서 클로에는 고개를 들거나 숙일 수가 없게 되었다. 고개를 뒤로 젖힌 채 의자에 기대어 앉아 올려다보고 있는 모습이 되자 그녀를 내려다보고 있던 지안니와 얼굴을 마주하게 되었다.

"아마 아가씬 모르겠지만. 고양이 아가씨는 내 마음에 깊이 자리 잡았답니다. 아마 아가씨가 생각하는 것보다도 더."

얼굴에 붙어 있는 머리카락을 떼서 넘겨주는 손가락이 스치는 부분이 간질간질했다. 언뜻 들으면 사랑 고백으로도 들릴 법한 발언에도 식은땀이 났다. 고백이라기보다는 여주인공을 괴롭히려 접근한 악녀를 마음에 담아냈다는 뜻으로 들렸기 때문이다. 클로에의 얼굴이 울듯이 일그러졌다.

"날 원하도록 해요."

"……."

"제발 원한다고 해봐요."

지안니의 얼굴이 점점 가까이 다가왔다. 정체 모를 예감에 한차례 몸을 떨었을 때, 입술이 겹쳐졌다. 다물린 입술 틈으로 혀가 두어 번 할짝대며 파고들었다. 귓불을 주무르며 만지작거리는 손길에 델 것만 같아 한숨을 내뱉으려 입을 벌린 순간 때를 놓치지 않고 혀가 들어왔다.

"흡!"

전혀 예상하지 못한 키스였다. 혀가 클로에의 입천장을 느긋이 쓸더니 깔짝깔짝 잇몸을 건드렸다. 도망가는 혀를 휘감고 쭉 빨아들였다. 고개를 뒤로 젖힌 채 호흡하는 방법을 빼앗기니 조금씩 도망갈 기력을 잃기 시작했다. 밀어내고 싶어도 두 손은 꿈쩍도 하지 않았다.

아주 살짝 떨어져 뺨을 감싸고 클로에가 산소를 마시면 기다렸다는 듯 강하게 입술을 겹쳐왔다. 숨조차 지안니가 이끄는 대로 쉬게 되자 달콤한 향이 더욱 강하게 느껴지고 배가 꿈틀꿈틀 멋대로 움직였다. 츕, 츕. 혀와 혀가 부딪치고 입술과 입술 사이로 질퍽거리는 소리가 몇 번 오간 후에야 겨우 지안니가 떨어져 나갔다. 눈을 깜빡이며 정신을 차리려 했지만 어지럽기만 했다.

"이런 누더기 따위."

지안니가 드레스를 보며 혀를 차더니 턱을 가볍게 물었다. 앗……! 자신도 모르게 터져 나온 비명에 클로에의 얼굴이 훅 붉어졌다. 입고 있는 옷에 대한 노골적인 멸시에 당황하기도 전에 기습적으로 턱에 강한 압박이 가해졌다.

"한 번만 더 이따위 걸 입으면 찢어발겨 알몸으로 만들어버리겠노라 했었잖아요."

잘근잘근 여린 살을 물었다 놓은 지안니가 젖혀진 목선을 훑고 내려오면서 경고했다. 클로에가 미처 대답을 하기도 전에 드레스는 종잇장처럼 가볍게 찢어졌다. 약하게나마 그나마 그녀를 지켜주던 천이 한 번에 벗겨져 나갔다.

시중을 들어줄 사람이 없는 보통 사람들이 입는, 앞쪽으로 여미는 코르셋 끈은 지안니가 한 번 잡아당기는 것만으로 풀어져

버렸다. 갑갑한 속옷이 헐거워지면서 탐스러운 가슴이 출렁 바깥으로 쏟아져 나왔다. 움츠러든 몸이 한차례 파르르 떨었다.

"뭐, 뭐 하는……."

"뭐 하긴. 사신에게 잡힌 고양이의 말로는 뻔하죠. 죽거나."

뒤로 물러나려 움찔거렸지만 못 박힌 듯 꼼짝도 하지 않았다. 손목과 발목이 꽤나 단단히 고정되어 있었다. 끈이 풀린 코르셋 바깥으로 튀어나온 하얀 가슴을 가리고 싶어 하는 클로에를 내려다보던 지안니가 피식 웃으며 드레스를 마저 찢었다. 옷이 전부 찢겨 나가며 마지막 남은 다리마저 드러났다.

"잠깐만요!"

드로어즈도 클로에를 지켜주진 못했다. 클로에의 힘이라면 힘들었을 텐데, 지안니는 가볍게 찢어냈다. 묶어놨던 머리카락을 풀어주어서 겨우 고개를 숙일 수 있었다. 눈에 눈물이 잔뜩 고여 시야가 흐릿했다. 그래서 고개를 숙여 봐도 몸 상태를 제대로 확인하기는 힘들었다. 긴 머리카락이 사르륵 쏟아졌다.

"당하거나."

머리카락을 헤치고 마차 바닥에 무릎을 대고 앉은 지안니가 고개를 숙이며 웃었다. 다가오는 머리가 무서워 몸부림을 쳤지만 소용없었다. 클로에의 발목을 구속하고 있던 족쇄가 위치를 이동하며 천천히 두 다리가 벌어지게 만들었다.

"아, 아니, 저, 그!"

"그게 아니죠."

한껏 당황한 채로 엉덩이를 들썩였지만 그뿐이었다. 들은 척도 하지 않는 지안니에게 잡히고 눌려 꼼짝도 할 수 없었다. 지안니가 무성한 수풀에 킁킁, 코를 대더니 싸늘하게 웃었다.

"뜨거울 텐데. 식혀달라고, 핥아서 낫게 해달라고 해야죠?"

"으읏!"

클로에의 입을 농락했던 혀가 예고 없이 쑥 들어왔다. 서늘한 공기를 맛보았던 음부에 뜨거운 숨이 훅 끼쳤고 물기 있는 혀가 갈라진 가운데를 훑어 내렸다. 놀란 클로에의 몸이 뒤척이며 가슴이 출렁 흔들렸다. 향을 맡았을 때부터 슬금슬금 젖었던 부위에 혀가 닿으면서 질척이는 소리가 더해지자 한층 더 달아오른 몸은 이기지 못했다. 다리 사이에서는 지안니의 혓바닥에 한 움큼의 애액을 뱉어냈다.

"마시게 해주는 거예요? 그럼 이것도 먹어도 될까요?"

재밌다는 듯 낮게 웃던 지안니가 클로에의 허벅지를 단단히 잡고 힘 있게 벌렸다. 개구리처럼 벌어진 다리 사이로 지안니가 머리를 파묻었다. 톡 톡 노크하듯 두드린 음핵을 세차게 빨아들이며 쾌득 씹자 클로에의 상체가 앞으로 숙여졌다. 지안니의 머리 위로 적금색 폭포가 쏟아졌다.

"하, 하지…… 으응!"

생경한 감각이었다. 몽롱해질 정도로 달아올라 쉼 없이 음부를 적시는 액을 할짝거리는 혀가 갈라진 틈을 벌렸다. 엄지로 클리토리스를 꼬옥 눌렀다 팽글 돌리며 촉촉한 질구에 혀가 날름날름 들어갔다 나왔다. 차렷 자세로 구속되어 허리를 숙이는 정도밖에 할 수 없는 클로에의 유두가 순간 짜릿하게 치고 올라온 감각에 꼿꼿하게 섰다. 거부의 애원은 채 끝을 맺지 못하고 물기 섞인 신음이 터져 나왔다.

"고양이 아가씨."

"아, 아……."

클로에는 대답을 하지 못하고 그저 덜덜 떨었다. 아직도 달콤한 향이 코끝을 맴돌았다. 향이 주위를 에워쌀수록 몸은 온갖 체액을 쏟아냈다. 눈에서는 눈물을, 이마와 등에서는 땀을, 그리고 지안니의 혀가 점령하고 있는 곳에서는 질펀한 액체를. 푸들푸들 떨고 있는 클로에를 잠시 올려다본 지안니가 엄지로 그녀의 눈물을 훔쳐냈다.

"마음 약해지게시리."

제 음부에 코 아래를 묻은 채 위험한 눈빛을 빛내는 지안니의 얼굴은 요사스러웠다. 도망갈 길이 없는 클로에는 눈을 감고 중얼거렸다.

이상해진 몸은 향 때문이야. 향 때문에 배 속이 부글부글 끓고 온 피부가 간지럽게 느껴지는 거야. ……이 남자가 이토록 야해 보이는 이유는 다 미향 때문이다.

"좋아. 조금 덜 고통스럽게 혼나보자고요."

사형선고 같다고 생각하기도 전에 클로에는 정신을 빼앗겼다. 달아오를 대로 달아오른 제 몸에 비해 서늘한 손이 클로에의 허리를 감았다. 고개를 든 지안니가 입맛을 다시는 시늉을 하더니 반대편 손을 아래로 가져갔다.

은밀한 부위에서 한 움큼 쏟아낸 액체의 여운이 아직도 가시지 않아서 여린 피부는 여전히 축축했다. 긴 중지 하나가 수풀을 헤치고 파고들었다. 숲이 시작되는 입구의 갈라진 둔덕을 찾아내 미끄러지듯 들어가는 손가락을 미끈미끈해진 피부는 기다렸다는 듯이 쏙 감싸버렸다.

"읍."

"입 벌려요."

서늘한 손가락에 모순적이게도 화상을 입은 것만 같은 화끈한 감각이 들어 클로에의 등이 휘었다. 저도 모르게 새어 나오는 애원 섞인 신음을 내뱉기가 싫어 입술을 깨물자 지안니가 바로 눈치채고 명령했다. 손발은 묶였어도 입까지 자유를 뺏기진 않았다. 그에 보란 듯이 더 입술을 앙다물었고 짧은 비웃음을 던진 지안니가 행동으로 말을 듣지 않는 클로에를 벌했다.

"아!"

허리에서 부드럽게 등을 어루만지며 올라오던 손이 단숨에 위치를 옮겨 뒷목을 움켜잡았다. 큼직한 손은 목을 조이지는 않았지만 긴 손가락들에 목이 감싸이자 등골이 오싹해졌다.

"입 벌리고, 앙앙 울부짖어요. 알았죠?"

대답은 하지 않았다. 아니, 못 했다. 부드럽게 눈을 휘며 웃어주는데도 말은 나오지 않았다.

클로에의 목을 받치듯 손가락을 감고 고개를 살짝 뒤로 젖히게 한 지안니는 수풀 안에 묻어둔 손가락을 다시 움직였다. 둔덕 안에 파묻은 중지를 스윽 더욱 깊숙하게 미끄러트렸다. 자분자분 애액을 흘려보내고 있는 질구를 찾아내 입구 주위를 한 바퀴 스윽 돌렸다.

"······흣."

간질간질하다 싶더니 순간 솜털이 바짝 서며 몸이 긴장했다. 무언가에 꽉 막힌 듯한 신음이 툭 터졌다. 지안니의 입술이 젖혀진 턱에 닿았다. 쉿. 긴장한 클로에를 달래는 듯한 속삭임이었다.

원을 그리며 돌던 손가락이 스윽 샘 안으로 들어갔다. 한 번도, 예전의 몸으로도 지금의 몸으로도 한 번도 어떤 종류로든 진입한 적 없었던 내부에 길고 단단한 손가락 하나가 파고들었다. 신기하게도 아프지는 않았지만 간지럽기도 하고 갑갑하기도 한 느낌이 퍽 생소했다. 클로에의 엉덩이가 들썩였다.

"입 벌리랬잖아요."

턱밑을 할짝대던 지안니가 이를 드러내고 살짝 피부를 깨물었다. 저도 모르게 깨물고 있던 입술이 벌어지고 탄성과도 같은 비명이 터졌다. 그 틈을 타 손가락이 푹 내부를 휘저으며 들어왔다.

"아앗!"

이리저리 회전하며 들어오는 손가락이 주는 감각이 너무나도 생생하게 느껴졌다. 손가락을 잡아 빼버리고 싶은데 한편으로는 쏟아내는 액의 양이 더 많아지면서 한층 더 음부가 간지러워졌다. 묶여 있는 손이 움찔거리다 번번이 수갑에 막혀버렸다.

"많이 삼킬수록 좋아요."

클로에의 기분을 다 파악하고 있다는 듯 지안니가 짧은 웃음을 터트렸다. 혀를 빼고 뒤로 젖혀 위로 드러낸 목선을 따라 주욱 훑더니 쪽, 쪼옥 피부를 가볍게 빨며 키스했다.

"으, 아으……."

마차의 천장을 바라보며 끙 끙 신음을 쏟아내는 동안 또 하나의 손가락이 더 들어왔다. 먼저 들어온 중지가 휘저은 자리로 어렵지 않게 파고들었다. 제 다리 사이를 보지 않아도 그 속을 제집처럼 드나드는 손가락들은 고스란히 느껴졌다. 불분명한 의미가 담긴 신음이 계속해서 새어 나왔다. 압박감이 천천히 늘어나는 만큼 코가 맡는 향이 짙어졌다.

"그래, 그렇게."

딱히 아무것도 하지 않았는데도 지안니는 왠지 흡족해했다.

클로에의 내부를 점령한 손가락이 갈고리처럼 안으로 구부러졌다. 꽉 차 비좁은 장소에서 손가락이 둥글게 말며 차지하는 공간을 넓히자 이물감이 심해졌다. 동시에 내벽에 닿은 손가락 끝이 더듬더듬 벽을 건드렸다.

"……!"

"다행이에요, 고양이 아가씨."

그렇게 질 내벽을 쓰다듬던 손가락이 어딘가에 닿자 파르르 몸이 떨렸다. 젖혀졌던 고개를 앞으로 들려 했으나 목이 지안니의 손에 감겨 있어 완전히 들지는 못했다. 다만 반쯤 앞으로 숙인 탓에 그와 눈을 마주하기엔 충분했다. 날카로운 인상의 지안니가 완연히 웃었다.

"아깐 분명히 화가 났었는데……. 지금은 이런 것도 나쁘지 않겠다 싶네요."

옅은 색의 금안이 먹잇감을 목전에 둔 맹수의 눈처럼 빛났다. 꿀꺽, 침을 삼키기도 전에 고통과도 같은 짜릿한 전율이 클로에의 몸을 덮쳤다. 조금 전 지안니가 찾아냈던 약점은 클로에를 함락시키기에 충분했다.

끈끈한 액체에 잔뜩 젖은 손가락이 움직이는가 싶더니, 쿨쩍 소리를 내며 속도를 올렸다. 손끝에 부딪힐 때마다 클로에의 입에선 자신도 모르게 지안니가 요구했던 신음이 정신없이 쏟아졌다. 코를 사로잡은 향에 이어 야한 소리가 귀를 점령했다.

사지의 자유를 **빼앗긴** 몸을 맹수의 손이 할퀴듯 휘저었다.

"그, 아아, 그마…… 아웃!"

발음이 분명치 않은 거부는 제대로 나오질 못했다. 들켜버린 약점을 집요하게 괴롭히며 자극당하자 팔딱팔딱 묶인 채로 몸이 튀어 올랐다. 감당하기 벅찬 고통과도 같은 감각이 한달음에 몸 곳곳으로 퍼져 나갔을 때, 클로에는 견디지 못하고 의식을 놓았다.

2장.
두 마리 맹수에게 사냥당하다

마차가 도착한 곳은 오르시니의 성이었다. 망토로 클로에의 몸을 감싸 들고 마차에서 내린 지안니는 반쯤 잠이 든 그녀를 안아 든 채 좌우로 나란히 서서 허리를 숙이고 있는 메이드 사이를 무표정하게 성큼성큼 지나쳐 계단을 올라갔다. 뒤를 따르던 집사가 외투를 받아 들고 물러나자, 촛불이 어른어른 밝히고 있는 방에는 클로에와 지안니 두 사람만이 남았다. 가만히 두지 않으리라는 걱정도 했지만 예상외로 클로에가 수마에 완전히 붙들릴 때까지 지안니는 손을 대지 않았다.

"돌려보내주세요."

눈을 뜨자마자 클로에가 가장 먼저 꺼낸 말은 부탁이었다.

"아직 들어야 할 말을 못 들어서 안 돼요."

"어떻게 해야 의심을 풀 거예요? 음, 당신……은."

이름을 불러야 하는지, 오르시니 공자라고 불러야 하는지. 옷을 들고 서 있는 남자의 이름을 알긴 하지만 정식으로 통성 명을 거치진 않았다. 슬쩍 눈치를 보며 얼버무리자 지안니가 피식 웃었다.

"지안니라고 불러요. 뭐, 주인님 붙여도 좋고."

주인님 운운을 한 귀로 흘려 넘기며 건네받은 옷을 펼쳤다. 메이드복이 다소곳이 클로에를 맞이했다.

"……밤새 하나도 묻지 않았잖아요."

"참, 고양이가 더럽힌 마차도 해결해야죠?"

구체적으로 질문한 적 자체가 없었던 것 같은데. 갸웃거리며 기억을 더듬어보려던 클로에는 바로 이어진 짓궂은 말에 뺨을 확 붉혔다. 그러니까…… 마차를 어떻게 더럽혔느냐면…….

당장 죽일 것처럼 굴더니 목숨은 살려줬다. 그 변덕이 어디서 기인했는지는 모르겠지만 어쨌든 당장은 살았다. 미향의 영향이 채 빠져나가지 않았는지 아직도 배 속이 욱신거린다는 점이 문제였다. 그 때문인지 지안니의 혀가 닿고 손가락이 들어오던 순간이 아직도 생생했다.

"아직 제대로 혼나지 않았으니 우선은 얌전히 우리에 갇혀 있길 바라요. 사냥당한 고양이답게."

빨개진 채로 얼어붙은 클로에의 표정 변화를 놓치지 않으려

빤히 응시하는 지안니의 시선을 알고 있으면서도 사냥이라는 단어에 이불을 잡고 있는 손이 흠칫했다. 그러고 보니 어제 클로에 때문에 화가 났다고 했었다. 아마도 원인은 여주인공과 관련된 문제일 테고.

"꼭 입어야 하나요?"

"싫으면 지금 상태 그대로 목줄 차고 내가 돌아올 때까지 기다리고 있을래요?"

지금 상태라 함은 아무것도 입지 않고 이불 하나로만 가리고 있는 상태를 가리켰다. 메이드복을 거절하면 알몸에 목줄을 채워두겠다는 소리였다. 클로에는 꼬물꼬물 이불을 더 끌어 올려 몸을 가렸다.

"입고 싶어졌어요."

"드디어 말귀 잘 알아듣는 고양이가 된 것 같네요."

머리만 내밀고 결연하게 메이드복을 입겠노라 하자, 지안니가 싱긋 웃었다. 이불에 미처 가려지지 않은 클로에의 머리카락을 한 움큼 잡고 키스하는 시늉을 했다. 무서운 마법사는 은근히 만족스러워 보였다.

"그리고 상처는 다 낫게 해두었으니까. 내 허락 없이 또 다쳐서 오면 많이 힘들어질 테니 오늘 조심해요."

지안니의 눈짓에 팔에 나 있던 생채기들을 찾아봤더니 감쪽같이 사라져 있었다. 하룻밤 사이에 마법으로 상처를 낫게 할 수 있나 싶어 신기해 팔을 이리저리 둘러보는 클로에의 목덜미에 나직한 경고가 들러붙었다. 머리카락을 만지작거리고 있던 지안니가 상체를 숙인 참이었다.

"훗."

다른 사람의 몸에 들어와 있는데도 감각이 너무나 생생했다. 잊고 있던 잔열에 다시금 불이 지펴지는 듯한 느낌이 들었다. 이불로 채 가리지 못한 뒷덜미에 온기가 닿으니 퍽 간지러웠다. 뒤를 긁다 보면 이불이 아래로 흘러내릴 것 같아서 클로에는 목을 푹 집어넣으며 움츠렸다. 머리카락을 치우고 드러난 목덜미에 지안니가 입을 맞추었다.

"하루 종일 나만 기다리고, 나만 생각할 수밖에 없도록 여기를 불로 지져두면 어떨까요."

섬뜩한 중얼거림에 저절로 새어 나오던 신음도 멈췄다. 화는 풀린 줄 알았는데. 대체 어젯밤에 여주인공을 구하겠다고 뛰어드는 과정에서 얼마나 큰 잘못을 했기에 이렇게 이를 가는지 알 수가 없었다.

어젯밤의 개입이 생각보다 무모한 행동이었던 걸까. 말로는 딱 한 번이라고 했을지라도 고작 단역인 소설 속 클로에에게 준비된 운명을 피하려던 행동이 잘못이었던 걸까. 여주인공을 위한다면서 전지전능한 관조자처럼 우쭐댄 셈이 된 걸까.

"기다리고 있어요, 아가씨."

지안니가 입술을 떼며 속삭였다. 서늘한 경고에 클로에는 반사적으로 고개를 열심히 끄덕였다. 다른 것은 몰라도 어제의 불안이, 공포가, 쾌감이, 전율이 오롯이 지금의 클로에에게 주어진 감각이었다. 즉, 지안니에게 반항한 대가를 치러야 하는 사람도 소설의 캐릭터가 아니라 지금의 그녀 자신이었다. 클로에는 우선 살고 보자는 생각에 얌전히 있겠다고, 재차 대답했다.

※

"말이 그렇지, 그렇다고 기회를 놓치는 바보가 어딨어?"

화가 났다는 둥, 목을 지지겠다는 둥, 혼내겠다는 둥, 묶어서 가둬두겠다는 둥 무서운 말을 늘어놓던 지안니가 방을 나갔다. 침대에 혼자 남겨진 클로에는 이불을 뒤집어쓰고 한참을 숨죽이고 기다렸다. 침대 밖으로 발을 딛는 순간 지안니가 벌컥 문을 열고 들어올 것만 같았다.

그러나 지안니는 돌아오지 않았다. 클로에를 잡아온 주제에 메이드복만 던져준 후 아무런 조치도 취하지 않고 말 그대로 나간 것이다. 설마 클로에가 정말로 얌전히 기다리리라고 믿기라도 하는 듯.

한 번 굳게 닫힌 문이 열리긴 했었지만 들어온 사람은 지안니가 아닌 집사였다. 지안니가 미리 언질을 주었는지 방 주인 대신 침대를 차지하고 있는 클로에를 보고도 별다른 반응을 보이지 않았다.

집사가 묵묵히 차리고 간 아침을 먹은 후 침대 한구석에 던져둔 메이드복을 집어 들었다. 무릎 살짝 위로 올라오는 까만 치마와 고운 레이스가 덧대어진 앞치마, 프릴이 들어간 소매는 제법 모양새가 예뻐서 청소 등의 잡일로 때를 묻히기엔 아깝다는 생각이 들 정도였다. 소설에서도 오르시니가의 메이드복은 예쁘기로 유명해서 다른 메이드들이 부러워한다는 묘사가 한 줄로 짤막하게 나왔었으니, 클로에가 입은 이 옷이 바로 그 메이드복은 맞을 터였다.

왜 하필 메이드복을 주었을까. 클로에가 입고 온 옷은 더 이상 입을 수 없는 상태가 되었고 그 외의 다른 여자 옷은 없으니 메이드복을 입을 수밖에 없었다. 물론 지안니의 말마따나 알몸에 목줄만 채워놓느니 옷이나마 주어서 다행이지만.

"못 입을 옷도 아니고, 뭐."

옷을 안 주는 것보단 백 배 천 배 나았다. 주어진 메이드복이나마 주섬주섬 꿰입고 살금살금 빠져나갈 생각으로 방을 나서는데 마침 집사가 밖에서 기다리고 있었다.

지안니가 집사에게 무어라 설명했는지, 아니면 클로에가 입고 있는 옷을 보고 스스로 내린 판단인지 방문 앞에서 기다리고 있던 집사는 비명을 속으로 간신히 삼킨 채 굳어 있는 클로에를 시녀장에게 데려갔다.

　난데없이 클로에를 건네받은 시녀장도 난감해하기는 마찬가지였지만, 그럼에도 갓 들어온 초보 메이드가 할 만한 허드렛일은 능숙하게 금방 찾아냈다. 성이 넓고도 넓어 끝도 없이 할 일이 쏟아져 나오는 덕분이었다.

　꿈꾸었던 마법사가 되는 대신 메이드가 되었다는 사실을 안다면 소설 속 클로에가 많이 원망할까. 그러나 소설 속 클로에에겐 힘들지도 모르겠지만, 한국에서 손에 물 한 방울은 물론 바가지로 묻히며 살았던 지금의 그녀에겐 어려운 일이 아니었다. 다만 정식으로 고용인을 모집하는 기간에 들어온 하녀가 아니었기 때문에 소개를 주고받을 동기가 없어 홀로 대걸레와 물 양동이를 들고 손이 급한 구역에 보조로 투입되어 정신없이 바닥을 닦아야 했을 뿐이다.

　"소설 속에 들어와서 목숨도 위협받아, 숨바꼭질도 해, 응응응도 하더니 이젠 청소야. 스펙터클도 이런 스펙터클이 없네."

　점심으로 받은 부드러운 빵과 진한 수프, 시원한 주스를 허겁지겁 들이켰다. 점심시간이라는 명목으로 쉬는 시간이 주어진 덕에 숨을 돌리며 배를 든든하게 채웠다. 오전에는 지켜보는 눈도 있어 얼떨결에 같이 청소를 했지만 여전히 탈출을 포기하지 않은 상태였다.

끈기를 가지고 얌전하고 조용하게 있었더니 드디어 따라오는 사람도 지켜보는 사람도 없는 틈이 났다. 끝이 보이지 않을 만큼 넓게 펼쳐진 정원을 기웃거리던 클로에는 주위를 둘러보고 도주를 결심했다. 성의 내부는 자세히 몰라도 어디가 나가는 곳인지는 아까 설명을 할 때 유심히 들어두었다. 다만, 성의 입구까지는 마차로도 한참을 달려야 하기 때문에 무작정 걸어가는 것은 다소 미련한 방법일 수도 있다는 점이 문제였다. 물론 무모하다 해도 달리 방법이 없었다.

"자기가 청소 안 하니까 이렇게 대책 없이 크게 집을 짓는 거겠지?"

마차가 드나들 수 있게 평평하게 닦아놓은 길에는 햇볕이 쨍쨍 내리쬐었다. 길 양옆으로 네모나게 모양을 낸 나무 울타리에 가능한 한 바짝 붙어서 걷기를 한참, 시계가 없어 정확히 얼마나 지났는지는 모르겠으나 꽤 시간이 흘렀음은 분명했는데 입구는 통 보이지가 않았다. 괜한 원망을 투덜투덜 쏟아내며 걷는데 저 멀리 앞에서 조그만 점이 나타났다.

"응? 헉. 숨을 곳, 숨을 곳!"

점이 무엇인지 알기까지는 아쉽게도 오래 걸리지 않았다. 점은 마차였다. 비록 어제 봤던 까만 마차는 아니었지만 그래도 좋은 징조일 리가 없었다. 클로에는 황급히 두리번거리며 숨을 곳을 찾았지만, 나무 울타리는 꿋꿋하게 마찻길과 옆을 둘러싸고 있는 숲을 차단하고 있었다. 몸을 숨길 틈이면 아무리 작아도 좋으니 제발 있기만 해달라며 발을 동동 구르며 억지로 나뭇가지를 잡아 뜯고 있는데 점점 다가오는 마차의 속도가 줄어드는, 착시였으면 하는 모습이 눈에 들어왔다.

오르시니의 문장처럼 보이는 화려한 문장이 박혀 있는 고동색 마차는 계속 속도를 줄였다. 클로에는 나무 울타리에 팔을 묻고 몸을 기댄 채로 마차를 무시했지만 아예 마차의 문이 열리는 소리를 들었을 땐 눈물을 삼키며 흘끔 뒤를 훔쳐봤다. 적어도 최소한 지안니만은 아니길…….

마차에서 내리는 남자 뒤로 태양이 눈부시게 빛을 뿜어내고 있어 역광 때문에 얼굴이 잘 보이지 않았으나 몸집만으로도 지안니가 아님을 알 수 있었다. 지안니보다도 훨씬 큰 남자는 팔뚝이 클로에의 허벅지 둘레와 비슷할 만큼 거대한 근육질이었다. 사자 갈기처럼 삐죽삐죽한 금발 곱슬머리는 어깨를 덮었고, 당장 터질 것만 같이 딱 달라붙은 반팔 티셔츠 밖으로 드러난 맨팔에는 자잘한 상처의 흔적들이 희미하게 남아 있었다.

"길을 잃었어?"

어리바리한 소녀 취급 같기도 했지만 한편으로는 걱정을 담고 있었다. 가까이 다가오고 역광이 벗겨지자 다정한 말투로 말을 건네는 남자의 얼굴이 뚜렷하게 드러났다.

미타이 오르시니, 3형제 중 삼남.

무섭게 생긴 우락부락한 덩치에 비해 비교적 순박하고 천진난만한 성격이라는 남자. 실제로 여주인공 앞에서는 강아지나 다름없어진다. 전장에서는 사신으로 불려도 사교계에서 보여주는 모습은 다정하고 활달하기만 해서 누나들의 인기를 독차지하고 있다고 묘사되어 있는 남자이기도 했다. 그리고 그 묘사대로 미타이는 클로에를 의심하지 않고 새로 들어와 단순히 길을 잃다 여기까지 헤매고 있던 메이드로 보고 있는 모양이었다.

"멀리도 걸어왔네."

"그게……."

"점심시간이라 구경하다가 길을 잃었나 봐."

무어라고 대답해야 하나. 그렇다고 하면 기껏 여기까지 걸어왔는데 도로 성으로 데리고 들어갈 것만 같았고, 아니라고 하자니 둘러댈 말이 마땅치 않았다.

"성까지 태워줄게. 그 연약한 다리로 걸어가기엔 멀어."

"……."

여기까지 걸어왔으면 연약하지 않다는 사실은 증명된 셈인데. 미타이의 금색 눈엔 염려만이 가득했다. 클로에는 물끄러미 미타이를 올려다보다 속으로 끄응 한숨을 내쉬었다. 아무래도 탈출은 잠시 포기하는 게 좋을 듯한 상황이었다.

"그럼, 부탁드릴…… 아."

손을 잡아주는 미타이에 의지해 마차에 올라탄 클로에는 내부에 다른 사람이 또 있음을 뒤늦게 알아챘다. 당황한 클로에를 본 미타이가 하하 웃으며 뒤이어 올라탔다.

"놀랐어? 형은 신경 쓰지 않아도 돼."

"……네."

미타이가 형이라 부르는 대상은 둘이다. 차남인 지안니와 장남인 다니엘레. 지안니의 얼굴은 확실하게 알고 있기 때문에 알아볼 수 있다. 그렇다면 지안니가 아니면서, 미타이의 형인 남자라면.

"형도 지금은 널 신경 쓰지 않을 거야, 분명."

다니엘레 오르시니.

메이드로 보이는 클로에가 주인을 보고도 인사를 하지 않는데도 질타는커녕 아무런 반응을 보이지 않았다. 미타이의 금발과는 다른 까만색 머리를 잔머리 한 올도 남기지 않고 뒤로 빗어 넘겼다. 날카롭게 치켜 올라간 눈매는 예리함을 더해주었다. 오르시니의 상징인 선명한 금안이 밝은 마차 안에서도 빛났다. 하얀 장갑을 낀 손이 창문 근처에 달려 있던 종을 흔들자, 멈춰 있던 마차가 천천히 앞으로 나아가기 시작했다.

"어쩌다 여기까지 나왔어?"

"정원을 구경하다가……."

"아하. 그래도 그렇지, 처음에 못 들었어? 허락 없이 벗어나지 말라는 말."

"네……."

당연히 들은 기억 따위 없다. 물론 굳이 따지자면 지안니가 얌전히 있으라고 하기는 했다. 그러나 지안니가 돌아오면 어떤 꼴을 당할지 모르는데 순순히 목을 씻고 기다리고 있겠는가. 클로에로선 당연히 들은 적 없는 말이었다.

"뭐, 이제부터라도 조심하면 돼. 내가 따라다니면서 챙겨줄게."

"……."

차라리 클로에를 없는 사람으로 취급하는 다니엘레가 고마울 정도였다. 스스럼이 없다 못해 직접 챙겨주겠다며 활짝 웃는 미타이를 보는 클로에의 표정이 알게 모르게 어두워졌다. 고용인과의 거리가 가까울 수밖에 없는 가난한 귀족이라면 모를까, 오르시니 정도 되면 주변의 눈을 의식해서라도 이렇듯 하녀에게 친한 척 굴지 않는 편이 좋을 텐데. 그러나 정작 미타이는 아랑곳하지 않고 붙임성 있게 다가왔다. 가능한 한 빨리 오늘밤에라도 도망칠 생각인 클로에로선 이런 성격이 상당히 부담스러웠다.

"음……. 곤란해지실 텐데요……."

"누가? 내가? 아님 너? 하하, 너 진짜 아무것도 모르는구나."

그래서 제법 무난한 답변을 내놓았더니 미타이가 호탕하게 웃으며 재밌어했다. 아니, 그 웃음은 지금까지와는 달랐다. 클로에는 차차 미소를 지우는 미타이의 입가를 보고 대답을 잘못했음을 깨달았다. 마차 안의 공기가 차갑게 얼어붙었다.

"그래, 이 성엔 처음이지?"

"새로 온 것은…… 맞아요."

그것도 어제 갓 들어온 따끈따끈한 메이드지요. 이어지는 말은 있으나 마나 도움이 되지 않으니 꿀꺽 삼켰다. 다니엘레 옆에 앉아 있던 미타이가 털썩, 클로에 옆으로 자리를 옮겼다. 마차 안은 넓었지만 우람한 덩치의 남자가 바짝 다가앉으니 정작 클로에의 자리는 비좁아졌다.

"솔직히 뭐 하고 있었던 거야?"

"길을 잃었어요."

익숙하지 않은 거짓말을 계속 하려니 입 안이 바짝바짝 말라왔다. 클로에를 한번 의심하기 시작했다면 아까 클로에를 처음 발견했던 상황도 의심스러워졌을 터. 똑바로 응시하며 확인차 묻는 미타이의 눈을, 마음을 다잡고 의연하게 받아내며 거짓말을 반복했다.

"일단 알았어."

시선을 피하지 않고 받아내자 미타이가 턱을 긁적이더니 알겠다며 클로에의 머리를 거칠게 쓰다듬었다. 장난을 걸어오는 애완동물을 다루는 듯한 손길에 머리카락이 헝클어졌고, 이마와 뺨까지 튀어나올 정도로 마구 헤집어진 머리를 본 미타이가 으하하 신나게 웃어젖혔다. 잠깐이나마 무섭게 분위기를 잡긴 했지만 아이 같은 행동을 하곤 좋아하는 모습을 보자니 금세 긴장이 풀렸다. 클로에는 난감한 듯 애매하게 미소를 지었고 다니엘레는 제 앞에서 벌어지는 촌극을 무시했다.

한참 걸어 나가야 했던 시간이 야속할 만큼 마차로는 너무나도 금방이었다. 미타이의 손에 잡힌 채로 마차에서 내리던 클로에는 귀가하는 주인을 기다리고 있던 집사와 눈을 마주쳤다. 하얗게 눈이 내려앉은 듯한 눈썹이 미세하게 올라갔다 내려왔다. 아침에 분명 시녀장에게 맡겼던 여자가 난데없이 마차 안에서 튀어나오니 어이가 없을 만도 했을 것이다. 한편으론 도로 성으로 돌아오게 된 클로에의 어깨도 축 처졌다.

"오셨……."

"누구랑 같이 왔어? 작은형이지?"

"네."

집사는 클로에에게 허락도 없이 어딜 다녀왔느냐 캐묻는 대신 다니엘레에게 인사를 건넸다. 그러나 미타이가 말을 끊고 치고 들어왔을 때에도 당황하지 않던 집사는 미타이가 클로에의 양어깨를 잡고 그의 앞에 들이밀고 나서야 아예 못 본 척하려던 시늉을 포기했다. 긍정과 함께 작은 한숨이 새어 나왔다.

"진짜 작은형이 데리고 왔다고? 안 그래도 아까 봤을 때 놀라긴 했지만, 음."

"저도 놀랐습니다."

미타이가 눈을 휘둥그레 떴다. 제 형이 클로에를 데리고 온 것이 문제라도 된다는 듯한 반응이었다. 아니면, 오르시니가의 차남이 여자를 성으로 데리고 왔다는 것 자체가 놀랄 만한 일이라든가. 클로에는 잠자코 미타이의 뒤를 따르며 기억 속의 지안니를 떠올렸다.

여주인공에게 적극적으로 애정 공세를 하는 미타이와 반대로 지안니는 눈에 띄는 행동을 하는 편이 아니었다. 지안니가 여주인공의 존재를 인지한 계기도 제 형제가 좋아하는 여자를 뒷조사하려던 때였다. 그렇기 때문에 여주인공을 마음에 담은 후에도 지안니는 형제로부터 여자를 **뺏**으려고 하지는 않았다. 직접적으로 고백한 적도 없었고 뒤에서 행복을 빌며 지켜볼 따름이었다. 그답지 않…….

"작은형답지 않게. 슬슬 잡으러 갈 준비를 하고 있었던 건 알고 있었다만."

때마침 클로에가 막 했던 생각과 똑같은 말이 툭 상념을 끊고 들어왔다. 가물가물 또 잡힐 듯 말 듯 그녀의 머릿속을 어지럽히는 무언가가 미타이 때문에 산산이 흩어져 버렸다. 미간을 찌푸리는 클로에 앞에 쑥 큰 손이 **뻗**어왔다.

"작아서 꼭 잡고 가지 않으면 잃어버리겠네. 어서 잡아."

놓치지 않게 꼭 잡으라며 내민 손은 클로에의 얼굴을 덮고도 남을 것 같은 크기였다. 큼직하게 펼쳐진 손바닥을 내보인 미타이는 싱글벙글 웃고 있었다.

순간, 충동이 들었다. 이 손을 정중하게 거절하면 저 해맑은 사자는 화를 낼까, 내지 않을까. 여주인공 앞에서는 단 한 번도 화를 내지 않았다던 미타이는 그녀에게는 어떤 반응을 보일까.

"전 괜찮, 윽."

억지 미소일지언정 웃으며 거절하려는데 갑자기 찌르는 듯한 통증에 혀를 깨물 뻔했다. 요 며칠간 왜 이리 두통이 자꾸만 찾아오는지 알 수가 없었다. 처음 눈을 뜨고 난 직후 건강에는 문제가 없다는 진단을 받았고, 이후로도 딱히 몸 상태가 나빠지고 있다는 생각은 들지 않았었다. 그런데 엊그제부터 한 번씩 예고 없는 통증이 머리를 때리고 있었다.

"역시 작다."

눈앞이 까매지는 바람에 비틀거린 클로에를 받쳐주는 손이 있었다. 그녀를 안은 미타이도 새삼스레 체격 차이가 눈에 들어오는지 작다고 감탄했다. 심호흡을 하고 올려다보니 확실히 그녀의 머리는 미타이의 가슴께에 겨우 닿았다. 그러나 엄밀히 말하자면 클로에가 작은 체구라기보다는 3형제가, 특히 미타이가 크다고 봐야 했다. 가냘픈 여주인공은 여주인공답게 클로에보다도 키가 작았으니까.

"얼른 내 방에 가자. 쉬어야겠어."

잘 알지도 못하는 사이인데도 다정하게 부축하더니 당장 쉬게 해주려는 추진력이 무서울 정도였다. 자의로 입은 메이드복은 아니라고 해도 겉보기에는 고용인과 피고용인의 관계다. 당황한 클로에가 다급하게 손을 내저었다.

"아, 아뇨, 괜찮습……."

거절하려고 했으나 단단하게 손목이 잡혀 있어 몸짓으로 거부 의사를 보여줄 수가 없었다. 난감해진 입장 때문에 눈을 마주치고 똑바로 거절하려 고개를 드는데 미타이 쪽이 아닌, 다른 방향에서 시선이 느껴졌다.

"……니다."

언뜻, 다니엘레와 눈이 마주친 것도 같았다. 미타이에게 휘둘려 그를 상대하게 된 집사를 질책하지도, 동생을 나무라지도 않은 장남은 지팡이와 모자, 외투를 고용인에게 건네고 성큼성큼 제 갈 곳으로 가던 중이었다. 약간 소란스럽다 여길 만도 했지만 마차에서도 동생을 내버려두었던 남자가 인제 와서 눈치를 줄 일도 없을 터였다. 그럼에도 클로에는 이상하게도 다니엘레가 이쪽을 보고 있던 것 같다는 생각이 들었다.

"괜찮긴 뭐가 괜찮아. 지금도 이렇게 힘이 없으면서."

미타이와 비교하니 상대적으로 힘이 없어 보일 뿐인데. 클로에뿐 아니라 대부분의 사람이 그의 옆에 서면 다 작아 보일 것이다. 두통이 사라지고 나니 바로 괜찮아졌는데도 미타이는 제 착각을 고치려 하지 않았다.

"정말 괜찮습……."

"아냐, 안색이 안 좋아 보이잖아."

상대방은 전혀 힘을 주지 않은 채 가볍게 잡고 있는 것 같은 데도 좀처럼 손목이 빠지질 않았다. 한사코 사양하는 클로에의 말을 끊어버리긴 했지만 금안에는 걱정이 가득했다. 클로에가 손목을 빼내겠다고 미간을 좁히며 손목과 미타이의 손바닥 사이 틈으로 검지를 집어넣고 갈고리처럼 구부리는 꼴을 잠자코 내려다보았다.

"왜 그래? 내가 닿는 게 싫어?"

일단은 나름 클로에보다 신분이 높은 상대이니만큼 섣불리 손을 댈 수가 없어 취한 행동이었다. 떼어내겠답시고 덥석 미타이의 손을 잡고 만지작만지작 신체 접촉을 해서는 안 되리라는 생각이 든 탓이기도 했다. 고용인과 피고용인의 관계는 둘째 치고서라도, 클로에의 생살여탈권을 쥐고 있는 형제 중 한 명이 아닌가.

"네? 아."

대답을 할 타이밍을 놓쳐버렸다. 싫어서가 아니라, 감히 먼저 만졌다고 화를 낼까 봐 그랬다고 하려고 했었다. 겉으로는 적어도 고용인과 피고용인, 귀족과 하녀의 관계이기에. 무심코 뇌리를 스친 생각에 당황하기 전까지만 해도, 바로 대답하려고 했었다.

싫지 않다. 더 나아가 스스럼없이 손을 잡는 미타이의 행동을 자연스럽게 받아들였더랬다. 어젯밤에도 지안니에게 불쾌한 기분이 들지 않았다. 놀라고 무섭긴 했지만, 이상하게도 싫다기보다는······.

"싫은가 보구나."

미타이는 당황한 나머지 대답을 놓친 클로에의 침묵을 오해했다. 이를 드러내며 웃고는 있었지만 즐거워 보이진 않았다.

왜 이 남자가 화가 난 것처럼 보이지. 오해라고 해명하려던 입술이 작게 달싹이다 다물렸다. 묘하게 강압적인 상황은 둘째 치고, 화를 내는 미타이가 이상하게 보였다.

"미안하지만 놓진 못하겠어. 아까 도망가던 중이었지?"

"그건 길을 잃었······."

"그래? 그러면 알고 있겠지만, 이 성은 수도랑 거리가 좀 있어. 가속화 마법을 걸어둔 마차로도 밤을 꼬박 달려야 도착하거든? 게다가 이것도 알고 있겠지만, 성 밖은 숲으로 둘러싸여 있잖아."

"······."

"알고 있겠지만, 걸어서는 돌아갈 수 없어."

말로는 알고 있는 사실을 구태여 반복해주는 척하고 있지만 속에 담긴 의미는 달랐다. 미타이는 걸어가려는 등의 위험한 행동은 하지 않는 편이 좋으리라고, 은근한 경고를 해왔다. 아무것도 몰랐던 덕에 난데없이 체험 정글의 숲 따위에 뛰어들 뻔했던 클로에의 안색이 하얘졌다. 소설 속에는 오르시니의 성이 그런 곳에 있다는 언급 따윈 없었다.

손목에 부드럽지만 은근한 압력이 가해졌다. 언제든 빼내고 싶으면 빼낼 수 있게끔 헐겁게 잡고 있는 듯 보이지만 막상 빼내려고 하면 빠져나가게 두지 않는다. 마찬가지로 권유의 형태를 띠고 있지만 방으로의 초대 역시 거절할 수 없음을 직감적으로 깨달았다.

"필요한 거 있으면 이야기해. 나가는 것만 빼고."

"괜찮아요. 말씀만으로도 감사해요."

"뭔가 마실래?"

식수는 고용인을 부르지 않아도 미지근한 물, 차가운 물, 따듯한 물 등 원하는 온도로 마실 수 있게 항상 방 안에 준비되어 있곤 했다. 전기가 없어도 가능하게 만드는 동력이 바로 마법의 힘이었다. 이제는 익숙한 생활의 한 부분이 되었다.

"물을…… 부탁해도 될까요?"

사양하려다 사자의 금안과 마주치자 말라붙은 목으로 침이 꿀꺽 넘어갔다. 무서운 건 무서운 거고 시원한 물 정도는 요구해도 되지 않을까. 신기하게도 고민이 무색하게 자연스럽게 요청하고 있는 자신이 있었다.

미타이는 얼음을 넣은 컵을 건넸다. 무의식적으로 홀짝홀짝 마신 후에야 물을 달라고만 했지, 시원한 물을 달라고 부탁하지는 않았음을 깨달았다. 유리에 부딪쳐 짤랑이는 얼음을 내려다보던 클로에가 무심코 고개를 들었다. 그녀를 빤히 응시하던 미타이와 눈이 딱 부딪혔다.

"많이 놀랐지?"

"네?"

"그 옷, 형 작품인 것 같고."

턱짓으로 가리킨 메이드복은 누가 입으라 했는지 듣지 않아도 알고 있는 듯 보였다. 끄덕이려던 클로에는 왜인지 모를 불안감에 긍정도 부정도 하지 않았다. 미타이는 그녀가 고용인이 아님을 알고도 태연하게 성의 메이드를 대하듯 대했다는 걸까. 또한 지안니가 그녀를 일부러 데리고 왔다는 사실도 익히 알고 있다는 것처럼 들렸다.

"형 많이 화나 있었을 텐데. 괜찮았어?"

"네?"

"아니면 벌써 혼난 거야?"

일부러 묵묵부답으로 일관하려 했던 것은 아니었지만 미타이가 자꾸만 말문이 막힐 질문만을 하니 절로 말문이 막혔다.

혼났나……? 지안니는 덜 혼냈다고 했으니 혼났다고 해야 하나. 그러나 어제 일어났던 일은 말로 꺼내기에 곤란할 뿐, 혼났다고 정의 내릴 만한 행위는 아니었다. 어떻게 대답해야 할지를 몰라 머뭇거리느라 클로에는 미타이가 쌍심지가 켜는 순간을 미처 보지 못했다.

"흐응, 그렇게 나를 위해서니 어쩌고 하더니. 속내는 형이 더 좋았다는 거지."

"네?"

"아니야, 아무것도."

빠른 중얼거림은 지독하게 낮아 제대로 듣지 못했다. 자꾸만 되묻는 형국이 되어버렸다. 비웃음을 무릅쓰고 되물었지만 미타이는 아무것도 아니라며 얼버무리며 웃었다. 송곳니를 드러내며 웃는 사자의 미소처럼 보여 등줄기에 땀이 한 방울 흘러내렸다.

어느새 물을 다 마셔버렸다. 더 달라고 하지도 않았건만 미타이가 얼음만 남은 컵을 눈치채고 물병을 들고 왔다. 감사의 인사는 조건반사나 다름없었고, 클로에는 무의식적으로 컵을 받아 들어 꼭 쥐었다. 그 컵에 잠시 머물렀던 시선이 위로 돌아왔다.

"재미난 이야기를 하나 해줄까?"

듣고 싶다 하지도 않았건만 미타이는 입을 열었다. 지금까지처럼 클로에의 의견과는 상관없이 들려줄 작정이었던 셈이다. 클로에도 두근두근 심장만 뛰는 분위기를 이어가느니 화제가 바뀌는 편이 훨씬 낫다 싶어 귀를 종긋 세웠다.

"세 명의 기사를 원하는 여왕이 있어. 방패가 되어줄 기사와 검이 되어줄 기사, 그리고 왕관을 바칠 기사."

막상 시작한 이야기는 엉뚱했다. 아무래도 미타이는 기사이 니만큼 자신만의 레이디를 여주인공으로 정한 적도 있더랬다. 그러나 여왕과 기사에 관한 이야기를 들려주는 미타이의 모습 은 상상 외였다.

"여왕은 축복과 저주를 동시에 타고났는데, 축복은 아름다운 미모였고 저주는 태생이었지. 세상을 발밑에 거느렸어도 여왕 은 자신을 갉아먹는 근원을 극복하지 못했어."

"아, 네."

"고민 끝에 여왕은 자신을 완벽하게 만들 방법을 떠올렸어. 누구나 인정하는 가장 높은 자리에 올라가기로 한 거지. 목표 한 바를 이루기 위해 여왕은 세 명의 기사를 원했어. 목숨을 바쳐 여왕을 지키고 스러질 기사. 여왕을 위해 모든 오물을 뒤 집어쓰고 위험인자를 제거해줄 기사. 여왕에게 바칠 왕관을 찬 탈해 바칠 기사."

"……."

미타이는 아무렇지 않게 동화를 들려주듯 말하고 있었지만 듣고 있는 클로에로선 이상하게도 다르게 들렸다. 소설에 나오지 않았던 부분이라서일까.

"그런데 어느 날, 여왕 앞에 마녀가 나타났지. 여왕에게 있어 마녀는 보잘것없고 하찮은 존재였어. 마녀가 응당 여왕에게 왔어야 하는 것들을 빼앗아가기 전까진. 결국 여왕은 세 명의 기사를 얻고 마녀를 제거하기 위한 게임을 시작하기로 했어."

"게임……이요?"

당연하게도 게임은 소설에 없던 내용이었다. 무엇보다도 하나도 재밌지 않았다. 클로에는 말라오는 목을 축이기 위해 마침 쥐고 있던 컵을 들었다. 여왕과 마녀는 무어고, 게임은 또 무엇이란 말인가. 세 명의 기사는 또 무슨…….

세 명의 기사. 미타이와 두 명의 형. 3형제. 세 명의 기사. 그렇다면 3형제와 관련 있을 여왕이 아마도 여주인공이라면, 여왕을 괴롭히는 마녀는 아마도…….

"한 사람을, 그 사람이 가진 모든 것을, 소중히 여기는 전부를 빼앗고 다시는 일어설 수 없게 만드는 게임."

챙!

혹시나 했던 불안은 확신이 되었다. 모든 것을 빼앗고 재기할 수 없게 만들어야 하는 한 사람인 마녀가 마치 클로에를 가리키는 것처럼 들렸다. 세 명의 기사가 호위할 여왕은 당연히 여주인공일 테니.

"어라, 괜찮아?"

떨리던 손에서 미끄러진 컵이 바닥으로 떨어지고 물이 옷 위에 쏟아졌다. 얼음들도 앞치마 위에 굴러다녔다. 당황한 표정과 손을 숨기려고 허리를 숙인 클로에의 손등 위로 커다란 손이 덮였다.

"왜 네가 놀라?"

"……."

웃음기를 머금은 음성이 고개 숙인 클로에의 목덜미에 살포시 닿았다. 움찔 떨린 손은 미타이의 손아귀에 잡혀 움직이지 못했다.

"놀라거나 겁먹을 이유가 없잖아. 네 이야기도 아닐 텐데. 응?"

다행히 깨지지 않은 컵은 미타이가 먼저 치워버렸다. 가볍게 당기는 힘만으로 아래로 깊이 숙였던 클로에의 몸은 훌쩍 일으켜졌다.

"어젯밤 일 때문에 겁먹는 거라면 모를까."

쓸데없이, 생각지도 못했던 부분에서 눈치가 빠른 미타이였다. 클로에의 정체를 알고 하는 말인지, 모르면서도 사실에 가깝게 추측해낸 것뿐인지 헷갈릴수록 더욱 머리가 회전이 되질 않았다.

"내 시중은 자연스럽게 받고 말이야."

미타이는 눈짓으로 컵과 물병을 가리켰다. 긴장에 잠겨 있느라 자신도 모르게 덥석덥석 건네받았던 반응을 질책하는 모양새였다.

"옷 젖었네? 갈아입을 옷 줄까? 꽤 젖어서 이대로는 축축하니 추울걸."

"아뇨, 괜찮……."

"이미 늦었으니까 사양하지 않아도 돼."

진심으로 괜찮아서 괜찮다고 하긴 했지만 조금 전의 물병 때문에 거짓으로 들릴 만도 했다. 옷장에서 하얀 옷을 들고 온 미타이가 빤히 쳐다보는 바람에 클로에는 하는 수 없이 앞치마를 우선 벗었다.

"뒤돌아 있을 테니까 갈아입어. 미안하지만 나갈 생각은 없으니까 그리 알고."

돌아서 큰 덩치를 웅크리고 눈을 가리고 선 미타이의 등을 보다가 제안대로 갈아입기로 했다. 아닌 게 아니라 물이 많이 쏟아져서 마르려면 시간이 좀 걸릴 것 같기도 했다.

미타이가 건네 준 옷은 하얀 블라우스였다. 갈아입을 옷을 준다기에 여자 옷이 있을 줄 알았더니 그가 입는 상의를 하나 던져준 꼴이었다. 바지는 주지도 않아서 앞치마만 벗고 위에 걸치기만 하라는 뜻인가 싶기도 했으나 안의 옷까지 젖은 정도를 봐선 그런 의도는 아닐 듯했다. 클로에는 앞치마에 이어 까만 원피스도 벗고 미타이가 건넨 블라우스를 걸쳤다.

"다 입었……."

"네? 아, 네."

체격 차이가 엄청 난 미타이의 상의이다 보니, 치마도 아닌데 기장이 허벅지까지 내려오고 어깨로 보이는 부분은 아래로 축 내려가 클로에의 팔꿈치 부근에 걸쳐졌다. 팔도 길어 소매를 서너 번 접는 정도로는 부족해 왼쪽의 소매를 먼저 손목이 드러날 때까지 접고 있는 중에 미타이가 너무 빨리 뒤돌아버렸다.

"지."

"……?"

지? 웬 지? 클로에가 갸웃거리는 사이 갑자기 이마 위로 커다란 그림자가 졌다. 한달음에 다가온 미타이가 정면에 우뚝 서 있었다. 위압감에 주춤 뒤로 물러난 클로에가 발을 헛디뎌 휘청했다.

"정말 형을 좋아해? 제일?"

"네?"

"형을 제일 좋아하냐고."

"갑자기 무슨……."

미타이가 가리키는 형은 다니엘레가 아닌 지안니이리라. 그런데 왜 갑자기 지안니를 좋아하냐는 질문이 나오는지가 문제였다. 허리에 팔을 둘러 뒤로 넘어지지 않게 잡아준 것까진 좋앉지만, 그 때문에 바짝 붙은 상태도 부담스러웠다. 클로에가 미타이를 슬금슬금 팔로 밀어내려고 했을 때였다.

"아기 고양이같이 생겨서 참기가 힘들다. 야해서."

"……네?"

"아까부터 너만 보고 있었는데, 눈치 못 챘어? 아니다, 너라면 모를 거야. 모르고도 남지."

"제가 대체 무엇을 모른……."

"나도 너랑 하고 싶어."

폭탄선언이었다. 클로에를 의심할 때는 언제고 청천벽력과도 같은 선언을 했다. 그랬다, 선언이었다. 클로에를 꽉 끌어안고 뚫어져라 부담스러울 만큼 강하게 응시를 하고 있지만 눈빛에 담긴 의미는 허락 외에는 받아들이지 않겠다는 것과 다름없었다. 보일 듯 말 듯 희미하게 좌우로 고개를 가로저어보려고 했지만 미타이가 짓궂은 미소를 띠고는 콩, 이마에 이마를 박아 젓지 못하게 했다.

"도련님은…… 좋아하는 여자가 따로 있잖아요."

"내가? 누가 그래?"

금시초문인 것처럼 순진하게 눈을 깜빡거리지만 여주인공에 대한 애정 공세, 특히 그 머리핀을 선물하는 장면을 소설에서 봤던 만큼 표정 연기로만 보였다.

"아무 여자하고 이렇게 뒹굴면 그분이 싫어하실 거예요."

"대체 그분이 누군데?"

"도련님도 좋아하는 분이 과거에 남자가 있었다고 하면 신경 쓰이실 거잖아요. 그분도 마찬가지로 아직 사귀는 사이가 아니라곤 하나, 좋아한다고 고백을 하셔놓고도 다른 여자랑 이런 짓을 했다는 걸 알면 기분이 좋진 않으실 거예요."

"무슨 소리를 하는 거야. 내가 좋아하는 여자가 있다고? 심지어 고백을 네가 기억한다고? ……아."

미타이는 갸우뚱거리면서 능청맞게 연기를 계속했지만 클로에는 속으로 코웃음을 쳤다. 없기는, 애정을 갈구하는 정도로 따지면 다니엘레보다 더할 텐데. 클로에의 마음을 아는지 모르는지 인상을 쓰고 한참을 생각에 잠겨 있던 미타이는 짚이는 데가 있는지 짧게 탄성을 냈다.

"앗, 아파요!"

클로에를 안고 있는 팔에 힘이 들어가고 입가가 삐뚤어지자 순박해 보이던 미타이에게도 지안니의 동생답게 그와 닮은 면모가 드러났다. 잡혀 있는 어깨와 허리가 으스러질 것만 같아 날카로운 비명이 터졌다.

"그 남자야? 아니면 형이야?"

"네?"

"야옹이, 너한테 이상한 소리를 주입시킨 사람."

"이상한 소리라뇨, 아앗!"

여주인공을 들먹이며 호소하면 정신을 차리고 물러나리라던 계산은 착오였다. 미타이는 강아지가 아니었다. 맹수인 사자였다. 오히려 화가 난 사자는 물어뜯을 듯이 으르렁거리며 다가왔다.

"생각해보니 그런 건 도망가다 잡힌 고양이가 신경 쓸 부분은 아니잖아?"

체격 차이가 두 배는 될 법한 사자의 팔에 갇혀 있으니 얼굴을 피할 수도 없었다. 미타이는 클로에의 허벅다리를 감아 안아 들고 콧등에 코끝을 비볐다. 클로에는 미타이를 밀어내는 것도, 몸을 뒤로 물리는 것도 포기했다.

"왜 저랑 하고 싶어요?"

대신 다른 방법으로 미타이를 설득해보기로 했다. 콩닥거리는 가슴을 애써 가라앉히며 묻자 사자의 으르렁거림이 멈췄다.

"네가 귀여우니까?"

"귀여우면 다 하고 싶어요? 그건 아니잖아요."

"누굴 보고 귀엽다는 생각을 한 건 네가 처음이라 잘 몰라."

"……어어."

귀엽다는 표현에 클로에의 뺨이 확 붉어졌다. 현재의 얼굴이 원래 자신의 얼굴이니만큼, 다른 사람을 두고 한 칭찬은 아니리라. 한 성깔 하게 생겼다거나 잘 놀게 생겼다는 말을 주로 들어왔던 터라 어떻게 보면 평정심을 잃게 하는 공격이었다.

"그, 그렇지만. 보통 귀엽다고 하는 건 곧 자고 싶다는 의미는 아니잖아요."

"귀여우니까 넣고 싶은 건데. 네가 내 밑에 깔려서 내 걸 조이느라 숨도 못 쉬고 울면 굉장히 사랑스러울 것 같아."

"……."

"네가 나보다 작아서 좀 걱정되긴 하지만. 으음. 찢어지려나."

"여, 여주, 아니, 이즈리에 양한테는……."

"내가 왜 그 여자를 깔아야 해? 말도 안 되는 소리 하지 마."

울고 싶다. 웃기기도 했지만 울고 싶은 감정이 더 컸다. 말이 통하질 않았다. 여주인공은 차마 부서질까 건드리지는 못하겠고 대신 클로에를 취하고 싶다는 뜻일까. 그렇게 해석하기엔 미타이의 태도가 묘했지만 당장은 그렇게밖에 해석이 되질 않았다.

"야옹아."

"……왜요."

"형이 좋아? 누구보다도 제일?"

"아니라니까요."

"나는 싫어? 누구보다도?"

"……오늘 처음 만났잖아요."

"내가 이렇게 잡고 있는 건? 싫어?"

"그건……."

"아니면 내가 무서워?"

그 어떤 질문에도 대답할 수 없었다. 지안니를 제일 좋아하느냐는 질문엔 반사적으로 부정이 튀어나왔지만, 미타이를 싫어하느냐는 질문부터는 무언가에 막히기라도 한 듯 소리로 나오지 않았다. 그렇다고 하라는 외침이 머릿속 어딘가에서 계속 들렸지만 막상 입 밖으로는 도무지 꺼낼 수가 없었다.

이번에도 마땅히 느껴야 할 감정이 느껴지지 않았다. 위압감이 들긴 해도 싫다는 생각은 들지 않았다. 또 갑자기 찾아온 미미한 두통에 클로에의 얼굴이 웃는지 우는지 모르게 일그러졌다. 미타이의 미소에도 고개를 마냥 끄덕일 수 없어 가만히 있었다.

"그러면 아무 생각 하지 마. 네 잘못이 아니야. 네가 하필 나한테 잡힌 거야."

최면을 거는 것처럼 두 눈을 똑바로 응시하며 뇌까렸다. 금안이라고 하던가. 소설에서는 오르시니 3형제의 눈 색을 두고 금색이라 묘사했더랬다. 광물인 호박을 연상시키는 색이기도 하고 그보다는 조금 더 투명하고 옅은 색이기도 하다. 보고 있노라니 홀릴 것만 같았다. 무슨 소리냐고 반문하려 달싹이던 입술이 훅 끼쳐온 숨결에 사로잡혔다.

미타이와의 키스는 지안니 때와는 또 다른 감각이었다. 부드럽게 노크를 하듯 다가온 미타이는 클로에가 입을 벌릴 때까지 끈기 있게 기다렸다. 몸집에 어울리지 않게 톡, 새가 쪼는 듯한 입맞춤을 시도하던 미타이는 한참 후에 클로에가 한숨을 쉬고 초대하자 기다렸다는 듯이 들어왔다.

키득, 가벼운 웃음소리가 났다. 비웃음은 아니었다. 클로에가 입을 연 순간이 즐겁기 그지없다는 듯한 웃음이었다. 미타이의 입가에 걸린 미소를 보던 클로에는 눈을 감았다. 신기하게도 찌르는 듯한 통증이 점차 사라지고 있었다.

정중하게 프렌치 키스를 주고받는 사이 천천히 침대에 눕혀졌다. 클로에의 등과 머리가 침대에 안착할 때까지 미타이는 섣불리 손을 놓지 않았다. 조심스럽게 다루는 손짓에 조금씩 긴장을 풀기 시작한 클로에는 밀어내고자 제 몸과 미타이의 가슴 사이에 끼웠던 팔을 슬그머니 **빼냈다**.

"있잖아, 네 살이 부드럽다는 거 알아?"

미타이의 셔츠 아래, 하얀 레이스 스타킹 밖으로 드러난 허벅지를 쓰다듬던 미타이가 순수한 감탄을 흘렸다. 클로에의 다리를 살짝 꼬집어보고 제 팔뚝의 살을 꼬집었다. 그러고도 확연히 다른 차이가 신기한지 몇 번 더 주물럭거렸다.

"간지러……워요."

아프게 꼬집지는 않았기에 간지럽기만 했다. 본능적으로 웃음이 나오려 해 당황한 클로에가 제지하듯 미타이의 손목을 잡앗다. 이에 미타이는 꼬집는 행동은 멈추었지만 제 손목을 잡은 손을 물끄러미 보기 시작했다.

"여자가 작다고 생각된 적이 없었는데 신기하네. 손도 나보다 작고. 허리도."

클로에의 주먹과 제 주먹의 크기를 비교하더니, 허벅지를 만지작거리던 손을 이동시켜 셔츠를 사이에 끼고 엉덩이를 잡았다가 허리를 양손으로 쥐고 중얼거렸다.

"근데 여긴 커."

여기라 함은 가슴을 뜻했다. 미타이의 손목을 잡고 있던 클로에가 움찔했다. 맹수의 앞에 놓인 산만 한 덩어리는 결코 클로에에게 이로운 결과를 가져올 리 없는 물건이다.

"자, 잠시, 으앗!"

맹수의 눈빛이 위험해지는 바람에 가슴을 가리려고 했으나 소용없었다. 어렵지 않게 클로에의 손목을 낚아챈 미타이가 위부터 단추를 서너 개 풀었다. 셔츠 안에 하얀 속옷을 입고는 있지만 소용이 없다는 사실은 진작 알고 있었다.

"흐응."

앞으로 끈을 매는 방식의 코르셋이라 역시 미타이도 쉽게 코르셋을 풀어버렸다. 갇혀 있던 풍만한 가슴은 누르고 있던 것이 사라지자 탄력 있게 튀어나왔다. 금안이 번뜩였다.

"그, 앗, 저, 아훗!"

무슨 말을 하려고 했는지는 클로에 자신도 모른다. 아무 말이나 하고 보려고 했는데 미타이 때문에 이상한 신음만 터져 나왔다. 클로에의 가슴을 유심히 보던 미타이가 고개를 숙인 탓이었다.

"냄새 좋아."

가슴골에 코를 파묻고 킁킁대던 미타이는 혀를 날름 내밀었다. 촉촉한 혀가 피부에 닿자 클로에가 화들짝 놀랐다. 쪽 쪽 살을 빨아 당기며 높이 솟은 언덕을 올라가던 입술이 불그스름한 꽃밭에 닿자 잠깐 멈춰 섰다.

"야옹이는 젖꼭지도 꽃 같네. 색도 예쁘고."

"……으응."

코를 대고 킁킁거렸다가 혀를 내밀어 할짝거리며 중얼거리니 뜨거운 숨결이 닿은 유두가 조금씩 머리를 내밀기 시작했다. 그 과정을 유심히 지켜보던 미타이가 신기해하자 부끄러움에 더 뾰족하게 서버렸다.

"동그래졌다."

"훗, 흐읏!"

유륜을 이로 살살 긁다가 유두가 꼿꼿하게 서자 단박에 덥석 삼켰다. 입 안에 가둔 젖꼭지를 혀로 튕기고 굴리다 참기 힘들다며 입맛을 다시곤 답삭 이로 깨물었다. 클로에는 신음 섞인 비명을 내질렀다. 미타이에게 물린 순간 짜릿한 통증과 함께 따끔따끔한 감각이 전신에 퍼지며 다리 사이로 들어간 탓이었다. 뱃가죽이 훅 조이면서 은밀히 젖기 시작했던 질구에선 샘물을 쏟아냈다.

"젖었네?"

유방을 지분거리면서 가지고 놀던 미타이가 클로에의 변화를 눈치챘는지 슥 다리 사이로 손을 가져갔다. 젖어든 팬티를 확인한 손을 제 코에 대고 쿵쿵댔다. 놀리는 듯한 어조에 클로에가 무릎을 모으고 다리를 오므렸다. 손목은 아직 잡혀 있어 가슴을 가리려 대신 팔꿈치를 내렸다.

"예쁜데. 가리지 마."

클로에의 손목을 위로 잡아끌고 한편으로는 가슴을 세게 주물렀다. 미타이의 큰 손에도 다 들어차지 않는 가슴의 모양이 이리저리 바뀌었다. 세찬 손놀림이지만 아프다기보다는 뭉근한 아릿함 사이로 이상한 느낌이 지펴지기 시작했다.

"앗, 아앗…… 잠…… 읏."

유두가 손바닥에 짓눌리고 탄성 있는 살덩어리가 강한 압력에 밀려 모양을 바꾸는데도 고통은커녕 입에선 야릇한 신음만 튀어나왔다. 손목을 놓아준 미타이가 아예 두 손으로 유방을 쥐었다. 그를 밀어내려 했지만 이번에도 실패했다. 클로에의 가슴을 모아서 위로 높이 솟게 만든 남자는 그 위에 달린 붉은 젖꼭지를 답삭 삼켰다.

"홋, 흐아, 아앙."

가슴을 강하게 움켜쥔 손과 유두를 빨아들이는 강한 흡입에 클로에의 등이 살짝 떴다. 그만…… 이상해져요…… 주문을 외우듯 중얼거렸지만 미타이에겐 들리지 않는 듯했다. 유륜을 쪽쪽 빨고 유두를 자근자근 깨물다, 무언가가 나오기를 기대하듯 날름날름 삼키는 동시에 반대편 가슴의 젖꼭지도 엄지와 검지로 잡고 살살 비틀었다. 팔꿈치로 상체를 지탱하고 머리를 뒤로 젖힌 클로에가 손가락과 발가락을 꼼지락꼼지락 꼬면서 끊임없는 신음을 흘렸다.

"아…… 아파…… 그만, 그만."

정말로 아픈지는 모르겠다. 그러나 적어도 미타이 때문에 생겨나는 감각 때문에 배꼽 주변이 들썩들썩하면서 다리 사이를 정신없이 적시기 시작하는 몸의 변화가 무섭다는 것만은 알았다. 미지의 미래가 무서워진 클로에는 애원을 하며 글썽였다.

"음. 조금 젖는 정도론 힘들 텐데. 그만하고 바로 시작해?"

"네, 네…… 네?"

젖꼭지를 지분거리는 괴롭힘이 멈췄다. 납작한 배를 할짝할짝 핥고 있던 미타이가 고개를 들고 걱정스러운 어조로 클로에의 양해를 구했다. 몽롱해진 정신 속에서 그만한다는 말만 겨우 들은 클로에가 헐떡거리며 끄덕였지만 뒤에 이어지는 다른 말을 인식했을 땐 이미 늦은 뒤였다.

"미, 미타, 아니, 도련님."

훌렁훌렁 미타이가 입고 있던 옷을 벗어 뒤로 던졌다. 상의도 하의도 단번에 벗어 던졌다. 옷을 벗으니 빼곡하게 들어찬 근육이 선명하게 보여 한층 더 커 보였다. 거침없는 손길로 브리프까지 벗어 던지자 볼 일이 없으리라 생각했던 남자주인공 중 한 명의 페니스가 등장했다.

"……아니야."

이건 아니다. 보려고 본 것이 아니었는데 클로에의 시선이 미타이의 중심에 가서 못 박혔다. 클로에가 무엇을 뚫어져라 보는지 알고 있는 미타이가 머쓱하게 웃었다. 반쯤 머리를 들고 일어서 있던 무시무시한 것은 클로에가 보고 있으니 천천히 더 빳빳하게 머리를 들기 시작했다.

"그렇게 뚫어져라 보면 아무리 나라도, 흥분되잖아."

크다. 흥분한 탓에 이렇게 됐다고 하는 미타이의 성기는 무서울 만큼 굵었다. 야외에서 활동할 일이 많아 살짝 그을린 편인 피부보다 조금 더 진하고 조금 더 붉었다. 버섯과도 같은 머리 부분 아래로 힘줄처럼 보이는 것이 울룩불룩 솟아 있었다. 클로에는 반사적으로 자신의 팔뚝을 보고 다시 미타이의 성기를 바라보았다.

"이, 이, 이거, 부, 불가능……."

"에이, 야옹아. 불가능이 어딨어."

흥분은 흥분이고 저 굵기는 무리다. 클로에 자신도 몸이 제법 달아올랐다는 현실은 자각했지만 그마저도 미타이의 페니스를 보는 순간 사라졌다. 간밤 지안니가 넣은 손가락도 버거웠는데 저건 당연히 불가능하다. 클로에가 간절하게 도리질을 치자 미타이가 방긋 웃었다.

"야옹아. 다리 벌려."

지금까지 예쁘다, 귀엽다, 사랑스럽다 칭찬을 쏟아내며 긴장을 풀어주던 남자는 사라졌다. 여전히 다정하게 웃고는 있지만 거절은 받아들이지 않겠다는 단호함이 엿보였다. 클로에가 계속 고개를 좌우로 흔들며 도망가자 미타이가 곤란하다는 듯 혀를 차며 턱 턱 허벅지와 엉덩이를 잡고 제 쪽으로 끌어당겼다.

"야옹아. 힘 빼."

클로에를 제 쪽으로 끌어와 다리로 제 허리를 감싸게 하고 엉덩이를 움켜쥐었다. 머리를 하늘로 쳐든 우람한 성기의 끝부분을 숲속의 밀부에 가까이 댔다.

"아, 안 돼……."

속살에 꿈틀거리는 뜨거운 것이 닿았다. 툭 툭. 들어갈 곳을 확인한 둥근 머리가 기어코 입구를 찾아내 들이밀었다. 충분히 젖었다지만 감당하기 힘든 굵기가 들어오려고 하니 벌써부터 다리 사이가 뻐근했다.

클로에가 힘을 빼질 못하자 흐음, 갸웃거리던 미타이가 넣었던 귀두를 빼냈다. 그리고는 상체를 숙여 클로에가 몸의 긴장을 풀 때까지 가벼운 키스로 달랬다. 빰과 코와 이마에 쏟아지는 키스 세례가 버거워 긴 한숨을 내쉰 순간, 시력을 없애버리는 고통이 클로에를 찾아왔다.

"아아악!"

다리 사이가 화끈거렸다. 몸을 반으로 가르고 들어오는 것만 같은 굵은 것 때문이다. 미타이의 허리를 감은 채로 클로에가 숨을 헐떡였다.

"으, 아파, 아으, 아파……!"

"다리 힘 빼."

눈을 감고 얼굴을 잔뜩 찌푸리고 애원하는 클로에의 이마에 쪽, 입을 맞추며 쉬잇, 아이를 달래듯 달랬다. 툭 툭. 엉덩이를 두드리는 손이 있었다.

"내 어깨 잡아. 옳지."

오갈 곳을 잃은 두 팔이 배회하다 미타이를 때리자, 미타이가 재밌다는 듯 웃으며 자신의 목에 팔을 두르게 했다. 그가 시키는 대로 어깨에 팔을 두르고 매달리듯 안은 클로에는 화끈화끈한 고통에 새액 새액 숨만 겨우 내쉬었다. 미타이도 클로에를 안았다. 등 뒤로 팔을 끼워 넣고 클로에의 상체가 살짝 뜨게 한 후 반쯤 들어간 제 성기를 쭈욱, 쭉 밀어 넣었다.

"흐윽, 흡……."

헐떡이는 신음 소리가 세졌다. 꼬챙이에 꿰뚫리고 불에 타는 것 같았다. 예상대로 몸에 집어넣기에는 힘든 굵기였다. 적어도 클로에 생각엔 그랬다.

"잘 삼키고 있네. 제법이야."

그런데 미타이가 스윽 움직이기 시작했다. 눈물에 흠뻑 젖은 눈가를 핥더니 허리를 흔들었다. 간신히 열린 좁은 길은 정작 성기가 들어올 때마다 더 깊숙이 들어오라며 끌어 삼켰다. 우락부락한 표면에 쓸리는 질 내벽이 믿을 수 없게도 엄청났던 고통을 천천히 지우기 시작했다.

"걱정했는데 꼭 맞나 봐, 우리."

미타이가 키득 웃었다. 왜인지 굉장히 만족스러워하고 있었다. 집어넣었던 페니스를 반쯤 빼내고 다시 푹, 꽂아 넣는 행위에 몸 전체가 쉼 없이 위로 밀려 올라가다가 미타이의 품에 가로막혀 멈추길 반복했다. 대답할 겨를이 없는 클로에는 신음만 쏟아냈다.

"흣, 흐응, 응, 응!"

차라리 미타이가 한 번 쳐올릴 때 위로 팍팍 밀려나버렸으면 나을지도 모르겠다. 그러나 클로에의 어깨를 안고 놓아주지 않는 덕분에 한 위치에 고정되어 미타이를 받아내야 했다. 퍽, 퍽, 성기가 사납게 꽂히며 내부를 들쑤셨다.

통증이 천천히 사라지는 자리를 이상한 감각이 대신 채우기 시작했다. 지안니가 손으로 괴롭혔을 때, 그리고 미타이가 유방을 지분거렸을 때와 비슷하면서도 조금 더 진한 감각이었다. 간질간질한 몸은 성기를 삼키고 놓지 말라 끊임없는 신호를 보냈다. 클로에는 도리질을 쳤지만 이성을 배반한 질구는 본능이 시키는 대로 입구를 조였다.

미타이의 허릿짓이 빨라졌다. 흥분이 야기하는 달달한 샘물을 우후죽순 내보낸 덕에 축축해진 부위에서는 질퍽거리는 소리가 났다. 클로에가 도망갈 수 없게 세게 안고는 퍼억, 퍽 제 살을 부딪쳤다.

"으응, 흣…… 아흣!"

딱딱하고 탄탄한 살이 클로에의 여린 속살을 쉬지 않고 때렸지만 더 이상의 통증은 느껴지지 않았다. 보란 듯이 자라나 통증이 있던 자리를 완연히 채운 쾌감이 클로에를 점령했다. 미타이를 안고 있는 팔에 힘이 들어가고 허리를 감고 있는 종아리도 알이 튀어날 정도로 힘이 바짝 들어갔다.

"앙, 아앙, 아, 안……!"

신음에 섞여 안 된다는 애원이 뭉그러져 나왔지만 두 사람 중 어느 누구의 귀에도 들리지 않았다. 푹 푹, 반으로 갈라져라 강하게 치대는 미타이를 받아내는 클로에의 시야가 순간 점멸했다. 이성을 누르고 정신을 지배한 쾌락이 온몸 구석구석에 퍼졌다. 미타이의 품에 갇힌 몸뚱이가 파르르 잘게 떨었다. 클로에의 반응을 눈치챈 미타이가 움직임을 멈추고 부르르 떨고 있는 클로에의 떨림이 가라앉길 기다렸다.

"야옹아."

나지막한 부름이 끈적하게 내려앉았다. 아직 제 몸 안에는 여전히 굵은 성기가 그대로 남아 있는데 클로에 자신은 기운이 쭉 빠져버렸다. 헐떡거리는 숨을 고르지 못한 채로 클로에는 젖은 눈꺼풀을 간신히 들었다. 미타이가 그녀를 가두고 있는 자세 그대로 미소 지었다.

"큰형한테 가지 마."

"네?"

"나는 사실 이대로도 좋은 것 같아. 나만 봐주지 않겠다면, 형만 보느니 차라리……"

봐주는 척하면서 한편으로는 전혀 봐주지 않은 정사 한 번만으로 이미 지칠 대로 지쳤는데 영문 모를 경고까지 더해졌다. 미타이가 소곤소곤 속삭였다. 다니엘레의 이름이 여기서 왜 나오는가. 당연히 다니엘레와 얼굴을 마주할 일은 없을 거라고 속으로 굳게 다짐하던 클로에는 조심하라며 키스해오는 미타이를 보며 눈을 감았다.

∞

어떤 전조도 없이 눈이 떠졌다. 긴장이 풀리고 지칠 대로 지쳐 기절하듯 잠이 들었던 것 같은데 자고 일어나니 푹 잤었는지 개운했다. 눈을 뜨자마자 마주친 누군가만 아니었다면 가벼워진 몸을 두고 마냥 신기해하고 있었을 터였다.

"우리 아가씨는 참 취향도 독특하시지."

지안니가 잠에서 막 깬 클로에를 내려다보고 있었다. 어깨를 덮는 기장의 머리는 단출한 리본으로 가볍게 묶어두고 어제는 쓰고 있지 않던 안경을 쓰고 있었다. 알 너머 얼굴이 왜곡되지 않는 것으로 보아 도수가 있는 안경은 아니었다. 금색 자수가 수놓인 보라색 로브 사이로 까만 조끼와 주름 하나 없는 빳빳한 바지가 보였다. 맨질맨질한 구두는 역시 먼지 하나 없이 깔끔했다.

"제가 잠깐 자리를 비웠다고 그걸 못 참고 개랑 뒹굴면, 제가 많이 화나죠."

말없이 이동하는 시선을 따라가니 클로에게 매달린 자세

로 자고 있는 미타이가 보였다. 안경을 쓴 모습은 의외였는데 그렇지 않아도 서늘하던 인상이 안경 때문에 더 날카로워 보였다. 높은 콧대 위로 살짝 흘러내린 안경을 고쳐 쓰며 눈짓으로 일어나라고 명령을 했다.

"야옹인 잘못 없어."

"넌 빠져."

지안니가 매서운 눈초리로 내려다보고 있자 미타이가 대신 변명하듯 클로에를 감쌌다. 자연스럽게 클로에를 안는 모습을 보자 지안니의 눈썹 하나가 치켜 올라갔다. 미타이는 머리를 긁적이면서도 클로에를 놓지 않았다. 고래 싸움에 낀 새우처럼 클로에는 숨을 죽였다.

"이대로 나랑 있었으면 하는데."

"아가씬 나와 해결해야 할 문제가 있단다, 동생아. 좋게 말할 때 꺼지렴."

동생이 대신 변명을 하거나 부탁을 하거나 말거나. 지안니는 클로에를 미타이로부터 낚아채고 잡아끌었다. 공방이 오고 갈 때마다 고개를 휙휙 돌리는 클로에의 손목을 잡고 거칠게 방문을 열어젖혔다. 다리 사이가 욱신거려 절뚝거리느라 속도를 따라가지 못하는 클로에를 봐주지 않고 성큼성큼 걷더니 갑자기 우뚝 멈춰 섰다. 그러더니 훅 클로에를 안아 들었다.

"꺄악!"

무릎 뒤를 받치고 허리를 둘러 공주님 안기를 한 다음 빠른 속도로 걷기 시작한 지안니가 그의 방으로 돌아가기까지는 그리 오래 걸리지 않았다. 방에 도착해 클로에를 내려놓고는 쾅 문을 닫았다. 불안한 눈빛으로 문을 흘깃 보는 클로에를 응시하던 지안니가 먼저 입을 열었다.

"어디까지 갔죠?"

"네?"

"어디까지 허락했냐고요."

"저, 저기."

"하긴 상관없지. 짐승 새끼랑 뒹군 게 무어 중요하겠어요. 아가씨는 여기 있는데."

반갑지 않은 징조였다. 다시 돌아온 지안니의 방에서 차가운 표정의 그와 둘이 있으려니 도망치고 싶은 마음이 굴뚝같았다. 아니, 아니다. 방 안에 둘이 있어서가 아니다. 미타이의 침대에서 깬 직후 눈이 마주쳤을 때부터 도망가고 싶었다. 그만큼 아까부터 클로에를 보는 눈이 사납고 무서웠다.

"미타이랑은 좋았어요?"

미타이와 치렀던 하룻밤을 이미 알고 있다는 듯 확신을 가지고 물었지만 클로에는 대답하지 않았다. 지안니의 의도를 파악할 수가 없는 탓이었다.

"그 동물을 오냐오냐 키운 것은 나와 형이니 가로챘다고 한들 혼낼 수도 없고. 뭐, 좋아요. 일단 벗어요. 다른 남자 옷."

지안니가 일갈한 다른 남자란 제 동생이었다. 잠들어 있는 사이 미타이가 제 셔츠를 다시 입혀준 모양이었다. 셔츠만 입히고 다른 속옷은 입히지 않아서 지금 지안니가 보는 앞에서 셔츠를 벗으면 가릴 것이 없다. 클로에가 머뭇머뭇 옷깃을 부여잡고만 있자 지안니의 눈에 불꽃이 튀는 듯하더니 예고도 없이 천이 찢겨 나갔다.

"윽, 잠시만요!"

"시끄러워요."

마법은 너무 불공평하다. 손을 대지 않았는데도 옷이 저 혼자 찢어지고 클로에는 순식간에 알몸이 되었다. 눈앞에 날아다니는 조각이라도 잡아 가슴을 가리려고 했지만 지안니의 손짓에 그마저도 막혀버렸다. 두 팔이 보이지 않는 밧줄에 묶인 듯 꼼짝도 하지 않았다.

"다른 남자 정액이나 품고 오고."

클로에의 몸은 제멋대로 둥실 뜨더니 지안니의 코앞에서 두 다리가 의지와 상관없이 좌우로 넓게 벌어졌다. 두 손가락이 가차 없이 질구를 푹 쑤시고 들어오더니 쿨쩍 쿨쩍 안을 긁어냈다. 미타이가 몸을 닦아주었지만 내부까지 닦아내긴 힘들었을 테니 그의 정액이 그대로 남아 있는 셈이었는데, 지안니가 보란 듯이 긁어내어 클로에의 눈앞에 가까이 가져와 보여주었다.

"웃……."

"나쁜 걸 배워 왔네요. 그새를 못 참고 적시기나 하고."

미타이와의 정사를 아직 기억하고 있는 몸은 손가락이 들어와 헤집자 밀어내기는커녕 야릇하게 달아오르며 기대감에 부풀기 시작했다. 반쯤 구부러트린 두 손가락이 내벽을 긁어낼수록 클로에의 엉덩이가 흠칫 떨렸다. 지안니가 싸늘하게 웃었다.

딱, 소리와 함께 클로에를 구속하고 있던 기운이 사라졌다. 허공에서 바닥으로 돌아올 수 있었지만 지안니를 보아 이대로 끝은 아닐 듯했다. 몸을 가릴 만한 것을 찾던 클로에는 어떤 물건을 들고 제게로 돌아오는 지안니를 발견하고 엉거주춤 섰다.

"오늘 시간을 들여 천천히 각인시키면 되겠죠, 내 존재는."

미타이는 잊어. 대수롭지 않게 머리 위에서 속삭인 지안니가 가져온 물건을 들어 눈앞에 보여주었다. 레이스가 달린 안대와 수갑이었다.

"저, 저기. 그건."

"응?"

"꼬, 꼬, 꼭 해야 하나요."

클로에의 **뺨**이 새빨개졌다. 지안니의 마차에서도 묶여 있다 기절해버리지 않았던가. 손발을 꼼짝할 수 없다 보니 더 불안해서 온몸의 감각이 예민해진 것 같은 기분이었는데, 미타이와의 정사로 달아오른 상태에서 묶이고 또다시 절정을 느껴버린다면 미쳐버리지 않을까 덜컥 겁이 났다.

"자꾸 그러면 더 힘들어진답니다, 아가씨."

"전부 다 말할게요! 뭐든지! 지금은 미타이님과 한 지 어, 얼마 안 돼서 제 몸이 너, 너무……."

"아가씨?"

"네, 네?"

"지금 중요한 건 그런 게 아닌걸요? 내가 지금 해야 하는 일은 아가씨를 잡아온 사람이 누구인지를 가르치는 거예요. 내 동생이랑 뒹굴고 온 아가씨에게."

"……."

"미타이님? 아가씬 내 이름은 기억하시려나 모르겠네."

피식 웃었다. 그러나 즐거워서 내는 소리는 아니었다. 뒤로 물러서는 클로에에게 다가와 거리를 좁힌 지안니가 손목을 낚아챘다. 앗! 외치는 사이 손목에 각각 수갑이 하나씩 걸렸다.

수갑이라고는 하지만 손목에 걸린 고리는 푹신한 털을 넣고 자수로 장식한 천이 덧대어져 있어서 금속이 피부에 닿지는 않았다. 당황하는 클로에의 몸이 번쩍 들리더니 침대 위로 이동되었다.

"잠시만요!"

한 번 더 무의미한 협상을 시도하려는 클로에의 말을 무시하고 성큼성큼 따라온 지안니가 클로에의 발목을 잡았다. 달칵

달칵, 소리가 날 때마다 하나씩 손발의 자유를 빼앗겼다. 각 손목과 발목이 수갑으로 이어져 다리를 펼 수도 일어설 수도 없는 자세가 되었다.

몸이 뒤집혔다. 가슴을 침대에 대게 한 후 배를 받쳐 허리를 둥글게 휘게 만드니 엉덩이를 하늘로 치켜든 모양새가 되었다. 발목을 잡고 좌우로 당겨 다리를 벌려놓기까지 해, 지안니가 잠시 눈을 뗀 사이 다리를 오므리려고 했다.

"벌리고 있어요."

돌아온 지안니가 클로에의 엉덩이를 부드럽게 쓰다듬으며 단호하게 명령했다. 다시금 다리를 벌려둔 손길이 허리를 타고 손가락 장난을 치며 올라오는데 뒤를 돌아보지도 못했다. 지안니가 고정해둔 그대로 자세를 유지하고 있는 클로에 앞에 익숙한 검은 상자가 턱, 놓였다. 마차에서처럼 계단처럼 펼쳐진 상자 안엔 용도를 알 수 없어서 불안한 물건들이 있었다.

"말을 한 번 어길 때마다 골라야 하는 장난감이 늘어날 거예요."

부드럽게 웃어주었지만 끝내 안대로 시야를 가렸다. 화려한 레이스로 장식된 안대는 부들부들하면서도 가벼운 천을 썼는지 질감이 고와 피부에 닿는 느낌이 거의 나지 않았지만 시야는 완벽하게 차단되었다. 앞으로 벌어질 일이 상상이 가질 않아 클로에는 숨을 죽였다.

"쓰고 싶은 장난감을 골라요."

"⋯⋯?"

무엇을 어떻게 고르라는 건지는 금방 알 수 있었다. 사지는 구속되어 있었지만 지안니가 클로에의 배를 받치고 턱을 들게 해 어딘가에 올려놓았다. 아마도 앞에 놓아두었던 상자인 듯했다. 톡 톡, 입술을 건드리는 손가락 움직임은, 눈이 가려진 채로 상자 안의 도구를 골라 입으로 가져오라는 의미임이 분명했다.

"모, 못 해요."

상자 안에 있는 것들이 무엇에 쓰이는지는 모르겠지만 생긴 모양들이 하나같이 두렵긴 했다. 어떤 것을 고르든 「장난감」이라는 귀여운 어감으로 쓰일 수 없었다. 딱, 딱 이를 부딪치며 거절하자 지안니가 머리를 쓰다듬었다.

"아가씨가 고르거나 내가 고르거나, 두 가지밖에 없어요. 어떤 결과가 더 나을지는 누구라도 알 수 있을 거고."

은근한 경고였다. 지안니가 직접 고르게 두지 말라는. 클로에는 목소리가 들리는 방향으로 고개를 들었다가 아무리 떨고 있어도 반응이 없자 하는 수 없이 고개를 숙였다.

보이지 않으니 고르려면 입과 **뺨**으로 촉감을 확인하고 고르는 수밖에 없다. 그래도 어떤 것이 걸릴지는 모르는 거지만 최소한 **뾰족한** 종류는 피하면 될 듯했다. 상자 안에 가위나 칼, 드라이버 등의 물건은 없었으니 적어도 입으로 확인하다 다칠 염려가 없다는 점이 다행이라면 다행이었다. 클로에는 턱으로 인지한 가장 가까이에 있는 물건에 뺨을 댔다.

"흐응."

고양이가 얼굴을 비비듯 뺨을 대고 느껴지는 촉감으로 모양을 상상했다. 둥글었다. 둥근 공들이 나란히 붙어 있는 물건이다. 조심조심 입술을 대 둥근 모양이 맞는지 확인했다. 클로에의 머리카락을 만지작만지작 장난을 치고 있던 지안니가 클로에의 몸짓에 의미를 파악하기 힘든 감탄사를 냈다.

"재밌는 걸 골랐네요."

마른 입술로 살포시 공들이 길게 붙어 있는 장난감을 물었다. 떨어뜨리지 않고 지안니에게 건네려면 입술에 힘을 줘야만 했다. 힘을 주다 보니 차갑고 딱딱한 촉감이 고스란히 전달되어서 퉤 뱉어버리고 싶었지만 지안니의 무언이 되레 그렇게 하지 못하게 막았다.

"클로에."

차마 끝까지 들어 올리지도 못하고 뱉지도 못하고 어정쩡하게 물고만 있으려니 지안니가 먼저 장난감을 받아 갔다. 장난감을 쥔 채로 클로에의 턱을 잡고 들어 올리며 이름을 불렀다. 목덜미를 덮은 머리카락을 치운 자리에 닿는 저음에 목의 솜털이 오소소 솟았다.

"한 번만 봐줄게요."

다음번엔 제대로 물어서 가지고 와요. 들릴 듯 말 듯 이어지는 속삭임에 알았다고 끄덕이지 못했다.

"빨아요."

턱을 잡은 손의 엄지가 클로에의 입가를 쓸었다. 아랫입술을 꾹 누르더니 아래로 밀어 입을 벌리게 했다. 앞니에도 지안니의 엄지가 닿았다. 고른 치열을 따라 한차례 쓱 훑더니 제 엄지가 들어갔다 나온 자리에 딱딱한 장난감이 밀고 들어왔다.

제일 먼저 들어온 구슬은 아주 작았지만 다닥다닥 붙어 있는 구슬의 크기는 점점 갈수록 커졌다. 지안니가 장난감으로 혓바닥을 누르고 천천히 한 알 한 알 넣으며 설명했다.

"천연 흑진주로 만든 아이인데."

장난감에도 사치를 부리다니. 그러나 클로에는 사치라고 말할 수 없는 상태였다. 빨지 않아도 장난감을 쥐고 있는 손이 클로에의 입 안을 유영하도록 만들었기에 메말랐던 장난감은 점점 물기에 젖기 시작했다. 꼼꼼하게 한 알 한 알 혀에 적시고 있었다.

딸깍, 마개를 여는 소리가 났다. 먼젓번에 클로에의 이성을 앗아간 향인가 싶어 긴장했는데 그때와 같은 향은 나지 않았다. 대신 엉덩이 위에 차가운 액체가 쏟아졌다.

"읍!"

입에 장난감이 물려 있어서 비명은 끝까지 나오지 않았다.

점성이 있는지 액체 같긴 하지만 아래로 뚝뚝 떨어지진 않았다. 지안니가 액체가 쏟아진 엉덩이를 둥글게 원을 그리며 쓰다듬자 차가운 액체가 점점 엉덩이 전체에 발렸다. 차가웠던 느낌은 지안니의 손이 몇 번 지나간 후엔 달라졌다. 따뜻한 온도로 변했다. 액체에 휘감긴 손이 엉덩이 골 사이로 들어갔다.

"어디에 쓰는 물건인가 하면."

"⋯⋯!"

손가락이 멈춘 장소가 어디인지를 안 순간 클로에는 몸을 뒤틀려고 했다. 그러나 제지하는 지안니가 더 빨랐다. 엉덩이를 벌리고 한 번 더 차가운 액체를 쏟아부었다. 피부를 간질이며 쏟아진 액체가 골 사이로 천천히 들어갔다.

"무서워요?"

"으⋯⋯!"

물고 있던 장난감이 빠져나가 어디로 갔는지는 금방 알 수 있었다. 액체로 축축하게 젖은 엉덩이에 동그란 구슬이 이어져 있는 무언가가 닿았다. 엉덩이를 빼려고 몸을 흔들었지만 단단히 잡혀 있는 통에 재촉하듯 엉덩이만 흔든 꼴이 되었다. 지안니가 웃으며 속삭였다.

"그래요, 차라리 무서워해요. 그렇게라도 날⋯⋯."

보통은 반대가 아닌가. 지안니는 영문 모를 소리를 쏟아낼 따름이었다. 차단된 시야, 지안니가 속삭일 때마다 미칠 듯 간지러운 목덜미와 생생하게 느껴지는 엉덩이의 촉감. 한 번 더 빠져나오려는 시도를 한 순간, 믿고 싶지 않은 일이 일어났다.

"기억해요. 잊지 마요. 내게 빼앗기는 거야. 날 원망하고 싫어해도 좋아요. 단, 아가씨를 훔쳐가는 사람이 누군지를, 몸에 각인하도록 해요."

저주와도 같은, 세뇌와도 같은 속삭임과 함께 항문으로 끝내 구슬이 들어왔다. 질에 손가락이 들어왔을 때와는 또 다른 이물감이었다. 듬뿍 축축하게 젖을 대로 젖어 있는 흑진주는 크기가 처음임에도 별 무리 없이 들어왔다. 손톱의 반의반보다도 작은 크기의 구슬이라 해도 밀고 들어오는데 엉덩이는 잘만 꿀 꺽꿀꺽 삼켰다.

"아, 아, 아으……."

진주알의 크기는 조금씩 커졌지만 삼키는 데에는 전혀 문제가 없었다. 이물감이 느껴질 뿐, 끝까지 잘만 삼켰다.

"더, 골라요."

그러나 이것으로 끝이 아니었다. 항문에 넣은 장난감을 빼주지도 않았고 어떻게 조치를 취해주지도 않았다. 지안니는 무감하게 다시 장난감을 고르라고 명령을 했다.

"내가 고르면 아가씨가 곤란해진다니까."

거부하듯 얼굴을 묻고 움직이지 않고 있으려니 지안니가 쓴웃음을 지었다. 클로에는 그제야 고개를 들었다. 버틴다고 한들 이 상황에서 벗어날 수 있는 것은 아니다. 식은땀을 흘리며 턱을 들고 더듬더듬 상자를 찾았다.

이번엔 최소한 긴 것은 피하자. 엉덩이를 대가로 바친 후 긴 장난감이 주는 공포를 습득한 클로에는 긴 것만은 피하기로 했다. 뺨과 입술을 이용해 더듬더듬 적당한 장난감을 찾았다. 그 모습을 내려다보고 있을 지안니는 재촉도 조언도 하지 않고 차분히 기다리며 가끔 클로에의 머리카락이 걸리적거릴 때만 치워주었다.

한참을 찾던 클로에의 뺨에 길지 않은 종류가 포착되었다. 동그랗고 단단하긴 하지만 결코 길지 않았다. 뾰족하지도 않았고 날카롭지도 않았다. 뭔가 무서운 게 올록볼록 튀어나오지도 않았다. 이 정도라면 괜찮지 않을까. 주저하며 동그란 공을 입으로 물었다.

"이런."

지안니가 꽤 재밌다는 듯 웃자 문득 불안해졌다. 덜컥 겁에 질린 클로에는 장난감을 가져가려고 했을 때 입을 앙다물고 버텼다. 주면 안 될 것 같은데…….

"싫어요?"

"……."

"다시 고르려면 그에 상승하는 대가를 치러야 할 텐데요?"

바쳐야 하는 대가가 가벼울 리 없다. 클로에는 한숨을 쉬며 저항하기를 포기했다. 긍정적으로 생각하자. 첫 번째 장난감보다 심한 종류는 없을 거야. 그럴…… 거야.

"하지 말아요."

두려움에 자신도 모르게 이를 딱 딱, 부딪치고 있었던 모양이다. 쯧, 지안니가 혀를 찼다. 턱을 살짝 잡아 멈추게 한 후, 클로에의 겨드랑이 아래로 팔을 끼워 허리를 잡고 들어 올렸다. 앞이 보이지 않고 팔다리가 구속된 상태로 몸이 허공에 들리자 화들짝 놀랐다.

단단한 힘이 허리를 잡고 지탱했다. 인형이라도 들듯 가볍게 들어 올린 클로에를 자신의 허벅지 위에 앉혔다. 푹신한 천에 무릎이 먼저 닿고 뒤이어 손목과 수갑으로 연결된 발이 닿았다. 무릎을 꿇고 앉은 모양의 클로에의 두 다리 사이에는 또 다른 두 개의 다리가 자리하고 있어 좁힐 수가 없었다.

흐트러진 긴 머리를 손가락으로 빗고는 몇 번 매만지더니 등과 목덜미가 훤히 드러나게 틀어 올렸다. 등을 덮어 가려주는 더미가 사라지니 탁 트인 공기가 닿는 등과 허리가 원치 않게 민감해졌다. 움찔움찔 떠는 클로에의 등을 원을 그리며 어루만지던 손이 볼록한 엉덩이를 세게 쥐었다.

"콜록, 콜록."

침을 잘못 삼켜 작은 기침이 터졌다. 엉덩이를 쥐고 있는 손이 손가락을 움직여 항문 밖으로 반쯤 나와 있는 장난감을 살짝 밀어 넣는 시늉을 했다. 이제 겨우 어느 정도의 이물감에 익숙해지려고 했던 클로에가 중심을 잃고 앞으로 넘어졌다.

"으……."

"쉿."

드러난 맨가슴이 옷을 벗지 않은 지안니의 가슴팍에 닿았다. 누구는 알몸으로 부끄러운 자세를 하고 속박되어 있는데 누구는 단정한 차림 그대로다. 극명한 차이에 수치가 가중된 클로에의 심정을 눈치챘다는 듯, 지안니가 클로에의 턱을 들어 붉어진 뺨에 입을 맞췄다.

"이리 기대요."

어깨를 당겨 클로에가 지안니의 목덜미에 코를 묻고 상체를 기대게 만들었다. 알 수 없는 이유로 뛰기 시작한 심장 때문에 예민해진 가슴이 지안니의 옷에 쓸리자 유두가 바르르 떨며 일어났다. 지안니가 클로에의 배를 받치고 부드럽게 위로 밀어 올렸다. 무게의 중심을 앞으로 몰고 지안니에게 기댄 클로에의 엉덩이가 들렸다.

"핥아."

지안니의 예고에 응답하듯 윙, 진동 소리가 났다. 어디서 나는 소리인지 찾아보기도 전에 진동 소리를 내며 떨고 있는 물건이 클로에의 입에 들어왔다. 의도는 뻔했다. 아까처럼 핥으라는 소리다. 혀를 튕겨낼 듯 떠는 공을 피해 혀를 말았지만 달라붙듯이 따라오는 공은 피할 수 없었다.

"헉, 허……억, 으, 까아악!"

클로에의 얄팍한 술수는 짐작하고 있다는 듯 작은 공을 볼우물에 넣었다가 뺐다. 침으로 질척해진 공이 입 안에서 빠져나간 후에야 숨을 가쁘게 몰아쉬었지만 천천히 숨을 고를 시간은 주어지지 않았다. 날개뼈를 미끄러지듯 내려간 공이 위로 세운 엉덩이에 꽂혀 있는 장난감을 치고 지나간 탓이었다.

"무, 무섭…… 아웃!"

진동이 이리로 무서웠던가. 항문 주위를 맴돌던 공이 회음부를 따라 안으로 굴러 들어오더니 강하게 떠는 몸을 수풀 안으로 숨겼다. 몸은 숨겼으되 강한 진동 때문에 짙은 색의 숲은 파스스 흔들렸다. 어쩌면 숲이 흔들리는 것이 아니라 클로에의 다리가 들썩거리는 것일지도 몰랐다.

잡을 수 있는 것이라곤 자신의 발가락뿐이었다. 구명줄을 잡듯 발가락을 잡고 지안니에게 힘껏 기댄 채 세찬 흔들림을 견디려 애를 썼다. 그러나 진동에 익숙해지기는커녕 은밀히 가려져 있던 음핵에까지 닿자 떨림은 더 심해졌다.

"하지, 하지 말, 읏, 흐읏."

"이 정도로는 부족해요, 아가씨. 미타이의 흔적을 다 씻어낼 때까지 엉덩이를 흔들면서 질질 싸야 하거든."

"아니, 아니야…… 안, 안 돼…… 아악!"

진동이 클리토리스를 꾸욱 눌렀다. 약하고 여린 부위가 거센 진동에 비틀리자 지안니에게 잡혀 도망갈 수 없는 클로에의 까만 시야에 파직 하얀 불꽃이 튀었다. 감당하기 힘든 자극에 지안니가 원하는 대로 샘물을 주룩주룩 뿜어냈지만 진동은 약해지지 않았다.

"잘못, 잘……못했…… 으응!"

결국 자신이 무슨 말을 하는지에 대한 자각도 없이 생각나는 말을 내뱉었다. 힘이 주욱 빠져나가 스스로 지탱하고 설 힘도 빼앗긴 클로에는 기댄 채로 지안니의 목덜미에 얼굴을 묻고 떨면서 애원했다. 무엇을 잘못했는지는 모른다. 그저 그 말이 하얘진 머릿속에 떠올라 내뱉고 봤다.

"아가씨."

잠시 진동을 떨어뜨려준 지안니가 클로에를 불렀다. 그러나 완전하게 떼어내지는 않아 은은하게 진동이 전달되었다. 지안니가 파들파들 떠는 클로에의 뒷목을 감싸듯 잡았다.

"아가씰 먼저 잡은 사람이 누구죠?"

"흐, 훗……."

"제대로 불러야죠. 지안니라고. 이름, 알죠? 다시 물을게요. 아가씰 사냥한 사람이 누구죠?"

"지, 지안……."

"내 사랑스러운 아가씨가 과연 누구 앞에서 울어야 할까요."

"……지, 지안니님, 하앙!"

지안니는 집요했다. 더듬더듬 말을 잇지 못하거나 이름을 정면으로 부르질 못하자 끊임없이 묻고 다시 진동을 들이댔다. 동시에 벌을 주듯 엉덩이가 물고 있는 구슬 장난감을 세차게 휘저었다. 앞뒤로 가해지는 자극에 클로에가 버티지 못하고 비명을 질렀다.

"네, 잘했어요, 아가씨."

만족스러운 대답에 안대가 벗겨졌다. 한참을 캄캄한 어둠 속에서 있었더니 눈이 부셨다. 가늘게 눈을 뜨기만 하고 제대로 뜨지 못하는 클로에의 입술에 따뜻한 입술이 닿았다. 땀과 눈물로 범벅이 된 볼과 눈가를 뜨거운 혀가 가볍게 훑었다.

"흣…… 흑."

엉덩이가 물고 있던 장난감도 천천히 **빠져나갔다**. 꿈틀 꿈틀, 항문 내벽이 구슬을 놓아주지 않으려고 했지만 지안니의 힘은 이길 수 없었다. 가장 입구 쪽에 있던 큰 구슬부터 하나씩 **빠져나갈** 때마다 주름이 따라 움직이는 느낌이 들더니 마지막 하나가 뽕, 소리를 내며 **빠지자** 허전한 느낌까지 들었다.

클로에는 제 앞에 누가 있는지, 지금 자신의 모습이 어떤지 순간 다 잊어버리고 훌쩍였다. 어제도 그랬지만 지안니 앞에만 있으면 망신창이가 되는 기분이 들었다. 그 와중에도 그가 강렬하게 남긴 잔열이 깊이 각인되었다. 약하게 떨고 있는 등줄기를 어루만지는 손길이 느껴지자 클로에는 눈물을 뚝 뚝 흘렸다. 무서운데, 어째서…….

"있죠, 솔직히 난 아가씨가 지금 모습 그대로 품에만 있으면 다 상관없다고 할지도 모르겠어요."

"……."

"이렇게 흐트러지고 헐떡이면서 기대고 있으니까."

진동의 여운이 가시질 않아 여전히 스멀스멀 젖어 있는 질구를 훔친 손가락을 들어 보인 지안니가 싸늘하게 웃었다. 잔뜩 긴장한 클로에 앞에서 보란 듯이 손가락을 핥으며 조곤조곤 말을 이었다.

"화가 풀리면 안 되는데 풀리는 것 같거든요."

미타이와의 정사에 이은 지안니의 고문. 클로에가 겨우 일어났을 때는 이미 해가 중천이었다. 체액으로 범벅이 되었던 몸은 누가 씻겼는지 깔끔하게 정리되어 있었고 얌전한 잠옷도 입혀져 있었다. 그리고 무엇보다도 다행이었던 점은 이번에는 지안나가 내려다보고 있지 않았다는 것이었다. 세 번 연속으로 그가 기다리고 있었다면 심장이 무사하지 못했으리라는 생각에 안도의 한숨을 내쉬었다.

"……?"

그런데 침대 아래로 내려서는데 뒤늦게 어딘가 낯설게 느껴져 의아함에 치맛자락을 들추어 속을 보았다. 그랬더니 웬걸, 잠옷 안에는 속옷 대신 이상한 물건이 떡하니 자리하고 있었다.

"이게 뭐야."

세 겹의 금줄이 허리를 빙 두르고 있었다. 한 줄, 한 줄은 얇았지만 꽈배기처럼 꼬여 있어 튼튼했다. 딱 봐도 탄성이 전혀 없어 보였는데 당겨보니 역시나 조금도 늘어나지 않았다. 허리의 금줄은 허벅지에 매인 또 하나의 금줄에 가터벨트처럼 생긴 끈들로 이어져 있었다. 마치 배와 다리에 군데군데 동그랗게 세공된 루비가 박힌 금색 사슬을 칭칭 감은 모양새였다. 아프지는 않지만 아무래도 천은 아니다 보니 잘그락잘그락 고스란히 감각이 느껴져 이상했다. 벗으려고 끌어 내려봐도 엉덩이 아래로 내려가질 않았다.

"이건 대체 무슨 괴상한 취미, ……쪽지?"

목을 길게 빼고 자신의 하체를 살피던 클로에의 눈에 침대 옆 협탁에 놓인 하얀 종이가 들어왔다. 협탁 위에는 우아한 글씨체로 쓴 쪽지가 놓여 있었다. 한국어는 아니지만 글은 자연스럽게 읽을 수 있었다. 쪽지를 집어 들고 지안니가 남기고 간 경고를 읽었다.

"「추신. 정조대는 혼자서 벗을 수 없으니 소용없는 수고는 하지 말 것?」이게 정조대란 말이야? ……이 변태가?"

욕을 하면서도 울상을 지은 클로에는 우울해져서 쪽지를 구겨 던져버렸다. 흔히 떠올리는 모양을 닮지 않고 이상하게 생긴 데다 안 어울리게 비싸 보이긴 하지만, 그래도 지안니가 정조대라고 했으면 맞을 터였다.

"왜 나한테 이러는 건데……. 이런 짓은 여주한테 해야 하는 거 아니냐고요."

지안니도 이상하고 미타이도 이상하다. 미타이야 클로에가 좋니 귀엽니 사랑스럽니 온갖 가짜 미사여구라도 날리면서 달려들었다지만 지안니는 그마저도 아니었다. 자신을 무서워하라는 등의 이상한 말만 했을 뿐이었다.

자신이 봤던 소설은 분명히 전 연령 관람가의 사랑소설이었을 텐데. 아니었나? 가슴을 콩닥콩닥 뛰게 하고 소녀 시절로 돌아가게 해주는 건전한 남자주인공 고르는 이야기 그 이상도 그 이하도 아니었을 텐데.

"내가! 왜 그때 나서선! 왜! 왜! 죽이 되든 밥이 되든! 내가 변태 늙은이에게 팔려가든 말…… 아, 이건 좀 아니지."

괜히 소설의 내용을 바꾸려 했나 보다 하며 머리를 감쌌던 클로에는 문제의 결혼이 생각나자 후회를 멈췄다. 가문을 살려주지도 않고 속인 것으로도 모자라 밤마다 소설 속의 클로에를 쥐 잡듯 패다가 죽게 만든 그런 변태 늙은이와의 결혼을 운명이랍시고 받아들이라고? 솔직히 말해서 그 미래는 조금, 많이, 아주 많이, 절대 아니다. 클로에는 지안니에게 잡히는 계기를 제공한 그날의 만용을 딱 절반만 후회하기로 했다.

"그런데……."

이제는 엑스트라의 위치로 돌아갈 수 없다는 직감이 들었다. 언제고 깨어나야 할 꿈이고 소설 속 세상이어야 할 텐데도. 머리 한구석에서는 현실이라고 끊임없이 주지시키려 하는 목소리가 들렸다.

"왜 거부를 하지 않지, 난?"

현실임을 자각하고 받아들였는데도 아직 꿈같은 기분이 남아 있는가. 두 남자가 강제로 덮쳤다고 봐야 하는데 이상하게도 싫다는 생각이 들지 않았다. 잠깐의 공포조차도 닥쳐오는 쾌락의 해일에 빠지면 허우적대며 까맣게 잊기 일쑤였다.

스톡홀름 증후군? 좁은 곳에 갇혀 있지 않다 뿐이지 도망도 못 가고 있는 신세라 탈출에의 의지는 여전히 파릇파릇했다. 그럼에도 정조대를 본 순간 올 것이 왔구나 납득하는 자신이 있었다.

"잠깐만, 올 것이 왔구나……?"

소설을 읽었으니 남자주인공들을 아주 모르지는 않는다. 적어도 여주인공이 파악한 만큼은 클로에도 알고 있다고 볼 수 있었다. 그러나 남자주인공들의 특이한 취미, 특히 지안니의 취향은 당연히 여주인공도 몰랐을 터였다. 그런데 정작 처음 겪었을 클로에 스스로가 오히려 당황하지 않고 자연스럽게 받아들이고 있었다.

물론 소설 속 남자주인공들에게 호감을 가졌으면 가졌지 싫을 리가 없다. 당연하다. 그들이 사랑하는 사람이 그녀가 아닐 뿐, 로맨스의 남자주인공들이다. 기본적으로 호감을 가지고 출발할 수밖에 없다. 게다가 여주인공에게 펼쳤던 애절한 애정 공세를 글로 본 마당에야.

물론 아무리 그렇다고 해도 분위기에 휩쓸려 순순히 관계를 받아들이고, 정조대를 보고서도 마치 예상이라도 했던 것처럼 한숨만 쉬고 받아들이고 마는 것과는 다른 문제였지만.

"뭐, 그보다 더 큰 문제는 왜 여주에게 이런 짓을 하지 않고 내게 하느냐는 거지……. 특히 지안니는 날 싫어하는 것 같긴 한데."

옷 너머로 달그락거리는 줄을 만지며 구슬프게 중얼거리기도 잠시, 클로에는 살며시 방문을 열어 얼굴만 살짝 내밀고 주위를 살폈다. 섣불리 도망을 갈 생각을 못 하도록 해둔 이 장치를 벗겨달라고 부탁할 사람으로 문득 미타이의 얼굴이 떠올랐기 때문이다. 지안니가 남긴 메모대로 얌전히 목 씻고 기다리는 꼴로 있을 생각은 결코 없었기에 살금살금 양탄자에 가능한 한 발소리를 묻으며 이동했다.

클로에는 주인이 머무르는 구역에는 꼭 필요한 일이 아니면 고용인들이 다니지 않아 조용한 복도로 들어섰다. 벽에는 초상화들이 나란히 걸려 있었다. 별생각 없이 지나치는 동안 무심결에 초상화 속 인물들에게 반복되어 나타나는 특징을 발견했다. 3형제의 공통점인 황금색 눈동자를 지닌 이들이 꽤 되었는데, 덕분에 누구의 초상화를 그려 걸어두었는지 쉽게 알 수 있었다. 오르시니라는 가문을 물려받은 역대 공작들의 초상화였다.

"그러고 보니 여주가 오고 싶어 했던 성이 이 성을 말하는 거였을까?"

여주인공은 공작저에 여러 번 초대를 받고 방문했었다. 그러나 여주인공이 방문했던 곳은 수도에서 멀리 떨어진 이 성이 아닌, 수도 안에 있는 주거용 저택이었다. 3형제 앞에서는 조신하게 굴었던 여주인공이 했던 부탁이 하나 있었는데, 바로 「오르시니 성을 구경하고 싶다는 것」이었다.

유서가 깊은 가문은 대대로 초상화를 그려 간직한다 했고, 대개 가문의 본관에 보관해두는 편이라고 한다. 초상화로 미루어 판단하건대 여주인공이 구경하고 싶다던 성이 바로 이곳인 듯했다. 누구든 셋 중 한 명과 결혼하면 자연스레 방문하게 될 텐데도 왜 그리 안달이 났었는지는 모르겠으나.

"정원이 혼자 보기 아까울 정도로 예쁘긴 하더라만. 위에서 내려다보면 더 근사하겠지?"

마차를 타고 숲을 가르고 지나, 흐르는 깊은 개울 위에 세워진 아치형 돌다리를 건너면 꽃밭이 넓게 펼쳐진다. 꽃밭 사이사이로 징검다리처럼 마련된 조약돌길을 밟고 오다 보면 대형 장미 분수를 가운데 끼고 둥글게 펼쳐진 잔디밭이 있다. 잔디밭을 따라 원을 그리며 오면 드디어 성의 안으로 들어올 수 있는 입구가 기다리고 있다. 위에서 보면 장관이긴 장관이리라.

성의 경치는 그렇다 치고 무사히 돌아갈 수나 있으면 좋으련만. 클로에의 입가에 씁쓸한 미소가 어렸다. 어떻게든 클로에를 고이 돌려보내도록 협상을 해야 했다. 소설 속으로 들어왔다는 말은 믿어줄 리 없을 테니, 무언가 다른 방법을 써야 할 터였다.

"지안니가 흥미로워할 미끼가 있던가……."

아무래도 굵직굵직한 사건이 아니면 대강 읽고 넘긴 적이 많아서 그런지 기억이 가물가물하기만 하고 떠오르지 않는 내용도 많았다. 지우개로 지워버린 것처럼 하얀 장면만이 남아 있었다.

어제 처음 만났는데도 미타이는 제법 다루기 쉬운 남자라는 점을 벌써 짚어낼 수 있었다. 덩치는 곰 같고 생긴 건 사자 같지만 어떤 의미로는 순진하다. 적어도 클로에가 본 일면은 그랬으니 풀어달라는 부탁을 잘만 한다면 순순히 들어줄 가능성이 있다. 다만 지안니는 다르다. 아무리 잘해도 부탁은 들어주지 않을 것 같아 보일뿐더러 수틀리면 살려두겠다고 먹은 마음을 바꾸고도 남을 남자다. 위험한 부탁을 하느니 차라리 떠오르는 내용을 위주로 그럴듯한 미끼를 던져 거래를 해보는 방법이 나을 수도 있었다.

도움이 될 만한 소설의 내용을 떠올리고자 애를 쓰는데, 꼬르륵 아침을 먹지 않은 배에서 천둥이 쳤다. 비록 마음껏 식사를 하라고 적혀 있긴 했지만 식당을 찾아가느니 그 시간에 도망갈 궁리를 하고 싶었다. 그런 마음은 몰라주고 크게 울리는 소리에 서글퍼졌다.

클로에는 복도 구석에 기대고 앉아 차가운 벽에 이마를 댔다. 낮과 밤의 일교차가 큰 바깥은 해가 높이 떠오를수록 점차 따듯해지겠지만 성 내부는 낮에도 일정 온도를 유지했다. 바깥은 이미 해가 한창 높이 떠 있을 시간이었음에도 벽은 제법 서늘했다. 이마를 대고 있으니 조금씩 머리가 식는 기분이 들었다.

"사실은 내 직업이 예언자였다고 뻥칠까."

자잘한 사건은 당연히 못 맞히지만 큰 사건 정도는 맞힐 수 있겠지. 먼 미래도 맞힐 수 없지만 자신이 읽은 부분까지는 맞힐 수 있다. 그만하면 점쟁이라는 사기를 칠 수 있지 않을까.

요는 대담한 담력과 철면피와 능수능란한 임기응변인 법.

"마법도 못 쓰는 게 점쟁이는 무슨. 에라이."

사실 사기를 치는 것보다 더 가능성 높은 방법은 어떻게든 마법을 쓰는 방법을 알아내서 마법으로 도망가는 게 아닐까. 지안니를 보면 사람을 들었다 놨다 하기도 하고 영화처럼 휙휙 이동하기도 하던데. 과거의 클로에도 마법사였으니 쓰는 방법 만 몸이 기억해준다면 차라리 그게 더 현실적인 수단이다.

"문제는 당장 어디서 배워 오느냐는 거지만."

마법사였다는 사실은 최후의 수단이니 들키지 않는 것이 좋을 것 같았고, 그렇다면 마법을 쓰는 방법을 대놓고 알려달라고 할 수는 없는 노릇이다. 책이라도 구해서 공부해볼까도 싶지만 두 남자가 의심을 하지 않고 넘어갈 리는 만무했다. 클로에는 벽에 이마를 콩 콩 찧었다.

그때 꼬르륵 배가 더 큰 소리를 냈고 클로에는 자꾸 머리 회전을 방해하는 위장을 원망스럽게 노려보았다.

"야. 일단 내가 살아야 너도 밥을 받아 먹든지 말든지 하지."

이제는 제 몸의 장기를 의인화시켜 말을 걸고 있다. 일단 뭐라도 먹어야 뭐라도 떠올릴 수 있겠다며 클로에는 배를 콩 콩 때리며 힘없이 일어섰다.

"그래, 뭐라도 먹자. 먹어야 도망갈 기운이 나겠지. 호랑이 기운이 솟아나서 이 끈도 뜯어내고."

하는 수 없이 현실에 굴복한 클로에는 어제 점심을 먹었던 주방의 위치를 가물가물 머릿속으로 그려냈다. 1층에 고용인 전용 식당이 마련되어 있고 보통은 식사 시간이 정해져 있지만, 하는 일에 따라 식사 시간을 못 맞추는 이들을 위해 간단하게 조리를 해 먹을 수 있도록 간이 주방이 딸린 식당이 있다는 안내를 받았었다. 아침 식사 시간을 놓친 그녀도 내려가면 뭐든 먹을 것을 찾을 수 있으리라.

1층에서 2층으로 이어지는 중앙 대계단은 청소를 할 때 빼고는 고용인이 이용할 수 없는 데다 이목이 많이 집중되는 장소였다. 괜한 시선을 끌고 싶지 않은 클로에는 두리번거리며 고용인 전용 계단을 찾았다.

"무슨 성이 이렇게까지 무자비하게 복잡하게 되어 있어."

파르세가 비록 몰락귀족이 되긴 했어도 클로에와 그녀의 가족은 그래도 3층짜리 저택에서 지내고 있었다. 월급을 줄 여유가 없어 대부분을 해고한 덕에 먼지가 쌓인 방이 대부분이었지만, 일자형 구조라 단순해서 처음 돌아다닐 때도 헤맬 일은 없었다. 하지만 오르시니의 성은 확실히 차이가 컸다.

앞으로는 강과 울창한 숲, 뒤로는 가파른 절벽. 중앙 탑, 동쪽 탑, 서쪽 탑. 탑만 해도 세 개나 있는 거대한 성은 일종의 요새였다. 1층에서 위층으로 올라가기 위한 계단만 해도 한두 개가 아니다. 1층에서 곧바로 3층으로 이어지기도 하고, 2층에서 3층으로 가는 계단은 있는데 그 아래층으로 내려가는 계단은 없는 구역도 있다. 창문이 있는 복도는 괜찮지만, 빛 한 점 들어오지 않아 복도의 등불에 의지해야 하는 복도를 걷다 보면 지금 어디에 있는지 방향 감각을 잃게 된다.

클로에에게 안내할 때, 복잡하게 꼬여 있는 성 내부에서 길을 잃는 고용인이 매번 나오곤 한다며 초반엔 알려준 길 외에는 다니지 말라고 신신당부를 하기도 했다. 과연 여주인공은 성 내부가 이렇게 음험하다는 사실도 알까. 알고도 보고 싶어 했을까? 클로에는 고개를 절레절레 흔들며 1층으로 내려가는 계단으로 향했다.

"어디 보자, 표식이."

계단이 시작되거나 끝나는 곳, 방의 문, 복도 벽 등 눈에 잘 띄지는 않지만 표식이 있으니 확인해보고 다니라는 조언을 받았다. 물론 성의 주인과 마주쳐도 되는 고용인은 신경 쓰지 않고 다녀도 된다고도 하긴 했지만.

"마름모 안에 원이 있다고 했던가, 원 안에 마름모가 있다고 했던가?"

문제는 주의하라고 한 표식의 생김새가 정확히 기억이 나지 않는다는 점이었다. 워낙 한 번에 대량의 정보를 주입하느라 정신이 없었기 때문이기도 했지만, 설명을 해주는 사람도 그런 것까지 배려해 속도를 늦추어주지는 않았다. 표식이 있고 없고의 차이라면 괜찮았겠지만 새겨진 문양의 종류가 여러 가지라고 했었으니까.

클로에는 표식이 새겨진 바닥을 보면서 잠시 고민을 하다 결심을 했다. 내려가는 계단이니 설령 틀렸다 한들 누가 보기 전에 1층에 가기만 하면 되지 않을까. 불행인지 다행인지 2층에는 돌아다니는 사람이 없었다.

심호흡을 하고 난간을 잡고 후다닥 뛰어 내려갔다. 빙글빙글 달팽이처럼 생긴 계단을 내려가다가 허벅지가 금줄에 쓸려 잠시 멈추어 섰을 때였다.

"시력에 문제가 생겼나."

분명히 아래로 향하던 계단이었다. 아무리 빙빙 도는 형태라곤 하나 1층과 2층의 거리가 그리 멀 이유도 없다. 그런데 1층이 나타나지도 않고 경사가 완만해지던 계단은 클로에가 서 있는 위치를 기점으로 위쪽으로 올라가는 계단으로 바뀌었다. 손등으로 눈을 가렸다가 떼고 다시 봤지만 계단의 경사는 그대로 위로 향하고 있었다.

"이래서야 길 잘못 들면 도망도 못 가겠는데."

1층으로 가겠다는 건 소원 축에도 속하지 않을 사소한 바람이다. 아주 당연하고 일상적인 행동을 하겠다고 했을 뿐이다. 클로에는 두 남자가 없을 때 1층으로 가 우선 배를 채우고, 그 후에 정조대를 풀 방법을 강구할 계획이었다. 굳이 소원이 무엇이었냐 고르라면 정조대를 푸는 쪽이 소원이었다고 즉답할 수 있을 정도로 아래로 내려가 밥을 먹겠다는 계획은 중요하지 않았다. 그런데도 이 성은 그렇게 간단한 것 하나 쉽게 허락하질 않는다.

"도망가려고, 야옹아?"

발을 동동 구르며 안타까움을 담아 혼잣말을 중얼거렸지만.

"……."

누군가 대답해주길 바라진 않았었다. 이상하기 그지없는 성의 구조에 대한 개탄이 담긴 비난에 가까웠었다. 비록 도망갈 생각이었지만 지금 당장은 식당을 찾아가던 중이었는데.

"길 잃었어?"

클로에의 머리 위에서 남자 목소리가 들렸다. 소리를 내지 않고 다가온 누군가가 뒤에 서 있었다. 그러나 클로에는 차마 뒤를 돌아볼 수가 없었다. 분명 어제 들었던 질문과 똑같은 질문이었는데, 오늘은 섬뜩하게 들렸다.

"미타이……."

"안녕, 야옹아."

긴장으로 굳어서 목석같이 서 있는 클로에에게 남자가 알아서 정체를 확인시켜주었다. 그러고는 계단을 내려와 뒤에서 클로에를 가볍게 안아 올렸다. 팔만 보고서도 누군지 즉각 알았다. 읊조리듯이 부른 이름에 미타이가 반갑게 인사하며 화답했다.

"안 그래도 찾고 있었는데. 작은형 없을 때가 기회다 싶어서 방문을 따고 들어갔더니 야옹이가 없지 뭐야."

"따, 따요?"

"응. 몰랐어? 아무나 못 들어가게 마법을 걸어놓고 갔던데."

"그런데도 들어올 수 있어요?"

"마법이야 힘으로 깨면 되고, 난 야옹이가 보고 싶었거든."

"허."

이 남자는 대체 어떻게 생겨먹은 남자지. 무형의 마법을 힘으로 깨다니 그런 게 가능해? 의외로 미타이 앞에서는 긴장이 풀리곤 하는 클로에였다. 미타이 역시 그녀가 황당해하거나 말거나 대수롭지 않아 했다.

"여기서 뭐 하고 있었어?"

"……길을 잃었어요."

"어제처럼?"

"오, 오늘은 배가 고파서요."

"아침 안 먹었어?"

클로에는 힘차게 끄덕였다. 어제의 변명은 변명이었지만 오늘은 변명이 아닌 진실이다. 미타이가 믿어주지 않을까 봐 눈을 응시하면서 열심히 끄덕였다.

"그래? 그럼 아침 먹으러 가야지."

미타이가 싱긋 웃었지만 클로에는 미타이처럼 웃어줄 수 없었다. 둘러메지도 않았고 업지도 않았다. 허벅지를 감고 엉덩이를 받치고 들어 올린 자세다. 미타이의 덥수룩한 머리가 클로에의 가슴께에 닿았다.

"내려주세요. 제가 걸을게요. 무겁잖아요."

"이렇게 작은데? 하나도 안 무거워."

아무리 체격 차이가 난들 클로에가 여주인공처럼 작지도 않은데 오래 들 수 있을 리가 없다. 물론 겉보기에도 확실히 안색이 변하지도 않았고 팔은 떨리지도 않고 굳건했지만. 클로에는 한숨을 쉬면서 조금이라도 무게를 덜려고 미타이의 어깨를 잡았다.

"그런데 어디로 가는 거예요?"

"아침 먹으러? 아직도 안 먹었다며."

1층으로 가지 않고 왜 2층으로 돌아가느냐는 우회적인 질문이었는데 미타이가 곧이곧대로 대답했다. 무엇을 하러 가기로 했는지를 벌써 잊었을 리가 없지 않나. 차분히 의문을 가진 이유를 늘어놓으려고 했는데 미타이가 먼저 선수를 쳤다.

"우리 야옹이는 가끔 보면 당돌하다고 해야 하나 바보 같다고 해야 하나. 그런 모습도 귀엽긴 한데."

"네?"

이상하게 2층으로 온다 싶더니 클로에가 목적지로 삼았던 직원용 식당이 아니었다. 미타이가 클로에를 안은 채로 들어선 장소엔 긴 테이블이 있었다. 마주 보고 앉을 수 있는 의자의 수는 열두 개, 양쪽에는 두 개의 상석. 미타이는 두 상석 중 하나에 클로에를 앉힌 후 종을 울렸다. 얼마 지나지 않아 발소리를 내지 않고 들어온 상급 메이드에게 아침을 내오라 이른 미타이는 테이블 모서리에 걸터앉았다.

"나가고 싶어?"

"음."

하마터면 솔직하게 대답할 뻔했다. 가까이 보이는 굵은 허벅지에 자꾸만 시선을 빼앗긴 탓이었다. 긍정의 답이 간신히 침과 함께 삼켜졌다.

"난 많이 슬플 것 같은데. 꼭 나가야겠어?"

그러나 미타이는 이미 클로에의 속을 꿰뚫어보고 있었다. 나가고 싶다는 말을 들은 것처럼 어깨가 약간 처진 품이 정말로 서운해하는 것처럼 보였다.

"가능하면……."

여주인공을 좋아하고 있는 미타이가 클로에에게 이런 태도를 보일 이유는 없었다. 그럼에도 혹시나 하는 기대를 하게 만드는 반응이었다. 여주인공에게만 전적으로 애정 공세가 쏟아지고 있겠지만 미타이는 의외로 클로에에게 약간의 여지를 주는 것처럼 보였다. 클로에는 조심스럽게 입을 열었다.

"가능하면?"

축 처진 어깨와 반대로 눈은 더 이상 웃고 있지 않았다. 클로에 역시 착 착 차려지고 있는 아침을 흘깃 보고는 입을 다물었다.

가벼운 식사였다. 수프, 스크램블 에그, 시나몬 향이 나는 프렌치토스트, 소시지와 생오렌지 주스. 실제로도 종종 먹었던 브런치 메뉴가 그대로 나왔다. 가볍게 준비해 오라더니, 이 정도가 가벼운가 보다. 냄새를 맡고 나니 더 배가 고파왔다. 클로에는 슬금슬금 포크를 집었다. 배부터 채우고 다시 도전해야겠다는 심정이었다.

"많이 먹어, 야옹아."

수프보다도 스크램블 에그를 먼저 떠서 냠, 무는 클로에의 뒷머리를 큼지막한 손이 쓰다듬었다. 움직임이 신경 쓰이긴 했지만 굶주림이 더 급했다. 배가 고팠는지 음식이 사라지는 속도가 꽤 빨랐다. 심지어 맛까지 있었다.

미타이는 한참을 말없이 클로에의 머리를 쓰다듬으며 식사를 마무리 짓기를 기다렸다.

"참, 어제 형한테 많이 혼났어?"

"코, 콜록!"

거의 다 먹었다고 생각한 직후였다. 기습 공격과도 같은 질문에 사레가 들렸다. 미타이가 어디까지 아는 걸까……. 지안니가 어떻게 혼냈는지도 다 아는 걸까. 화끈해진 뺨의 열기를 식힐 요량으로 주스 잔에 손을 뻗는데 나쁜 손이 잔을 낚아챘다.

"야옹아. 그런데도 형이 좋아?"

"······아니라니까요."

"그러면 나가고 싶은 이유가 형 때문이야?"

과연 동생이라는 남자 앞에서 네 형 때문이라고 대답할 용기가 있는 사람은 얼마나 될까. 거대한 체구만큼이나 굵은 다리를 보니 차마 입이 떨어지지 않았다. 어제만 봤을 땐 우애가 좋아 보이진 않았지만 일단 소설에서는 좋다고 묘사되어 있었기 때문에 조금은 조심스러웠다.

"뭐야. 나 때문이었어?"

"아뇨, 그건 아니······."

눈에 띄게 실망한 기색이 역력한 미타이를 보고 있자니 반사적으로 위로가 튀어나왔다. 그러나 엄밀히 따지자면 어느 한 사람 때문만이 아니라 오르시니 자체로부터 멀어져야 했다. 소설 속 내용을 따라가고 여주인공과 얽히는 것 자체가 불행한 결과를 부르기 때문이었다. 클로에의 말꼬리가 흐려졌다.

"야옹아. 그러면 내가 제안을 하나 할까?"

"제안요?"

다행히 미타이는 클로에가 말꼬리를 흐린 것을 듣지 못한 듯했다. 적어도 저 때문은 아니라고 생각하는지 표정이 잠깐 사이에 밝아졌다.

"나랑 매일 하루에 한 번 같이 식사 하자. 그러면 야옹이 부탁 들어줄게."

"지금처럼요? 아침에요?"

"아침이든, 점심이든, 저녁이든."

"부탁은…… 뭐든지요?"

"응."

클로에가 할 법한 부탁이라고 해봐야 뻔한데도 미타이는 무슨 자신에서인지 뭐든 들어주겠다며 크게 끄덕였다. 심지어 미타이의 제안은 간단하기까지 했다. 식사를 하루에 한 번 같이 하기만 하면 된다는 것. 무슨 꿍꿍이가 숨겨져 있는지 불안하기도 했지만, 한편으로는 그래봐야 내보내달라는 부탁을 무시하는 정도가 아닐까 싶기도 했다. 클로에는 밑져야 본전이라는 생각에 미타이의 제안을 받아들이겠다 수락했다.

"오늘은 이미 먹었으니까, 내일부터 시작하면 될까요?"

"오늘? 아직 안 먹었는데."

"아, 그럼 점심때……? 아니지, 시간상으로는 지금이 점심에 가까우니까……."

"아니. 오늘 건 지금 먹으면 되지."

"네? 아침 이미 드셨다고……."

"야옹이가, 내가 주는 식사를 지금부터 먹으면 된다고. 알아들어?"

못 알아들었지만 위험신호는 감지했다. 좌우로 도리질을 치며 슬그머니 엉덩이를 떼고 여차할 경우 달아날 준비를 하고 있는데 미타이가 클로에로부터 **뺏은** 오렌지주스를 대신 마셔 버리고 씨익 웃었다.

"목마르지?"

주스를 마시다 말고 **빼앗겼으니** 목이야 마르긴 했다. 알면서도 묻는 짓궂은 미타이의 작태에 클로에는 항의를 담고 올려다보았다. 미타이는 클로에의 머리카락을 귀 뒤로 넘겨준 다음 그녀를 일으켜 세웠다.

"마실 걸 줄게."

클로에가 앉았던 자리에 털썩 앉은 미타이는 클로에의 어깨를 눌러 바닥에 앉혔다. 바지춤으로 손을 가져간 미타이의 손짓 몇 번에 금방 페니스가 튀어나왔다. 클로에가 반사적으로 놀라 물러나려고 했지만 금세 잡혀버렸다.

"아, 아, 아침부터요?"

이런 무시무시한 물건을 밝은 대낮부터 봐야 하다니. 절로 울상을 지은 클로에의 어깨에 묵직한 다리를 얹어 제 쪽으로 훅 당긴 미타이가 하하, 웃었다. 통나무 두 개가 양쪽 어깨에 얹혀 도망갈 수 없게 되었는데 몸이 앞쪽으로 당겨지니 거대한 덩어리가 더 가까이 붙어버렸다.

"목 안 말라요. 안 마셔도 될 것 같……."

"거짓말쟁이 야옹이는 목이 안 마르다는 말도 거짓말이지?"

"진짠데……."

"옛날부터 고양이가 내가 준 우유 마시는 모습 보는 게 꿈이었어. 내 손보다 작은 고양이 머리를 쓰다듬어보고도 싶었고."

"……"

"약속했잖아. 내가 도와주겠다고. 그러려면 나도 보답은 받아야지. 그러니까, 빨아줘. 응?"

등은 미타이의 다리가 옭아매고 있어 꼼짝할 수도 없었다. 머리카락을 쓸어 넘기는 투박한 손도 떨어질 생각을 안 했다. 클로에는 짐승의 애원이 담긴 협박에 속으로 눈물을 삼키며 입을 벌렸다. 미타이의 얼굴에 화색이 돌았다.

클로에의 팔뚝만 한 그것은 가까이서 보니 더 굵었다. 무엇을 어떻게 해서 우유를 마시라는 건지. 잠시 고민하던 클로에는 일단 미타이가 원하는 대로 빨아보기로 했다. 맑은 액이 새어 나오는 버섯 머리 부분을 입에 머금고 혀를 댔다. 사탕을 먹는다 생각하고 혀로 귀두를 핥다 쪼옥 빨았다. 꿈틀꿈틀 박동하는 살덩어리가 신이 나 일어나면서 입 속의 천장을 쿡쿡 찌르기 시작했다.

"……!"

"떼지 마, 야옹아."

부피가 커진 느낌에 벌떡 머리를 세우려 했지만 미타이가 살포시 클로에의 머리를 누르고 속삭였다. 반의반도 안 넣었는데 입이 가득 찼다. 입을 다물지 못해 침이 새어 나오려고 하는데 미타이 때문에 고개를 들 수가 없었다.

"아직 아무것도 못 마셨잖아. 마시면 뺄게."

한 자, 한 자 속삭일수록 입 안을 가득 메운 것의 부피가 커졌다. 핥고 빨기는커녕 혓바닥이 꾹 눌리고 턱이 아려왔다. 클로에는 매달리듯 미타이의 허벅지를 잡았다.

없어도 너무 없는 눈치로 미타이가 의미하는 우유가 무엇인지 알았지만 때는 늦었다. 클로에는 눈을 감고 눌려 있는 혀를 억지로 움직였다. 귀두 가까이 있는 음경을 겨우 혀끝으로 찌르듯 건드리면서 흐르는 침을 삼키며 볼이 홀쭉해지도록 빨았다. 페니스 끝이 볼 안쪽을 파고들다 혓바닥을 살짝 누르고 다시 입천장을 쿡 쿡 찔렀다.

"으, 읍, 읍!"

입이 터지고 턱이 빠질 것 같은 와중에 미타이가 클로에의 머리를 잡고 천천히 움직이자 숨이 막혔다. 호흡을 내쉬는 타이밍을 놓쳐버려 코로도 숨을 쉬지 못한 클로에의 얼굴이 빨개졌다. 잡고 있는 다리에 손톱을 박고 버티는데 생리적인 눈물이 흘러내렸다.

"커헉, 콜록, 콜록!"

힘들어하는 클로에를 바로 알아챈 미타이가 끄응, 아쉬운 한숨을 내쉬며 머리를 놓아주었다.

"미안. 야옹이가 내 걸 물고 애처롭게 매달린 걸 보니까 바로 싸고 싶지가 않았어."

"……."

다리를 풀어 기침을 하는 클로에를 무릎에 앉히고 등을 토닥여주었다. 병 주고 약 주는 태도인 데다 말까지 뻔뻔하게 하는 미타이라는 짐승 때문에 울컥했지만 화를 낼 기운도 없었다. 무엇보다도 치마 너머로도 꼿꼿하게 선 무식한 성기가 느껴지는 탓에 클로에를 놀린 것에 대해 화를 내기보다도 당장 일어날 일을 걱정해야 할 듯싶었다.

"아직 입으로는 마시기 힘들어 보이니까 아래로 마실래?"

아니나 다를까, 역시나 순진무구한 얼굴로 태연하게 그런 소릴 지껄이는 짐승이다. 세차게 고개를 좌우로 흔들어대도 꼿꼿하게 클로에의 치마를 들춘 미타이는 그녀의 다리에 감긴 것을 보고서야 움직임을 멈췄다.

"정조대?"

"……."

"지안니 형이?"

육성 대신 고개를 끄덕였다. 미타이도 누구 작품인지 바로 알아차렸다. 턱을 긁으며 흐으으으음, 갸우뚱갸우뚱 고민을 하던 그는 클로에의 허리에 손을 가져다 댔다.

"마법이 걸려 있겠지만, 까짓거 내가 막으면 되니까. 이건 야옹이 너도 불편하지? 내가 풀어줄게."

어찌해야 하나 고민을 하던 미타이가 아무것도 아니라는 듯 결정을 내렸다. 처음으로 마음에 쏙 드는 선언이었다. 화색이 도는 클로에의 표정을 보고 미타이도 덩달아 싱글벙글 웃었다.

"혼이 덜 났구나. 주인이 자리를 비웠다고 그새를 못 참고."

잘했다는 칭찬을 바라는 눈빛으로 양손에 힘을 줄 준비를 한 참이었다. 그때, 사신과도 같은 지안니의 음성이 미타이의 손을 정지시켰다.

"형은 왜 벌써 왔대?"

"너야말로 어쩐 일로 무거운 엉덩이를 다 붙이고 있고?"

저승사자가 나타나면 이런 기분이 아닐까 생각을 한 사람은 클로에뿐. 다행인지 불행인지 미타이는 겁을 먹고 손을 물릴 남자는 아니었다. 평범하게 퇴근을 아주 조금 일찍 한 가족을 맞이하는 동생의 모습으로 보였다.

내심 인사를 하면서도 하려던 일은 계속 해주길 바랐건만 미타이는 치마를 내려주고, 심지어 정돈해주고 클로에의 머리를 쓰다듬었다. 끝까지 고양이 취급이다. 애완동물 취급이고 뭐고 당장 급한 정조대나 거칠고 용맹하게 잡아 뜯어달라고, 목까지 올라온 외침을 꿀꺽 삼켰다. 머리를 쓰다듬는 이 솥뚜껑만 한 손 외에 아무래도 다른 손이 다가오는 것 같은 예감이 든 탓이었다.

"누구 없을 때를 틈타서 꼬드기려 했지. 나한테 오라고."

당당하게 할 말도 아니지만 무엇보다도 미타이가 클로에를 꼬드기는 모습은 본 기억이 없었다. 그가 살살 애원하면서 협박을 했다고 해야 사실에 가까울까.

"그래서 동물 취급이나 하는데, 넘어올 것 같고?"

"난 애완동물 취급이라도 했지, 형은 당장 목을 끊어놓을 산짐승 취급 했을 거 아니야. 내가 유리해."

인정해야 할 부분도 틀렸고 으쓱거릴 수 있는 원인도 잘못 짚는 사자의 뻔뻔함에 뒷골이 띵해 클로에는 한숨을 몰래 내쉬며 일어서려고 했다. 고래 싸움에 낀 새우의 심정이 이럴 텐데, 육체만이라도 먼저 빼내야 정신 건강에 도움이 되지 않을까 싶어서였다.

"그 손 놓지 그러니."

"형이야말로."

"그 버르장머리는 어릴 때 뿌리를 뽑았다고 생각했는데 착각이었군."

"에이, 이건 경우가 다르지."

그런데 빠져나오고 싶었는데 나올 수가 없었다. 벗어나려고 슬쩍 엉덩이를 떼자마자 오른 손목이 잡혔다. 미타이가 클로에의 손목을 잡고 제 쪽으로 당기려는 순간 나머지 왼 손목도 덥석 잡혔다. 보나마나 잡은 사람은 지안이다.

클로에는 완전히 일어서지도 편하게 앉지도 못하고 엉거주
춤 서서 오른쪽으로 혹은 왼쪽으로 기우뚱거렸다. 이유인즉슨
서로 반대편으로 손목을 잡고 힘을 주는 두 남자 때문이다. 서
로 네가 먼저 놓으라고 눈싸움을 하며 이죽대는 두 사람은 클
로에를 보고 있지 않았지만 가운데 낀 꼴이 되니 진땀이 나는
것은 매한가지였다.

"넌 오늘 그 여자와 만날 약속이 있지 않았던가?"

"형이야말로 바쁘지 않아?"

지안니가 미타이를 내려다보고 서서 싸늘하게 비웃으며 클
로에를 제 쪽으로 일으켜 세우려고 하면, 미타이는 밝은 미소
를 지우지 않고 지안니를 올려다보고 앉아서 클로에를 다시금
앉혔다. 덕분에 클로에는 몇 번 엉덩이를 떼었다 붙였다 해야
했다.

"오늘은 여기서 이렇게 여유 부릴 시간 따위 없을 텐데?"

"약속 시간에는 늦지만 않으면 되잖아?"

꼼지락꼼지락, 잡혀 있는 손목을 서로 가까이 붙여 손가락으
로 반대편 손목에 단단히 붙어 있는 무거운 것들을 하나씩 떼
었다. 앉지도 못하고 일어서지도 못하게 된 원인인 두 남자들
부터 우선. 클로에를 잡고는 있지만 신경전을 벌이느라 상대방
에게만 정신이 팔려 있는 지금이 기회라면 기회였다. 신경이
다른 데 쏠려 있으니 잘만 하면 본드를 붙여놓은 것만 같은 이

손들을 떼어낼 수 있지 않…….

"그래서 약속을 미뤄가면서까지 나한테 덤비겠다?"

팁, 왼쪽 어깨에 묵직한 무게가 실렸다. 아래를 내려다보던 차가운 금안이 클로에에게 옮겨왔다. 클로에의 어깨를 짚고 꼼지락대는 왼쪽 손목을 끌어당겼다.

"미룬 적 없고 덤비는 것도 아니야. 그저……."

허리춤에도 만만치 않은 무게가 얹혔다. 지안니를 올려다보던 시선이 클로에의 얼굴로 향했다. 말은 여전히 지안니에게 건네고 있었지만 눈은 클로에에게 또렷이 고정한 후 허리를 감싼 팔에 힘을 더 실었다. 클로에가 털썩 주저앉았다.

"좋아. 형. 협상하자."

"협상?"

"우리가 멋대로 싸우는 바람에 계획이 어긋나는 것보단 낫지 않을까."

처음으로 지안니가 입을 다물었다. 클로에에게 옮겨와 못 박힌 두 쌍의 눈은 아직도 그대로여서 클로에는 말없이 귀만 쫑긋 세우고 고개를 푹 숙였다. 심지어 이젠 미약한 시도조차도 하지 못할 정도였다. 힘을 주어 꽉 잡고 있는 두 인간 때문에 곤란하기 그지없었지만 원흉들은 둘 중 아무도 배려를 해주지 않았다.

"협상은?"

"음."

이윽고 미타이의 제안을 지안니가 받아들였다. 미타이는 하필이면 클로에의 머리를 쓰다듬으며 생각에 잠겼다. 클로에는 뒷머리에 손이 턱 턱 얹힐 때마다 한숨을 푹 푹 쉬었다.

"이건 어때. 클로에더러 고르라 하는 거."

마치 이름이 야옹이인 것처럼 「야옹아」라고만 부르던 미타이는 지안니가 나타난 이후부턴 꼬박꼬박 이름을 제대로 불러주고 있었다. 적어도 듣는 귀를 가려서 야옹이라고 하지 않는 것만도 다행이었는데, 지안니에게 제안을 할 때도 역시나 친한 척 이름을 부르며 선택권을 클로에에게 주는 배려를 베풀었다. 지안니의 눈썹이 삐뚜름하니 치켜 올라갔다.

"아가씨가 고를 수 있는 건 둘 중 하나뿐인데. 내게 오거나, 아끼는 사람을 살리기 위해 내게 오거나."

"알고는 있었지만 참 사디스트란 말이야, 우리 형은."

"강아지인 척 사기 치는 짐승 새끼보단 낫다."

미타이와 지안니는 역시 형제가 맞았다. 알고는 있었지만, 아니 몇 번 절감하기도 했지만 지금 이 순간 새삼스럽게 다시 깨달아버렸다. 게다가 뻔뻔하리만치 당당한 두 남자의 태도가 결코 반갑지 않았다. 클로에를 쳐다보면서도 클로에를 빼고 대화하는 남자 사이에서 눈을 감았다.

"그래서. 아가씨더러 고르라 하자?"

"응. 클로에?"

차라리 아까처럼 저들끼리만 보면서 대화했으면. 욱신거리는 손목과 허리가 답답한 심정을 한층 배가하고 있어 조금씩 몸을 동그랗게 말고 있을 때였다. 그녀의 이름을 부르는 소리가 들렸다.

"우리 중 누가 널 잘 돌볼 것 같아?"

제안의 탈을 쓴 새로운 함정인가? 주어진 선택권은 미타이와 있을지, 지안니와 있을지를 고를 수 있는 권리였다. 돌본다고 하기엔 상당히 어폐가 있지만 지적한다고 하여 정정할 리는 없는 남자들이고, 무엇보다도 선택을 할 수 있게 배려를 해주는 꿍꿍이속이 수상쩍었다.

"음, 제 몸은 그럼 제가……."

"아가씨, 그렇게 나오면 곤란하죠."

"야옹아, 아기 고양이에게는 집사가 필요한 법이야."

"……."

숙였던 고개를 들고 조심스럽게 선택을 해보는데 말은 채 끝나기도 전에 잘렸다. 이성적으로 대화하나 싶었더니 바로 본성이 튀어나왔다. 지안니는 스산하게 웃으며 듣기만 해도 소름이 돋는 어조로 아가씨라 칭했다. 미타이 역시 정색을 하고 다시 야옹이라는 호칭으로 돌아왔다. 한술 더 떠 집사 노릇을 한 적도 없으면서 집사 타령이었다. 클로에의 여린 갈색 눈에 황망함이 어렸다.

"당장 고르기가 어렵다면 시간을 줄까?"

고르기 어려워서가 아니라 고르고 싶지 않아서 머뭇머뭇 답을 미루고 있었는데 미타이가 걱정을 하는 척 쓸데없는 배려를 재차 해왔다. 고양이 쥐 생각하는 꼴이다. 다소 편하게 대하게 된 미타이에게 침묵으로 항의해보았지만 소용이 없었다.

"하긴, 어려울 만하지. 우리 야옹이한테는 말이야."

무언의 항의가 의미하는 바를 분명히 알고도 미타이는 못 본 척 이를 드러냈다.

∞

나름 클로에는 어느 한 사람을 고를 수 없다는 핑계를 대며 상황을 모면해보려고 했었다. 난처해하는 기색을 보이자 지안니와 미타이는 그럴 줄 알았다며 싸늘하게 웃었다. 미타이는 적어도 클로에의 머리를 쓰다듬었지만 클로에는 쓴웃음에 배어 있는 미세한 짜증을 순간적으로 느꼈다.

결국 한 사람을 결정하는 순간은 저녁 뒤로 미뤄졌다. 오후에는 두 사람 다 외출을 해야 했기 때문이다. 다만, 사자 한 마리가 클로에가 도망을 가려 했다는 증언을 하는 바람에 성 밖으로 끌려 나가게 되었다.

"잘 어울리는데?"

"어울리긴, 퍽이나."

바꿔 생각하면 일종의 기회였다. 외진 곳에 있다는 성 안에 갇혀 있을 때보다 밖으로 나갔을 때 오히려 벗어날 틈은 많아질 터였다. 클로에는 순순히 그들을 따라 나가겠다며 제안을 수락했다.

어울린다며 휘파람을 분 이는 사자고 피식 비웃으며 부정한 이는 마법사다. 거울에 비친 그녀 자신의 모습을 살폈다. 혼자 입을 수 있도록 앞으로 끈을 조이는 코르셋이 아닌, 타인의 도움을 받고 입는 타입의 이 코르셋은 풍만한 가슴을 가능한 한 누르는 것이 목적이었다. 그래서 허리는 비교적 편했고 평소와 달리 가슴 쪽은 훨씬 더 답답했다.

코르셋 위에는 하얀 셔츠 형태의 리넨 슈미즈를 입었는데, 풍성한 옷깃을 세워 목을 덮어 가리고 나비넥타이를 맨 다음 자색의 조끼를 걸치니 상체는 생각보다 그럴듯하게 여성적인 선이 가려졌다.

"남자 옷을 입혀놓으니까 더 야하잖아."

"이래서야 예방을 하는 의미가 없네요."

목적지가 어디인지는 말해주지 않고, 지안니는 클로에를 훑어보더니 문득 남장을 하는 편이 좋겠다고 권했다. 미타이가 이유를 묻자 「벌레 퇴치.」라는 답만이 돌아왔더랬다. 조끼와 바지, 코트까지 갖춘 슈트가 어울리긴 했지만 남자로 보이지는 않았다. 뒤에서 연달아 터지는 한숨 소리가 들렸다.

"그럼 난 먼저 일어날게."

거울에 비친 미타이는 한참 클로에를 응시했다. 머리끝부터 발끝까지 꼼꼼하게 담더니 영차 일어섰다. 거울을 통해 눈이 마주치자 기습적으로 클로에의 손등에 키스를 했다.

"이동 마법을 쓸게요."

윙크를 날리며 미타이가 퇴장하자 지안니가 다가왔다. 모노클에 달린 은색 줄이 늘어졌고 모아 묶은 머리가 한쪽 어깨를 덮었다. 짙은 색 조끼 아래 유려한 감색 셔츠의 소매 사이로 검은 가죽 장갑이 보였다. 그가 애용하는 마차와 마찬가지로 검은색, 짙은 색으로 도배된 차림에서 유일하게 눈에 띄는 부위라곤 눈뿐이었다. 코트 대신 은색 자수가 수놓인 마법사 로브를 입으니 정말 사신과도 같은 분위기가 나서 지안니가 손을 내밀었을 때도 선뜻 마주 손을 얹어놓질 못했다.

방 밖으로 나가지도 않는다. 마차를 타고 다니는 건 정말로 취미생활을 영위하기 위해서인지도 모른다. 소설 안 세계의 상식에 대해 잘은 몰라도 이동 마법이 쉬우리라는 생각은 들지 않았다. 그럼에도 마치 걸어 나가는 것과 비슷한 힘이 드는 것처럼 대수롭지 않게 이야기한 지안니는 정말 대수롭지 않게 마법을 썼다.

지안니라는 마법사가 특별한지 원래 이쪽 세계의 마법사는 다 그런지 알 수는 없지만, 소리를 내어 주문을 외우지 않고 특정한 행동을 통해 마법이 발현되는 듯했다. 딱, 하는 소리와 함께 클로에를 둘러싸고 있던 풍경이 변했다. 어지러움이나 메스꺼움 등의 증세가 나타나지 않을까 걱정하기도 했지만 예상과는 달리 몸의 상태는 괜찮았다.

"어디로 가는 건가요?"

마법을 사용해 도착한 곳은 예의 그 까만 마차 옆이었다. 예고도 없이 나타난 지안니와 클로에를 보고도 마부는 일말의 놀람도 없이 기다리고 있었다는 듯 마차 문을 열었다. 지안니가 저번 그때처럼 먼저 마차를 타라는 포즈를 취했다. 숙녀가 마차의 단에 올라설 때 짚고 지탱할 수 있게끔 팔을 내밀었지만 클로에는 선뜻 잡을 수가 없었다.

"아가씨."

마차에 타는 대신 버티고 서서 목적지를 물었지만 돌아온 것은 「아가씨」라는 명사였다. 단순하고 흔히 들을 수 있는 단어지만 클로에를 보고 있는 지안니의 입에서 나올 때는 분위기가 아주 많이 달라져서 그때마다 흠칫하곤 했는데, 지금도 마찬가지였다. 대답 대신 나온 말이니 많은 의미를 담은 부름일 터. 왜인지 좋은 징조로는 느껴지지 않아, 긴장한 클로에의 등이 꼿꼿하게 펴졌다.

"어디로 가는지가 중요하나요. 놓아줄 생각이 없는데."

모노클 너머 무기질 같은 금안이 빛났다. 무슨 의도로 묻는지 다 안다는 듯. 바짝 굳은 클로에를 응시하던 지안니가 한쪽 입꼬리만 끌어 올려 비웃음을 띠웠다.

놓아줄 생각이 없다는 상대는 상황상 여주인공이 아닌 클로에를 가리킬 터. 지안니는 대체 왜 그녀에게 이런 행동을 하는 것일까. 좋아하는 여자는 분명 여주인공일 텐데.

그때, 전조도 없이 또 두통이 찾아왔다. 클로에의 미간이 절로 찌푸려졌다. 언제고 한 번, 비슷한 경고를 들은 적이 있었던 것 같았다.

〔각오해요. 미래엔 지금의 선택을 평생 후회하게 해줄 테니까. 이 가는 손목과 발목을 부러뜨리고 족쇄를 채울 거예요. 난 놓아줄 생각이 없거든요. 그 초연하기만 한 눈이 퉁퉁 부어서 뜰 수 없는 상태가 될 때까지…….〕

머릿속에 웅웅 울리는 음성의 주인은 지안니였다. 소설에서 읽은 적도 없었던 대사 따위가 왜 떠오르는지 의아했지만 울려 퍼지는 목소리가 잦아들고 나자 두통도 사라졌다.

지안니는 비틀거리는 클로에를 부축하면서도 이유를 묻지

않았다. 마차에 올라타느라 지안니에게 의도치 않게 기댄 순간, 어쩌면 그는 이유를 알고 있을지도 모른다는 근거 없는 추측이 들었다.

대화 없이 무거운 침묵만이 가득한 마차는 한참을 달리고 나서야 목적지에 다다랐다. 준비하고 나오는 데 걸린 시간만 해도 오후의 대부분을 잡아먹어서, 어느 한 건물에 도착했을 땐 이미 해가 서쪽으로 넘어가고 있는 저녁이었다.

'어쩌면.'

클로에의 가슴이 조금씩 뛰기 시작했다. 고립되어 있는 성에서 벗어나 약 이틀 만에 복작복작한 거리가 있는 시내로 돌아왔다. 다른 의미로 눈에 띄는 검은 마차가 선 곳은 시내 한복판에서 약간 떨어진 건물이었지만, 행인들이 다니는 도로가 많이 보인다는 것만으로도 클로에는 왠지 모를 기대감이 생기기 시작했다.

건너편에는 산책을 할 수 있는 작은 도심 속 공원이 있고 공원 옆에는 강이 있으며, 강과 공원을 마주 보는 반대편에는 반구체 지붕의 건물들이 서넛 늘어서 있다. 얼굴을 정면으로 고정한 채로 힐끔힐끔 주위를 살피는 클로에를 아는지 모르는지 지안니는 먼저 걸음을 옮겼다.

몸을 숨길 수 있는 엄폐물이 없다는 것이 다소 흠이지만 그래도 시내다. 오르시니의 성보다는 훨씬 탈출하기에 유리하다.

지나다니는 사람이 많다는 사실도 안심이 되는 데에 한몫을 했다. 어쩌면 도망갈 수 있을지도 몰라. 두근거리기 시작한 심장 때문에 목과 뺨에 열이 올랐다.

지안니가 클로에를 데리고 들어간 건물은 대형 미술관이었다. 이미 폐관한 시간인 데다 입구는 잠겨 있었지만 두 사람을 막을 수는 없었다. 관람객이 없는 적막한 복도에 두 사람이 들어오자 뚜벅뚜벅 발소리가 사방을 울렸다. 클로에는 마치 벌집처럼 여러 개의 구역으로 나뉜 전시실을 가르고 들어가 안쪽 깊숙이 들어가는 지안니를 총총총 따라갔다. 보폭이 느리지도 빠르지도 않은 걸음은 따라가기에 무리가 없었는데, 클로에가 따라오는지 발소리로 확인할 수 있는 탓인지 지안니는 한 번도 뒤를 돌아보지 않았다.

"아가씨. 여기가 어딜까요?"

"갤러리…… 아닌가요?"

지금까지 온 길을 둘러보며 머릿속으로 되짚는데 예고도 없이 말을 걸었다. 자꾸만 뒤를 돌아보는 그녀를 알아챘나 싶어 심장이 철렁했는데 지안니는 앞만을 보고 있었다. 클로에는 가슴을 쓸어내렸다.

"네. 오르시니에서 운영하는 미술관이에요. 1층에서는 신예 화가를 발굴하기 위한 전시회를 자주 열고, 지하는 작품을 보관하는 장소로 쓰여요."

지하로 향하는 계단에도 발을 디뎠다. 소설 속 클로에라면 당연히 알고 있었을 사실을 마치 지금의 클로에게 설명해주는 것처럼 들렸다. 한 번, 내려서지 않고 주춤 멈추었더니 시안니가 우뚝 서 클로에가 다시 움직일 때까지 기다렸기에 두 번을 멈추지는 못했더랬다.

"참, 중요한 물건이니 빼지 말아요."

계단 아래에서 기다리고 있던 지안니가 위에 서 있던 클로에의 오른쪽 소매를 잡았다. 무엇 때문인고 하니 까만 오닉스가 박힌 커프스단추로 교체하기 위함이었다. 톡톡 두드리며 단추의 존재를 재확인한 지안니가 웃었다. 클로에는 반사적으로 고개를 끄덕였다.

지하에 도착한 두 사람을 기다리고 있던 장미색 앤티크 문이 끼이익 소리를 내며 열렸다. 입을 벌리는 입구 너머로 까만 공간이 보였다. 공간 안에는 촛대 대신 전구들이 있어 다행히도 조명을 켜니 눈이 부시도록 밝아졌다.

"흠. 아가씨?"

"네?"

"제가 잠시 손님을 상대해야 할 일이 있어서 양해를 구하려고 해요."

"아, 네."

지하는 그림을 보관하는 창고였다. 천장까지 가득 채운 책장이 차곡차곡 포개져 있는 것처럼 보였지만 가까이 가보니 책장은 아니었다. 변화하는 외부 환경에 의해 망가지지 않을 상태로 보관되어 있는 그림들이 빼곡했다. 그중에서 한 점의 그림을 꺼낸 지안니는 따라오다 멈추어 선 클로에를 돌아보았다.

"가능한 한 빨리 끝내고는 싶은데."

"아니, 굳이 그러실 필요는. 신경 쓰지 않으셔도 돼요."

"……그래요?"

너무 진심을 담아 사양한 탓인지 지안니의 기분이 나빠진 듯했다. 솔직히 그가 기분 나빠할 이유를 짐작할 수 없었지만 얼어붙은 분위기에는 긴장할 수밖에 없었다.

"그럼 제가 신경을 안 쓸 수 있게끔 기다려주실 수 있죠?"

"네?"

어떤 책장에 꽂힌 책을 건드리니 비밀 공간이 나타났다. 부드럽게 허리를 감은 손의 이끌림에 주춤주춤 책장 뒤로 들어섰다. 긴장한 나머지 제 발에 걸려 넘어질 뻔했을 때에도 허리춤을 강하게 쥔 팔이 클로에를 받쳤다.

"저런. 자꾸만 눈을 뗄 수 없게 만들어서야."

스멀스멀 서늘한 분위기를 뿜는 팔이 배를 덮었다. 한층 바짝 몸을 붙인 지안니의 속삭임이 귓가를 간질였다. 다리의 힘이 쭉 빠져버렸으나 주저앉는 것만은 면했다.

"입을 벌려요, 아가씨."

속살거리는 저음이 목덜미에 달라붙었다. 솜털이 삐쭉 서는 감각과 동시에 뜨끈한 입술이 귓불을 물었다. 전류가 흐르는 감각에 아, 탄성과 함께 클로에의 입이 벌어졌다. 기다렸다는 듯 지안니의 두 손가락이 들어왔다.

"사실 말예요. 내가 누구한테 가든 상관없다는 이 얄미운 혀 따윈……."

엄지와 검지가 작은 입을 다물지 못하게 고정했다. 고개가 뒤로 젖혀졌다. 숨을 들이쉬고자 자연스레 벌어진 입술 위에 부드러운 입술이 닿았다. 뾰족한 혀끝이 클로에의 입술 겉면을 축였다. 떨어질 듯 말 듯, 아슬아슬하게 입술을 댄 채로 지안니 가 속삭였다.

"가끔 없어도 될 것 같다는 충동이 든답니다."

야릇한 접촉의 가면을 썼지만 내용은 잔혹했다. 혀를 뽑거나 자르겠다는 뜻인가. 당황한 클로에는 눈조차 깜빡이지 못했다.

"하지만."

"자, 잠깐……."

벨트가 풀리고 바지 사이로 손이 들어왔다. 배꼽 밑까지 손 이 뻗어왔다. 아무리 애를 써도 벗을 수 없던 정조대는 지안니 의 손이 닿자 기다렸다는 듯 스윽 늘어났다. 음부를 덮고 있는 사슬을 밀고 들어간 손가락이 수풀을 헤쳤다. 클로에가 지안니 의 팔을 잡았지만 손의 움직임은 멈추지 않았다. 되레 클로에의 턱이 잡혀 번쩍 위로 들렸다.

"아가씨 바람대로 신경을 쓰지 않도록 노력해볼까 해요."

"……흐, 읍."

무성한 수풀을 거둬내고 붙어서 닫혀 있는 계곡을 비집어 열었다. 손가락과 함께 들어오는 차갑고 단단한 것이 비집어 열린 계곡을 가르고 들어왔다. 속에 숨은 쾌락의 구슬을 발견하자 기뻐하며 노크를 했다. 토옥 톡, 불규칙적인 리듬으로 터치하는 딱딱하고 끝이 둥근 원통형 물건 때문에 배 속이, 배꼽아래가 달아오르기 시작했다.

"그러기 위해서 필요한 장치인데."

"아, 아…… 앗!"

점차 다리에 힘이 빠졌다. 턱을 잡고 있는 손과 다리 사이를 파고드는 손 덕분에 간신히 서 있는 꼴이나 마찬가지였다. 한껏 목을 뒤로 젖히고 있는 클로에는 잡고 매달린 옷소매에 한껏 힘을 주어 손톱을 박아 넣었으나 천은 꿈쩍도 하지 않았다. 대신 빙글빙글 음핵 주변을 돌며 간질간질 약을 올리던 장난감이 조금씩 젖어들기 시작한 질구에 쏘옥 빠졌다. 손가락 하나 정도의 굵기밖에 되지 않는 장난감은 클로에의 몸이 만들어내는 달큰한 물이 묻자 조금의 어려움도 없이 쏙 빠져들었다. 작은 장난감을 전부 삼키고도 지안니의 검지 끄트머리까지 물고 있는 아래 입이 파르르 꿀물을 한차례 쏟아냈다.

지안니가 나직하게 웃고는 쪽, 가볍게 입을 맞추었다. 눈시울이 붉어지기 시작한 갈색 눈동자가 애처롭게 마법사를 올려다보았다. 그는 의자에 앉힌 클로에의 이마를 쓸었다. 그러나 부드러운 손길 위에 떠오른 차가운 시선이 차마 다리 사이로 손을 가져가지 못하게 막고 있었다.

"아가씨는 비록 관심이 없겠지만, 적어도 돌아가는 상황은 알 수 있게 해드릴게요."

눈앞의 책상에 수정으로 된 넓은 판이 나타났다. 지안니가 몇 번 건드리자 비밀 공간 바깥 광경이 나타났다. 놀라움에 수정판에 시선을 잠시 고정한 사이, 과연 이번에도 초연하게 지켜보나 두고 볼게요, 조곤조곤 귀에 대고 뇌까렸다.

"다녀올게요, 아가씨."

초연이라는 단어에 기시감이 들어 번쩍 고개를 든 순간 눈이 마주쳤다. 지안니는 예의 그 비웃음을 지으며 비밀 공간을 나섰다.

비밀 공간에 갇히다시피 혼자 남게 되었지만 수정판 덕분에 안에서 밖을 볼 수는 있었다. 지안니가 딱히 팔다리를 구속해 두지 않고 나간 이유가 있었다. 끈 팬티 형태로 되어 있는 정조대는 클로에가 아무리 애를 써도 딱 맞게 붙어 있어 장난감을 빼낼 수가 없었다.

아무리 작아도 딱딱하고 차가운 금속형의 원통이 들어가 있는데 아무 느낌이 없을 수는 없었다. 초조한 심정으로 무슨 생각을 하는지 알 수 없는 지안니를 지켜보고 있는데 약간의 시간이 지나니 어떤 여자가 수정판에 나타났다.

"여주⋯⋯?"

지하에 내려온, 지안니가 맞이해야 한다던 손님은 여주인공이었다. 어깨와 가슴골을 드러낸 채 허리를 잔뜩 조여 개미허리로 만들고 종처럼 넓게 퍼진 드레스를 입은 여주인공은 오늘도 더할 나위 없이 청초하고 아리따웠다. 옅은 화장에 산호색 립이 하얀 피부와 그렇게 잘 어울릴 수가 없었다. 지안니에게 인사를 하는 여주인공의 뺨에 발그레 혈색이 돌았다.

〔그림은 어디 있죠?〕

19세기 유럽 귀족사회를 연상케 하는 배경이지만 소설이니만큼, 여성들은 원한다면 가정교사 외의 분야에서도 전문적으로 활동할 수 있었다. 소설 속 클로에는 마법사였고, 여주인공 또한 전문 분야가 있었다. 그것이 바로 미술품 감정이다.

정확히는 감정사에서 한 발 더 나아가 귀족과 화가를 중개하고 가난한 신예 화가를 후원하며 전시회를 기획하고 미술품을 모으는 일을 했다. 그림을 보는 안목이 높아 재야에 묻힌 예술가를 발굴하기도 했고 인정받지 못한 미술품이 제 가치를 찾도록 돕기도 했다. 평면적으로 표현되어 있는 다른 여성 캐릭터들 사이에서 진취적으로 묘사된 여주인공은 자연스럽게 많은 남자들의 호감을 사곤 했다.

〔만나자마자 용건부터 꺼내다니, 평소의 폐인 영애답지 않네요.〕

지안니와 여주인공이 마주 보며 웃었다. 아름답게 치장하고 당당하게 서서 미소 지으니 정말로 어여뻤다. 저 아름다움은 외모에서도 기인하지만 자신감에서도 상당 부분 나오고 있으리라. 지안니는 저를 향해 웃는 여주인공을 보며 삐뚜름하게 입꼬리를 올렸다.

〔괜히 말 돌릴 생각 말아요.〕

미소와 함께 나긋나긋 되돌려주는 대꾸에는 묘한 가시가 감춰져 있었다. 의외의 인물 등장에 숨죽이고 지켜보고 있던 클로에는 자신이 잘못 들었나 싶어 수정판을 빤히 바라보았다.

여주인공에게 애정으로 가득한 따스한 시선을 보내야 할 지안니 역시 예상과는 달랐다. 미리 꺼내둔 그림의 하얀 덮개를 벗기는 손짓은 거칠기만 했다. 모르긴 몰라도 지하에 따로 보관하고 있는 작품이니 가치가 없지는 않을 텐데, 그림이 상해도 상관없다는 행동처럼 보였다.

〔확인하고 싶은 만큼 보시죠.〕

〔그러죠.〕

클로에가 지켜보고 있는 수정판에도 보이도록 위치를 잡았는지 그림이 한눈에 들어왔다. 감탄은 짧았고 여주인공은 그림에서 눈을 떼지 않았다. 하늘과 구름. 딱 하나 기묘한, 아르누보를 연상시키는 덩굴 사슬 세 줄이라는 어울리지 않는 소재를 제외하고는 다른 것은 그려지지 않았음에도 무슨 이유에서인지 뚫어져라 눈을 떼지 못하고 응시하고 있었다.

"저 그림은……."

클로에 또한 여주인공처럼 그림에 시선을 빼앗겼다. 기이한 느낌이 들면서도 평범하기 짝이 없는 풍경과 배치에 알 수 없게도 자꾸만 눈길이 갔다. 익숙한 그림이었다.

익숙함의 1차 원인은 알고 있다. 소설 내에서 구름이 그려져 있다는 작품이 여주인공과 관련이 있었기 때문이다. 이름이 없는 화가의 「구름 연작」은 총 네 점. 소설대로라면 여주인공은 새로이 등장한 다섯 번째 「구름 연작」의 감정을 맡는다. 화가가 공개하지 않은 다섯 번째가 존재한다는 소문을 들은 게르와라스가 그럴듯한 가품을 만들어 왔고, 감정사로 유명한 여주인공을 협박해 거짓 감정을 하게 만든 것이다.

그러니 보는 순간 「구름 연작」이라는 작품명이 바로 떠오른 것은 어찌 보면 당연했다. 다만, 당연하다고 하여 수정판 위에 떠 있는 그림을 본 적이 있다는 뜻은 아니었다. 그럼에도 불구하고 스스로도 명확하게 설명하기 힘든 익숙함의 원인이 더 있는 것만 같았다. 소설 속에서는 끝끝내 실존 여부가 밝혀지지 않은 다섯 번째. 막상 읽었음에도 진품 혹은 가품을 확신할 수 없는데, 머리 한구석에서는 자신도 모르게 결론을 내리려 하고 있었다.

〔네, 진짜가 맞네요. 그녀의 작품인.〕

"……어?"

어느새 눈을 감고 있었다. 또렷하게 들리는 결론을 들으며 천천히 감았던 눈을 떴다. 소설에서는 끝까지 밝혀지지 않았던 감정의 결과를 두 귀로 직접 들은 순간인 셈이었다.

〔그럼 이제 의심은 가셨겠지요, 페인 영애.〕

〔글쎄요. 아직 미심쩍은 부분은 남아 있지만.〕

여주인공은 화사하게 웃었다. 백합이 활짝 핀 것만 같은 아름다운 얼굴은 이질적으로 보였다. 직접 진짜가 맞는지 확인을 해놓고도 의심을 풀지 않으려는 의도가 다분해서인지 고운 미소가 차갑게만 느껴졌다.

〔제가 우위에 있다는 사실은 변하지 않으니까요. 안쓰럽기도 해라.〕

절대 나올 리 없는 표현이 여주인공의 입에서 나왔다. 놀란 사람은 숨어서 지켜보는 클로에뿐, 지안니는 그저 냉소를 지으며 여주인공을 내려다보고 있을 뿐이었다. 조소에도 끄떡없이 평정을 잃지 않는 마법사를 주시하던 여주인공의 얼굴이 미세하게나마 일그러졌다.

꽃 같고 조각 같으며 흠 하나 없는 진주 같던 표면에 균열이

생긴 것 같다는 생각을 한 순간, 두통이 찾아왔다. 또 갑자기
다. 깨어나고서 한동안 겪지 않았던 아픔이 요 며칠간 잊을 만
하면 드문드문 계속 이어지고 있었다.

〔지금이라도 내게 온다면 내치진 않을게요. 어때요?〕

소설에서 묘사되었던 주인공답지 않은 반응을 보여도 지안
니는 익히 알고 있었다는 듯 태연했다. 연이은 충격에 입을 다
물지 못하고 수정판을 멍하니 보는데 지안니가 일견 클로에 쪽
을 힐끔 보았다.

〔영애는 욕심도 많군요.〕

〔어머. 분수에 맞지 않는 남의 것을 탐낸 것은 제가 아니죠.
그 여자, 파…….〕

"훗……."

지금까지 존재감을 피력하긴 했지만 딴에는 얌전히 있었던
몸속 장난감이 웅웅 진동 소리를 내며 떨기 시작했다. 큰 움직
임은 아니었지만 뚜렷하게 느껴지는 잔떨림이 집중력을 떨어
뜨렸다. 때문에 수정판 너머의 대화를 제대로 듣지 못했다. 여
주인공과 지안니가 왜 소설과 달리 날을 세우고 있는지 추측할
겨를이 없었다.

〔그건 네년 마음대로 재단할 문제가 아니에요.〕

〔당신, 지금 뭐라고……!〕

"빼, 야 하는…… 윽."

건전지보다 조금 더 큰 크기의 장난감이 질 내를 휘저었다. 빼고 싶어도 정조대는 밀려나지도 벗겨지지도 않았다. 어찌하지도 못하고 애만 태우는 사이 잘게 떨고 있던 장난감의 진동이 점차 커졌다.

커질수록 제자리에 가만히 있지 않고 돌아다니며 내벽을 긁는 기분이었다. 뭉근한 자극이 끊임없이 내부를 괴롭혔지만 만족스럽게 채워지진 않았다. 안달로 인한 갈증만이 아랫배를 채웠다. 몸을 열 준비가 되었다며 포문을 연 질구가 촉촉하게 젖어들었다.

〔어쨌든 그림이 가짜인 것 같다는 의심은 이로써 풀렸을 테고요. 쉽게 포기할 마음도 없답니다, 영애.〕

웃기고도 놀라운 점은 몸뚱이가 달아오를수록 두통의 강도가 약해지고 있다는 것이었다. 쾌락의 열기에 잠식된 탓에 아픔마저 잊어버리는지. 그러나 사람의 체온을 통해 얻은 쾌감도 아니고 일개 장난감에 의해 일방적으로 찾아오는 쾌감이라는 부분이 싫었다.

"싫……어."

아무도 듣지 않는 애원을 터트리고 나서 흠칫 놀랐다. 싫은 것은 장난감인가, 이 상황인가, 아니면 그가 없어서인가. 심장이 멎는 느낌이 들 정도로 놀라 숨을 쉬는 것도 잊었다. 책상에 얹힌 손가락의 마디가 하얘졌다.

〔볼일 끝났으면 이만 돌아가주었으면 좋겠네요, 이즈리에 페인 영애.〕

거짓말처럼 바뀐 클로에의 상태를 알기라도 하는 듯, 지안니는 축객령을 내렸다. 여주인공은 더 할 말이 많이 남아 있는 듯 보였지만 차갑게 내치는 그를 미처 당해내진 못했다. 예쁜 입술을 짓씹다 휙 드레스 자락을 휘날리며 뒤돌았다.

〔그래요. 지안니, 당신 하나 정도면 나도 별로 상관없을 것 같기도 해.〕

〔살펴 가시길.〕

여주인공이 무슨 말을 하든 작별 인사를 건네는 지안니의 입꼬리가 슬그머니 올라갔다. 지하를 벗어나느라 여주인공은 그의 미소를 보지 못했다. 클로에만이 수정판을 통해 지켜볼 수 있었다.

비록 구경하듯 관조할 수는 없었을 따름이었다. 몸이 살짝살짝 떨리고 허리가 움찔거렸다. 이성의 명령을 듣지 않는 본능 때문에 휘휘 고개를 저으며 책상에 이마를 기댔다. 무언가 생각해내야 할 것이 있는데, 집요하게 짓궂은 장난감이 그를 허락하지 않았다. 가쁜 숨만 내쉬며 다리 사이로 손을 집어넣은 채 몸을 말았다.

"생각보다 시간을 잡아먹었지만, 아가씨는 절 신경 쓰지 않고 잘 있었겠죠?"

소리 없이 책장이 밀려나고 드러난 입구에서 삐딱한 비웃음이 들려왔다. 클로에는 책상에 비비던 이마를 들어 소리가 들리는 쪽으로 간신히 고개를 들었다. 흐릿한 시야에 그녀를 내려다보고 있는 지안니가 잡혔다.

"흐응."

금안이 가늘게 접혔다. 땀이 들어가서인지, 나와서인지 뿌예진 시야만큼이나 흐릿해진 정신으로도 궁금해졌다. 왜 이 남자는, 지안니는 이런 짓을 하는 걸까.

쿵 쿵. 심장 박동이 빨라졌다. 식은땀으로 젖은 손바닥이 팔걸이에서 미끄러지며 일어나려던 몸뚱이가 중심을 잃었다. 앞으로 고꾸라지며 책상 모서리에 찍히기 직전, 끼어든 지안니가 쓰러지는 클로에를 받았다.

"빼……줘요……."

잔뜩 잠긴 목소리를 겨우 쥐어 짜내 호소했다. 힘이 들어가지 않는 두 다리가 축 늘어졌다. 그녀를 받쳐주고 있는 마법사에게 매달린 형국이었다. 똑바로 일어서야 한다고 생각하면서도 몸이 따라주지 않았다. 태산처럼 버티고 선 지안니의 그림자가 클로에의 머리 위로 드리워졌다.

"그림 잘 봤어요?"

클로에의 머리를 묶고 있던 머리끈이 툭, 풀렸다. 사르르 적금색 머리카락이 퍼지며 등을 덮었다. 머리카락을 귀 뒤로 넘겨주던 긴 손가락이 귓불을 만지작거렸다. 귓불이 잘근잘근 깨물리자 간질간질한 느낌이 귀에 맴돌았다. 지안니에게 기대듯 몸에 힘을 빼고 매달려 있던 클로에의 귓가에 유혹적인 속살거림이 스며들었다.

"아가씨껜 꼭 보여주고 싶었어요."

상체를 앞으로 숙인 지안니의 얼굴이 아래로 내려와 눈높이를 맞추었다. 열띤 연갈색 눈동자가 멍하니 지안니를 따라 움직였다.

소설에서 다섯 번째 「구름 연작」은 여주인공을 곤경에 빠뜨리는 매개가 되지만 현실이 달라졌다. 클로에가 개입함으로써 게르와 라스가 여주인공을 협박하는 데에 실패했기 때문이다. 더 이상 여주인공이 궁지에 몰릴 일은 없을 텐데도 그림을 잘 봤느냐고 묻는 저의가 궁금했다. 그러나 지안니의 의중을 읽어보려 시도하기도 전에 강한 진동이 찾아왔다.

"흡......"

"참. 감상을 듣기 전에 짚고 넘어갈 문제가 있는데."

헐떡이느라 어깨가 위아래로 크게 들썩였다. 지안니는 미끌미끌한 음부를 톡 톡 두드리며 찡그리고 있는 클로에의 미간에 쪽 가볍게 입을 맞췄다.

"아까 미타이랑 참 즐거운 시간을 보냈죠?"

"아, 아니......"

"힘 주고 일어서요, 아가씨."

드레스를 입은 귀족 레이디를 에스코트할 때처럼 정중하게 클로에의 손을 뒤집었다. 손등이 위로 드러나게 한 다음 네 개의 손가락 끝을 부드럽게 받쳐 잡았다. 무릎을 딱 붙이고 걸을 생각을 하지 못하는 클로에의 귓가에 속삭이며 조용히 채근했다. 서 있기 힘들어하는 모습을 뻔히 보면서도 일어서게 만들었다.

"걸어볼래요?"

안에서 자그맣게 요동치는 장난감 때문에 지안니의 옷깃을 구기듯 잡아버렸다. 뼈가 튀어나도록 잡고 있는데도 지안니는 클로에의 손등을 덮으며 단호하게 지시했다. 권유의 형태를 띠고 있으나 점점 강해지는 압박에 클로에는 주춤거리며 오른발을 내디뎠다.

"……흐읏."

오른발을 먼저 뻗고 왼다리를 질질 끌어왔다. 다리를 벌려야 자극이 약해질지 무릎을 붙여야 약해질지 감이 오질 않았다. 엉거주춤하게 서서 조심조심 절뚝이며 걷는데도 발을 뗄 때마다 장난감이 안에서 위아래로 움직이며 내벽을 문지르는 느낌이 났다. 내부에서부터 가해지는 깊은 자극에 퐁퐁 솟아나는 샘물이 음모를 적셨다. 끈적한 체액에 물든 수풀은 저를 덮고 있는 금색 사슬에 달라붙었다. 사슬 그물이 음부를 옥죄며 달라붙었다.

"그, 그만⋯⋯."

클로에의 상체가 중심을 잃고 앞으로 휘청이고 스르르 뻗어온 팔이 배를 감았다. 넘어질 뻔한 클로에를 잡아준 지안니가 식은땀이 조금씩 배어 나오는 이마를 손가락 마디로 닦았다.

"아가씨. 미타이는 좋다고 먹었잖아요."

정중한 어조지만 사나운 기세는 숨기지 않고 고스란히 드러내고 있었다. 나지막한 속삭임인데도 잡혀 있는 손이 움찔 떨었다. 살살 귓속을 파고드는 지안니의 말은 마치 미타이와 클로에의 일을 질투하는 것만 같았다. 그럴 리가 없을 텐데도. 클로에는 멍한 눈을 깜빡였다.

"제가 대체 무엇을⋯⋯ 잘못한, 거죠?"

질투일 리가. 소설과 다르게 진행되는 사건들이 있다 해도 오르시니 3형제가 이즈리에 페인을 좋아한다는 사실은 절대적인 명제다. 그것만큼은 변할 리 없다. 이유도 없다. 그렇기에 지안니는 질투를 할 리가 없다. 질투가 아니라 화풀이를 하는 게 아닐까. 그렇게 생각하니 납득이 되었다. 기실 그가 클로에를 싫어했으면 싫어했지⋯⋯.

"아가씨?"

의아한 음성이 머리 위에서 흩어졌다. 잦아들었다고 생각했던 두통이 되살아났다. 동시에 억울한 감정도 들었다. 여주인공을 힘들게 만드는 역할인 그녀를 싫어하는 이 남자들을 어째서 미워할 수가 없나. 끔찍하게 여겨야 하는데, 왜 저항 없이 받아들이고 이즈리에를 원하고 있다 생각하자 심장이 조여오는가. 높이 둥둥 떴다가 순식간에 내동댕이쳐지는 추락에 지배당하는 감각이었다.

"이리로 와요."

가쁘게 숨을 몰아쉬면서 머리를 감쌌다. 그녀를 안고 있는 지안니를 외면하며 중얼거렸다. 촉촉해진 눈 밑을 엄지로 꾹꾹 눌러 닦아내던 지안니는 훌쩍 클로에를 들어 올렸다.

"자꾸 그렇게 애타게 매달려도 소용없어요."

물기가 가득한 애원을 뚝 잘라내는 냉정한 말과, 찌르는 듯한 통증을 느끼는 부위를 쓰다듬는 손짓은 반대였다. 말과 행동이 다른 지안니를 올려다보는 속눈썹이 깜빡깜빡, 느릿느릿 붙었다 떨어졌다. 그의 손이 한 번 닿을 때마다 천천히 숨소리가 안정을 찾았다.

"꺅!"

방심한 틈에 타의로 높은 높이의 집무용 책상에 올라탔다. 버둥거리며 내려가려고 책상을 짚어 몸을 돌리려는데 달그락 소리가 났다. 클로에의 비부에 들어가 있던 장난감이 우우웅 진동 소리를 내며 떨었다.

"하윽……!"

"아가씨가 무슨 잘못을 했냐고요?"

몇 번의 손짓만으로 벨트가 풀리고 바지가 벗겨졌다. 지안니가 클로에의 무릎을 바깥쪽으로 밀어내며 다리를 벌렸다. 지안니의 손이 닿자 정조대가 언제 조이고 있었냐는 듯 이번에도 스르륵 느슨해졌다. 아직도 제법 젖어 있는 질구에 손가락 두 개를 대고 비벼 쿨쩍쿨쩍 소리를 냈다. 장난감이 덜덜덜 떨 때마다 손가락을 삼키려 하는 질구가 함께 움찔거렸다.

"내 동생이 그렇게 좋나 봐요? 응?"

"아악!"

순간 눈앞이 번쩍였다. 흥분으로 조금씩 커지고 있던 음핵이 세게 꼬집힌 탓이었다. 클로에의 상체가 뒤로 젖혀지고 턱이 한껏 위로 들렸다. 간신히 팔꿈치로 상체를 버티고 누운 클로에가 푸들푸들 떨었다.

"그리고 아까부터 자꾸 쓸데없는 생각을 하는 것 같은데. 예를 들어, 그래요. 내가 다른 계집이랑 좋은 시간 보내고 와도 된다는, 뭐 그런 생각이라든가."

질척이는 음탕한 소리를 만들던 손가락이 쑤욱 빠져나갔다. 입구가 뻐끔거렸지만 물고 있는 것을 뱉어내지는 않았다. 클리토리스를 꾹꾹 잡아 돌려 한층 더 부풀게 만들던 지안니가 미소 지었다.

"자, 자, 잠까……."

정조대가 벗겨지고 허리를 잡힌 클로에의 몸이 쑥 지안니 쪽으로 끌어당겨졌다. 지안니의 단정한 차림은 전혀 흐트러지지 않았으나 딱 하나 섬뜩하리만치 어울리지 않는 장신구가 갑자기 나타났다. 아니, 장신구가 아니라 흉흉하게 밖으로 튀어나온 성기였다. 클로에는 팔꿈치를 이용해 위로 기어가려고 했다.

"내 것은 처음이죠?"

"네? 네, 아뇨, 네……."

길다. 기괴하리만치 길다. 미타이 것이 무서울 만치 굵었다면 이건 길다. 도망가던 클로에는 단숨에 잡혀 슥 끌려왔다. 지안니가 피식 웃었지만 클로에는 따라 웃을 수 없었다.

"이건 아, 아니……."

"아가씨가 한 잘못은 아주 많아요. 하나는."

"훗!"

클로에가 도망갈 수 없도록 납작한 배를 누르며 손가락을 넣었다. 안에 들어 있는 것을 한 바퀴 빙 돌려 꺼낸 후 질구에 제 성기 끄트머리를 맞추었다.

"짐승이랑 다를 바 없는 놈이 뭐가 좋다고. 변함없이 물러져요, 물러지길."

퐁 퐁 움찔거리느라 엉덩이가 튀어 오르는 와중에도 제가 들어갈 자리를 잘 찾은 페니스가 머리를 들이밀고 천천히 들어오고 있었다. 클로에는 손을 휘휘 저었지만 지안니를 멈춰 세울 수는 없었다.

"또 하나는, 내가 누굴 얼마나 만나려 한들 관심이 없다는 거고."

성기가 끝도 없이 들어왔다. 더 이상 뚫리지는 못하리라고 생각해서 슬쩍 아래를 보면 아직 반도 채 넣지 않은 것만 같았더랬다. 그럼에도 이미 긴 꼬챙이에 꿰인 기분이어서 헉 헉 가쁘게 숨을 몰아쉬는데 지안니가 클로에의 배를 쓰다듬었다. 클로에의 얼굴이 새하얘졌다. 자궁까지 닿아서 찔리면 아플…….

"그다음은 바로……."

"이건 반칙이지, 형!"

"……!"

깜짝 놀란 클로에가 물고기처럼 펄떡 뛰어올랐지만 지안니가 차분히 배를 누른 탓에 크게 움직이진 못했다.

노크도 하지 않고 소리 없이 들어온 미타이가 지안니의 말을 끊고 짜증을 냈다. 누운 채로 눈만 돌린 클로에와 미타이의 눈이 마주쳤다. 화가 가득한 미타이는 클로에와 지안니를 노려보고 있었다.

"뭐가 반칙이야."

"아직 야옹이는 누굴 고르지도 않았잖아! 아무것도 모르는 사람 꼬드기지 마!"

"그런 건 너나 하는 짓이겠지. 그리고 꼬드기는 게 아니라

혼을 내는 중이야."

"혼을 내? 왜? 야옹이 혼낼 데가 어딨다고. 아 좀, 형은 그 성격 고⋯⋯."

"아가씨는 우리가 누굴 만나든 관심이 없다나 봐."

"⋯⋯칠 필요는 없겠네, 응."

푸욱, 푹 고저 없이 대꾸를 하는 와중에도 벌어져 있는 클로에와의 거리를 좁혀가는 지안니였다. 으응, 웅! 으읏⋯⋯! 두 사람이 하는 이야기를 듣는 동안에도 클로에는 앓는 신음을 쉼 없이 쏟아냈다. 들어오고 있는 성기가 속도를 천천히 낮추는 바람에 끄트머리로 내벽을 갉작갉작 긁어대는 탓이었다.

"야옹아."

쉬었나 싶을 정도로 극히 낮아진 음성이 클로에의 정신을 붙들었다. 성큼성큼 다가온 미타이가 탁 책상을 짚고 상체를 숙였다. 거대한 그림자가 클로에의 머리 위에 드리워졌다.

"그러는 거 아니야."

대체 무슨 잘못을 했기에 이런 짓을 하느냐는 물음에 대한 답은 엉뚱했다. 그녀가 한 잘못을 하나씩 듣긴 했지만 제대로 이해하기도 전에 몸을 가르고 꿰뚫는 압박감에 납득할 타이밍을 놓쳐버렸다. 심지어 난입한 미타이까지 당사자인 클로에도 이해하지 못한 상황을 이해했다.

"그, ⋯⋯으흑, 게 무슨, ⋯⋯으웅!"

고요한 타이름에 대한 항변은 스스로가 쏟아내는 신음에 묻혀버렸다. 느린 속도로 성기를 넣고 있던 지안니가 클로에의 허리를 잡고 한 번에 푹 꽂아 넣었기 때문이다. 미타이와는 다른 의미로 느껴지는 압박감에 배가 묵직해졌다. 허리를 스윽 추어올리자 클로에의 엉덩이가 들렸다. 고환이 탁 탁 닿을 때마다 아으 아으 울음 섞인 소리를 내는 입술이 벌어졌다.

"아, 너무 예쁘잖아."

미타이가 눈꼬리를 휘며 살짝 벌어진 입술에 키스했다. 쪽쪽 도톰한 입술을 빨다가 쪼옥, 빨았다 떼며 중얼거렸다. 클로에가 무어라 말을 하려고 할 때마다 키스가 이어졌다.

"미타이. 좋은 말 할 때 떨어져."

"나야말로 형 쫓아내고 싶다고. 그치만 여기서 싸웠다간 그 틈에 야옹이가 도망갈 테니까."

클로에에게 연이어 키스를 퍼붓는 미타이가 마음에 들지 않은 지안니가 나가라 명령을 했다. 쑤욱 클로에의 하체가 지안니 쪽으로 한층 더 끌려 내려가면서 내부를 가득 메운 길쭉한 덩어리가 더 깊숙이 들어왔다. 바들바들 떠는 클로에의 양 손목을 잡은 미타이가 코웃음을 치며 다시 제 쪽으로 잡아당겼다. 위로 끌려 올라가버린 탓에 빠지는 성기에 긁힌 질 내벽이 찌릿찌릿 울렸다. 클로에가 다시 파르르 떨며 으으, 신음을 쏟아냈다.

"알면 나가."

"형 자신 없지? 야옹이 울릴 자신."

"하웃, 으으웅!"

미타이 쪽으로 간 클로에의 엉덩이를 잡고 다시 아래로 끌었다. 푹 푹 지안니의 성기가 꽂히면서 살과 살이 찰싹찰싹 맞닿았다. 지안니가 내린 축객령에 약을 올리는 방법으로 대응한 미타이가 으르렁거리며 클로에의 몸을 뒤집었다. 페니스를 안에 품은 채로 휙 몸이 뒤집혀 책상 위에 엎드리게 된 클로에가 견디지 못하고 교성이나 다름없는 비명을 내질렀다. 촉촉하게 젖어 있어 무리 없이 지안니의 물건을 꽉 머금고 돌아눕는 바람에 새하얀 전기가 클로에의 뇌를 파직파직 때린 탓이었다.

"야옹아."

지안니가 노려보거나 말거나 반쯤 일어선 제 것을 꺼낸 미타이가 클로에의 목 아래로 팔을 뻗어 단추를 하나하나 풀었다. 목에 걸려 있는 나비넥타이만 남겨두고 클로에가 입고 있던 조끼와 슈미즈를 벗겨냈다. 흐트러진 적금발을 한데 모아 옆으로 넘기고 코르셋 끈을 풀었다. 코르셋이 헐거워지며 반쯤 벗겨지자 억눌려 있던 가슴이 팡 튀어 나왔다. 상체를 지탱하며 엎드려 있던 클로에의 턱을 잡았다.

"물어줘."

고개를 들자 거대한 덩어리가 바로 눈앞에 있었다. 살포시 눈가를 찡그린 클로에의 목에서 흔들리는 나비넥타이를 만지작거리던 미타이는 그녀가 머뭇거리자 지안니가 빼고 박을 때마다 크게 흔들리는 큰 가슴을 움켜쥐었다.

"응⋯⋯!"

투박한 손이 주물주물 아래로 처진 가슴을 잡고 모양을 비틀듯이 바꿨다. 알싸한 통증 속에서 피어나는 한 줄기 아릿한 간지러움이 클로에로 하여금 등을 흠칫흠칫 휘게 만들었다.

"물어야 안 넘겨져, 야옹아."

미타이가 클로에를 달래는 동안 지안니는 클로에의 눈을 가려버렸다. 미타이를 보지 못하게 하기 위해서였다. 시야가 차단되자 긴장한 클로에가 엉덩이와 질구에 힘을 주었다. 본능적으로 좁히는 입구를 뚫고 세찬 힘으로 풋 풋, 클로에를 들어 올릴 듯이 밀어 올렸다.

"아, 아훗, 훗⋯⋯ 흡!"

뒤에서 밀어붙이는 움직임에 정처 없이 위아래로 흔들리는 클로에의 벌어진 입술로 후끈한 물건이 부딪혔다. 턱이 잡힌 상태에서 입이 벌어지니 입 안을 데우는 화끈화끈한 덩어리가 버겁게 클로에의 입을 한계치까지 벌리며 밀고 들어왔다. 쏟아지던 신음이 그 덩어리에 막히고 덩어리를 문 입술이 안으로 말렸다.

"빨아줘, 응?"

상체를 받치듯 가슴을 잡은 손이 꼬물꼬물 손가락을 움직여 평평했던 유두를 바로 세웠다. 간지러운 감각이 젖꼭지로 쏠리는데 시원하게 해소는 되지 않았다. 미타이가 은근히 유두를 굴리며 머리 위에서 애원을 했다.

실로 애원인지 협박인지 알 수가 없었지만 입 안을 가득 채운 질량 때문에 숨을 쉬기가 버거워 간신히 벌어진 틈으로 산소를 들이켰다. 후읍, 공기를 빨아들이려 애쓰느라 뺨이 홀쭉해지고 갈 곳을 잃은 혀가 미타이의 페니스를 건드렸다.

"읍, 읍! 읍! 흡!"

고마워, 잘했어. 나름 만족스러운지 낮게 속삭이던 미타이가 칭찬 대신이라며 손에 감겨 있는 가슴을 세게 비틀었다. 유두가 긁히며 또다시 짧은 빛이 번쩍였다. 터지는 신음은 몇 번이고 미타이의 성기에 막혀 도로 삼켜졌다. 여전히 입을 뗄 수가 없어 그의 것을 물고 버거운 숨을 간신히 들이쉬며 주룩주룩 생리적인 눈물을 흘렸다.

"아가씨."

잠깐의 오르가즘을 눈치챘는지 지안나가 허릿짓에 박차를 가했다. 후드득 떨어지는 눈물인지 땀인지 알 수 없는 액체를 훔쳐내며 누군가 나직이 그녀를 불렀다.

퍽 퍽 깊이 찌르고 들어오는 뾰족한 것이 자비 없이 클로에를 뒤흔들었다. 으, 으읍, 으…… 마음껏 소리를 낼 수 없는 입

가로 주룩주룩 불분명한 신음이 새어 나왔다. 지안니가 쳐올릴 때마다 꿰뚫리는 깊숙한 중심에서부터 모락모락 퍼져 나오기 시작한 연기가 클로에의 배 속을 들끓게 했다.

순간 때맞춰 클로에를 치고 지나간 몇 차례의 짧은 빛과 만난 연기는 크기를 키웠다. 지안니가 기다렸다는 듯이 철퍽 철퍽 세차게 치고 들어왔다. 터트려달라고 아우성치는 몸을 견디지 못하고 미타이에게 매달린 채 지안니의 물건을 삼키고 있는 다리에 힘을 줬다. 작은 번쩍임들이 한데 모이더니 소용돌이치며 커졌다. 이윽고 거대해진 소용돌이는 몸 중심에서 팡 터져 곳곳에 자잘한 빛을 흩뿌렸다. 절정에 달해 등을 둥글게 말고 잘게 떨던 클로에는 이내 그녀의 뺨과 배를 어루만지는 손들 사이로 픽 쓰러졌다.

"……훗."

분명 몸뚱이는 천상의 쾌락을 경험했지만 다시 땅으로 돌아오고 나니 온몸이 욱신거리고 기력이 죽 빠져나가 손 하나 까딱할 힘이 없었다. 툭, 힘이 빠진 두 팔이 떨어져 책상에 세게 부딪혔다. 미타이가 「괜찮아?」 따위의 말을 내뱉었지만 대답할 기운도 없는 클로에는 입을 다물었다. 지안니는 아무것도 묻지 않고 말없이 접촉하고 있던 몸을 뗐다.

"클로에."

두 남자의 음성이 겹쳐졌다. 아가씨, 야옹이 따위로 부르던 남자들은 어디로 가고 동시에 이름을 불렀다.

늘어진 클로에를 먼저 안아 든 사람은 지안니였다. 한 팔을 제 목에 두르게 해 클로에가 기댈 수 있게끔 했다.

"집으로 갈까."

거대한 덩치를 하고는 수그린 채, 땀으로 젖어 이마고 뺨이고 콧등이고 달라붙은 적금색 머리칼을 하나하나 떼서 넘겨주고 있던 미타이가 지안니의 지시에 미간을 좁히며 끄덕였다.

"보양 좀 많이 해줘야겠다."

지안니는 코웃음을 쳤지만 동생의 제안을 딱히 거절하지는 않았다. 얌전히 안겨 있는 클로에는 스르르 감기려는 눈을 버티려 애를 썼다. 잠들 순 없었다.

"그나저나 형, 그 여자 말인데……."

느릿하게 깜빡이는 클로에가 잠들려는 것처럼 보였는지 투박한 손으로 눈을 덮어 빛을 가려주는 미타이가 말소리를 죽였다. 클로에는 눈을 감은 채로 슬그머니 주먹을 꽉 쥐어 손톱으로 손바닥을 찌르고 팠다.

도망가려면 성으로 돌아가기 전에 기회를 엿봐야 했다.

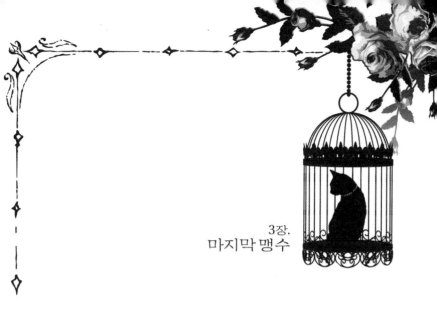

3장.
마지막 맹수

버티려고 했지만 결국 깜빡 잠이 들었었는지 자고 있었다는 자각을 했을 땐 이미 마차 안이었다. 눈꺼풀이 무거워 클로에를 안고 마부를 부르는 사람이 지안니인지 미타이인지 확인하기가 힘들었다. 두 사람 중 한 명이겠지. 그 사람은 안에 클로에를 눕히고 머리에 푹신한 무언가를 받쳐준 후 문을 닫았다.

하나, 둘, 셋…… 클로에는 겨우겨우 눈을 떴다. 무거운 몸뚱이를 일으켜 앉아서 쌕쌕 숨을 내쉬었다. 뭉친 목을 돌리며 내부를 살펴보니 지안니의 마차였다.

"흠, 흠."

클로에 외에는 아무도 없이 주인 없는 마차는 아직 출발하지 않고 대기하고 있었다. 헛기침을 하며 목을 푼 클로에는 평소

타고 내리는 방향이 아닌 반대 방향의 문으로 다가갔다.

"밖에서 잠갔으려나."

안에서도 걸쇠를 걸어 잠글 수 있게 되어 있지만 다른 사람
도 아니고 지안니의 마차이기 때문에 밖에서도 잠글 수 있을
확률이 높을 터. 그러나 밖이야 어떻든 열어보려는 시도를 해
서 나쁠 것은 없다. 빡빡한 자물쇠를 푸는데 긴장 탓인지 손이
수시로 미끄러졌다. 클로에는 바지에 슥슥 손바닥을 문질러 닦
고는 잠금장치를 다시 잡았다.

"열려라, 제발."

잘 사용하지 않는 방향이라 그런지 빡빡해서 힘을 꽤 필요로
했을 뿐, 열 수 없는 종류의 걸쇠는 아니었다. 걱정하던 것보다
는 쉽게 벗겨지는 걸쇠에 조마조마한 심정으로 문을 밀며 중얼
거렸다. 제발 밖에서 잠겨 있지 않길.

"아."

다행히도 문은 소리 없이 열렸다. 밖으로 밀어 열고도 클로
에는 잠시 믿지 못해 멍하니 바라만 보고 있었다. 해가 지고
밤이 되었지만 문밖의 풍경으로 미루어 마차가 어디 서 있는지
는 충분히 짐작이 갔다. 지안니를 따라 갤러리로 들어가면서
도망갈 수 있지 않을까 희망을 심어준 바로 그 장소였다.

떨리는 다리를 끌고 한 계단, 한 계단 마차에서 내리는 동안
힘이 들어가지 않는 바람에 나동그라질 뻔했지만 간신히 문고

리를 부여잡고 버텼다. 한참을 머뭇거리다 진짜 바닥에 조심조심 발끝을 내딛고도 클로에는 한동안 부동자세로 굳어 있었다.

"겨우 이틀이었는데."

오랜 시간이 지나지도 않았다. 겨우 이틀이었는데 2주, 20일, 2년 만에 밟는 땅 같았다. 클로에는 문고리를 잡고 나머지 발 하나를 마저 바닥 위에 얹었다. 딱딱하고 무감한 땅은 무엇이 그리 새삼스러우냐는 듯 클로에를 맞이했다. 한 발, 한 발, 굉장히 느린 속도로 발을 뻗던 클로에는 주위를 휘휘 둘러보고는 조금씩 속도를 높였다. 어둠 속에 녹아 있는 마차 외엔 마부조차도 없었다.

지안니와 미타이는 어디로 갔을까. 클로에가 깨어나지 않으리라 여겼는지, 깨어나도 도망갈 리 없다고 생각했는지, 아니면 그녀에게까지 신경 쓸 겨를이 없는 일이 생겨버렸는지. 마차를 잠가두지도 않았고 마차 근처에 지키고 있는 그림자도 보이지 않았다.

지금이 기회라는 생각에 두 사람의 부재를 두고 깊이 고민할 여유가 없었다. 휘청휘청 걷기 시작한 클로에는 점차 내딛는 발걸음을 빨리했다. 빠르게 걷더니 어느 순간부터 뛰고 있는 클로에의 그림자가 거리의 가로등에 의해 길게 드리워졌다.

∞

"헉, 헉."

부족하기 짝이 없는 체력 때문에 뛴 지 얼마나 되었다고 바로 뜀박질이 느려졌다. 숨이 가빠져 거칠게 산소를 들이쉬면서도 후들거리는 다리를 질질 끌어 걸었다. 대로에는 아직 지나다니는 행인이 많았지만 아무도 클로에를 신경 쓰지 않았다. 강 주변에는 조깅을 하는 사람들이 종종 있는 탓이었다.

"이렇게 쉽게 벗어날 수 있었던 거야? 정말로?"

생각해보면 그녀를 어딘가 가둬두거나 묶어두지는 않았다. 그러지 않아도 클로에가 도망가지 못하리라는 자신감 때문이었겠지. 또한 성의 고용인들을 이용해 감시하도록 두긴 했지만 실로 그조차도 허술했다. 역시 도망가지 못하리라는 계산이 섰기 때문이리라. 계산이 선 이유야 뻔했다. 묻지 않아도 알 수 있었다.

"고립되어 있는 성이나 마찬가지라서 100퍼센트 숲에서 아사했을 테니까."

그 자신감이 성에서 나온 지금도 이어졌다는 것이 의외였지만 덕분에 기회가 생겼다. 한시라도 빨리 두 사람으로부터 멀어지고자 호흡이 약간 안정되자마자 무거운 다리를 이끌고 억지로 보폭을 넓혔다.

"그런데 여기가 어디지?"

당연하겠지만 깨어난 지 오래되지 않아 살던 동네의 지리조차 모르는 상태였다. 몰락귀족이니 어쩌니 해도 일반인도 자주 이용하는 마차를 타지 않을 이유가 없었다. 더구나 귀족 가문의 아가씨는 외출 시엔 누구라도 동행하는 사람이 있기 마련이라 더더욱 길을 익힐 기회가 없었다. 클로에는 가까이 있는 가로등에 기대어 서서 숨을 고르며 주위를 살폈다.

소설의 기본적 배경은 엄격한 신분제가 유지되는 중세 혹은 부르주아가 병존하는 19세기를 표방했지만, 마법이라는 특이점을 두면서 지식으로 알고 있던 중세나 19세기와는 분위기가 많이 달라졌다. 당장 클로에가 기대고 있는 가로등만 해도 지금까지 봐왔던 것과 비슷한 형태지만 전구 대신 날아다니는 반딧불처럼 작게 깜빡이는 무언가가 자잘하게 들어 있는 등이 대에 높이 매달려 어두운 거리를 밝히고 있었다.

유일한 교통수단인 마차가 다니기 쉽도록 반듯하게 닦아놓은 도로는 두 대의 마차가 지나갈 수 있을 만큼 넓었고 반대편 인도 옆에는 잔잔한 강이 보였다. 강을 바라보고 있는 클로에의 시야를 가리며 한 번씩 공용 마차가 느린 속도로 지나갔다. 완연히 해가 진 지금도 지나다니는 행인 수가 적진 않았다.

"시간은 또 몇 시람……."

해가 지긴 했지만 한밤이 되진 않았을 터. 잠결에 시간을 확인하는 미타이의 말소리를 들은 후로 도망치기까지 그리 오랜 시간이 지나지는 않았었다. 마차에서 여기까지 오는 데도 체감보다는 훨씬 적은 시간이 소요됐을 것이다.

그러나 여자 혼자 몸으로 낯선 곳, 그것도 길거리에서 밤을 지새우기에는 불안했다. 아이러니하게도 지안니와 미타이로부터 벗어나 또 다른 현실적 문제에 부딪히니 되레 불안이 스멀스멀 피어났다.

"그렇다고 돌아가는 건 말도 안 되고."

불안하다고 해서 제 발로 오르시니에게 돌아갈 생각은 추호도 없다. 잡혔던 날의 밤으로부터 사흘째. 남자주인공 중 한 명을 보는 순간부터 까닭 모를 공포를 느꼈고, 낯선 곳에 끌려왔음을 인지한 이후에는 오로지 탈출이라는 단어만이 방향지시등이나 다름없는 빛이 되었다. 이성적으로 판단하자면 당연한 반응이었지만.

"하! 대체 난 어떻게 되어먹은 거야."

머리로는 지안니를 무서워하고 있다. 미타이는 그의 형만큼이 아닐 뿐, 두려워하고 있다. 무섭지만 거부할 수 없어 강압적인 관계를 받아들……였다?

"어쩔 수 없이?"

자조적인 쓴웃음이 무심코 튀어나왔다. 여주인공도 아닌데 남자주인공과, 심지어 두 남자와 몸을 섞었다. 은연중에 세뇌된 듯 도망가야 한다는 생각이 잊히지 않는데도 관계는 저항 없이 받아들였다. 무서운 그들이 소설 내용대로 클로에를 반드시 해코지하리라고, 본능이 끊임없이 주지시키고 있는데도 순순히 쾌감에 잠식당하게 내버려두었다. 마치 지금 겪고 있는 현실이 꿈인 것처럼. 마치…… 처음부터 클로에가 그들을.

—엥. 그대로 두고 가려고?

—차라리 마차에 두는 편이 안전해.

—깨면 도망갈 생각부터 할걸?

—위치 추적 장치가 있는 커프스단추를 달아놨어. 우선 일어나야 도망을 가든지 하겠지만. 혹, 달아나기라도 하면 다신 쓸데없는 생각 못 하게 만들고.

—내 형이지만, 정말…….

이틀이 꿈처럼 느껴졌다는 생각이 든 직후, 문득 잠결에 들었으리라 추정되는 대화가 떠올랐다. 클로에의 옷매무새를 정돈해주면서 나눈 대화였다. 지안니의 싸늘한 대응에 미타이가 혀를 내둘렀었다. 잠들어 있는 그녀의 **뺨**을 만지는, 누군지 모를 손가락의 감촉만이 느껴졌다.

클로에는 제가 입고 있는 옷을 살폈다. 지안니가 꼭 지니고 있으라고 당부했던 커프스단추의 용도가 위치 추적이었던가. 소매에 부착되어 있는 단추를 발견한 클로에는 홀린 듯이 떼어 냈다.

"아니야. 오르시니는 무서워."

숨어야 했다. 두 사람과 마주치면 안 된다. 그들은 덫을 놓고 함정을 파둔 뒤 아무것도 모르는 척, 아무것도 없는 척 살금살 금 구석으로 몰아, 딱 하나 있는 출구를 코앞에 두고 희망을 품고 기뻐하는 그녀를 낚아챌 것이다. 그녀를 손 위에 올려두 고 가지고 놀다, 호기심이 사라지고 흥미가 식으면 언제 어디 서 어떻게 절망의 낮을 휘두를지는 모르는 일이다. 여주인공을 사랑하는 남자주인공의 숙명에 따라 다른 사람도 아닌 파르세 에게 호감을 가질 리 없다.

"어디로든 일단 움직이고 보자."

헤매게 되었다는 현실과 막연한 불안에 잠시나마 당황했지 만 마음을 다잡았다. 이곳이 어디든 탈출이 우선이다. 꺼림칙 한 커프스단추를 강에 던져버린 후, 길을 따라 걷기 시작했다.

"나도 지안니처럼 딱! 하고 마법을 쓸 수 있으면 좋을 텐데."

마법을 쓸 줄만 안다면 걱정 없이 뿅 집으로 돌아갈 수 있을 지도 모르겠다는 상상을 하면서도 중간중간 어디선가 두 사람 이 나타나지 않을까 주위를 두리번거리며 경계를 늦추지 않고 움직였다. 깜빡 잠이 들어 쉬었다곤 하지만 체력이 따라가지 못했던 정사로 힘이 쭉쭉 빠진 상태였다. 그러나 긴장이 강제로라도 다리를 들게끔 했다. 그렇게 한참을 한 걸음 한 걸음 없는 기력을 짜내고 있을 때였다.

"엇."

멀리 클로에를 마주 보는 방향에서 오는 마차가 느린 속도로 가까워지고 있었다. 일순간 흐릿해질 뻔한 정신을 바짝 들게 하는 눈에 익은 마차였다. 실상 마차라고 해도 어지간해선 크게 눈에 띄게 다른 디자인은 없다고 여겼던 안목에도 익숙한 마차였다. 그만큼 낯설지 않으려면 여러 번 보았거나 한 번만 봐도 강렬하게 뇌리에 박혀야 했다는 의미인데, 눈을 가늘게 뜨고 자세히 보고 있으려니 아무래도 눈에 익은 이유가 후자처럼 느껴졌다. 클로에는 후다닥 뒤로 물러났다.

"저 문장은."

성인 줄 모르고 무작정 걸어서 도망가려고 했을 때 봤던 마차였다. 미타이와 다니엘레가 타고 있었던. 클로에는 다급하게 주변을 살폈다. 몸을 숨길 곳이 필요했다. 다니엘레라면 얼굴만 가려도 되겠지만 미타이라면 아예 몸을 숨겨야만 했다.

초조한 심정으로 주변을 살폈지만 하필 클로에가 걷던 곳은 가로등의 기둥도 가늘어서 벤치를 제외하곤 몸을 숨길 만한 지형물이 마땅히 없었다. 발을 동동 구르는 동안에도 마차는 착실하게 다가오고 있었다. 제발 미타이만은 아니길 바라며 가까이 있는 벤치 뒤로 몸을 숙였다.

억겁과도 같은 시간이 흐른 것 같았다. 점차 다가오는 마차의 다각거리는 소리가 멈추지 않고 클로에를 지나쳐 아주 천천히 다시 멀어지기까지, 그 과정이 영원과도 같이 느껴졌다. 조마조마하게 뛰는 가슴을 부여잡고 덜덜 떠는데 불을 밝힌 마차는 클로에를 보지 못한 듯, 관심이 없는 듯 무심히 지나갔다.

'제발, 제발…….'

상식적으로 클로에를 찾는 미타이가 탄 마차라면 반대편이 아닌, 클로에가 걸어온 방향인 뒤에서 왔어야 했을 테니 지금의 오르시니 마차엔 다니엘레가 타고 있거나 다른 공작가 일원이 타고 있을 확률이 높았다. 그래도 일말의 확률은 남아 있었다.

"가……네."

기도하듯 두 손을 모아 쥐고 눈을 감고 있다가 마차가 클로에를 지나치고도 멈추지 않고 계속 나아가자 벤치 뒤에서 마차를 확인하려 눈만 살짝 내밀었다. 화려한 마차는 끝까지 멈추지 않았다. 여전히 느긋한 속도로 움직였다. 뒤에 남겨진 클로에를 발견하지 못했다. 관심도 없는 듯이 앞만을 바라보며 가고 있었다.

펑! 펑, 펑!

"으, 깜짝이야."

어디선가 들리는 터지는 소리에 깜짝 놀라 벤치에 이마를 박은 클로에가 휙 고개를 틀었다. 소리가 어디서 났는지 소리의 정체가 무엇인지는 알 수 없었지만, 귀신을 확인하기 직전과 같은 심정으로 머뭇머뭇 시선을 들었다.

"너무해."

무심하게 가고 있던 오르시니의 마차가 우뚝 멈춰 서 있었다. 울고 싶은 기분으로 하늘을 원망하며 중얼거리는데 마차의 문이 스르륵 열렸다.

클로에의 움직임은 정지했다. 뒤도 돌아보지 말고 뛰라는 이성 하나와 마차에서 내리는 사람이 누군지는 확인하고 계속 몸을 숨기라는 이성 하나가 번갈아 외쳤다. 벤치 뒤에 몸을 숨기며 도망갈 만한 경로를 확인하는데 마차의 문에 가려져 있던 인영이 드러났다.

까만 구두코 위로 곧게 뻗은 긴 다리가 차례로 바닥에 내려섰다. 나이와 상관없이 신사라면 누구나 소지하는 지팡이를 짚고 있는 장갑 낀 손이 보였다. 확인한 회중시계를 품에 넣은 남자가 클로에와 마주 보는 방향으로 돌아섰다. 빈틈 하나 없는 정장 차림에 강박적으로 빗어 넘긴 머리 모양은 깔끔함을 부각시켰다. 변화가 없는 무표정 덕에 딱딱해 보이는 인상의 남자가 누군지는 쉽게 알 수 있었다.

다니엘레 오르시니.

지안니의 마차는 아니었으니 미타이 아니면 다니엘레였겠지만 역시나 예상대로 다니엘레였다. 공손한 자세로 마부가 건네는 모자를 받아서 쓴 다니엘레는 저벅저벅 클로에가 몸을 숨긴 방향으로 걸어왔다. 발견한 탓은 아니었고, 정체불명의 소리가 난 곳으로 향하기 위해서였다. 얼굴을 확인한 직후부터 클로에는 흐읍 숨을 들이쉰 채로 내쉬질 못하고 입을 막고만 있었다.

다니엘레는 혼자가 아니었다. 마부 외에도 마차 안에는 다른 사람이 한 명 더 타고 있었고, 그의 뒤를 이어 내린 사람과 대화를 나누면서 걸어오고 있었다. 멀어서 대화 내용은 들리지 않았지만 언뜻언뜻 들리는 어투로 보아 좋은 분위기는 아니었다.

"……가시면 안 됩니다, ……님."

"내가 가야……."

거리가 가까워오면서 한 단어씩 들리는 부분이 있었다. 남자는 다니엘레를 말리고 있었다. 마차를 세워서까지 가려는 곳이라면 아마도 문제의 펑 소리가 난 곳일 터다. 아니나 다를까 또다시 터지는 소리가 났다.

"둘째 도련님으로부터 미리 언질이 있었습니다. 놀이를 약간 소란스럽게 벌일지도 모른다고요."

"또 멋대로."

클로에와 두 사람과의 거리가 많이 가까워졌는지 대화가 또렷하게 쏙쏙 들어왔다. 밤하늘을 잠깐 밝히는, 지금까지보다 더 큰 폭발음이 울렸을 때에야 뒷말이 묻혔다. 혀를 차는 듯도 했으나 들리지 않았다. 무언가 터지고 폭발하는 종류의 무서운 소리인 줄 알았더니, 번개였나 싶어 올려다보았으나 하늘은 맑기만 했다.

'이 소리……'

소설 속 세계에도 불꽃놀이가 있었던가. 익히 알고 있던 불꽃놀이와 별다를 바 없는, 아니 더 다채롭고 다양한 무늬의 불꽃이 하늘을 수놓았다. 깜깜한 장막에 반짝이는 오색의 빛이 등장하다 점멸했다. 클로에는 숨소리라도 들릴세라 입을 틀어막은 채 최대한 웅크리고 있던 자신을 잊고 멍하니 하늘을 좇았다.

'소설에선 불꽃놀이를 하는 장면이 없었어. 대신.'

축제가 열릴 때에나 등장할 폭죽 대신 진짜 폭발사고가 등장한다. 계기는 여주인공이 감정했던 그림. 여주인공은 죄책감을 견디지 못해 남자주인공들에게 고백을 했고 그들은 그녀를 위해 그림을 회수하려 한다.

문제의 그림이 비밀 경매에 올라온 날 미타이와 지안니가 이끄는 단속반이 현장을 덮쳤다. 당시 경매장에는 문제의 그림뿐 아니라 불법적 경로로 취득한 다양한 장물이 모여 있었고, 기습을 당한 현장은 아수라장이 되었다.

'부상자가 나올 정도로 사태가 커졌었어.'

보호받아야 할 대상이다 보니 여주인공은 단속반을 따라가지 않았다. 그렇기에 정확히 어떻게 진행되었는지, 누가 얼마나 어쩌다 다쳤는지는 소설에 세세하게 언급되지 않았다. 그녀는 그저 3형제가 조언한 대로 얌전히 기다렸다. 기다리다 그림을 회수하고 돌아오는 두 남자주인공을 보며 환한 미소를 짓는다.

'아, 또 머리가…….'

서술과 함께 떠오르는 장면 뒤로 밤하늘에 흩뿌려지는 새들이 보였다. 진짜 새도 아니건만 경쾌하게 터지는 소리를 내며 사방으로 흩어지는 몽환적인 잔상은 슬그머니 여주인공의 웃는 얼굴 위로 덧씌워졌다. 점차 소설 속 장면이 지워졌다.

'다행히 어지럽기만 하네.'

클로에의 개입으로 현실은 소설과 달라질 수밖에 없다지만 달라져도 너무 달라졌다. 여주인공이 거짓말을 해야 하는 상황이 오지 않게 하는 것, 그래서 여주인공을 괴롭히는 배후로 지목당하지 않는 것. 목적은 두 가지였을 뿐인데 원작의 흐름에서 벗어나다 못해 없었던 사건까지 등장했다.

"듀이. 너무 많이 놀지는 말라고 해줘."

"네, 알겠습니다."

"그런데 그쪽엔 지안니만?"

"아뇨, 셋째 도련님도 함께 계십니다."

"그 녀석까지……."

소설 속 사건 현장에는 다니엘레도 가장 마지막에 등장하는데, 오늘은 소설에 나왔던 사건이 아니기 때문인지 두 동생이 있는 곳으로 이동할 생각은 없어 보였다. 다니엘레는 미타이까지 지안니에게 동조해 골치 아프다는 의미가 강한 헛웃음을 지었다. 그렇다 해도 다 큰 동생들을 잡으러 다닐 나이도 아니니 실소를 짓고 말 뿐이었다.

다니엘레와 듀이라는 보좌관의 대화를 엿듣던 클로에는 멈추고 있던 숨을 조심스럽게 터트렸다. 이대로 다니엘레가 퇴장하기만을 기다리면 된다.

"그리고……."

"아, 잠시만 실례하겠습니다. 웬 노숙자가 여기……."

무심하게 지시를 이어가려는 다니엘레의 말을 끊고 정중하게 실례를 구한 남자가 저벅저벅 발소리를 냈다. 커지는 발걸음 소리에 놀라기도 전에 가로등을 가리며 만들어낸 그림자가 드리워지는 바람에 화들짝 놀라 위를 올려다보았다. 정확히 클로에를 가리키던 듀이라는 남자도 클로에를 보고는 말을 삼켰다.

"노숙자라고 보기엔 깨끗합니다만, 수상하다는 의견은 그대로입니다."

노숙자라는 평은 정정했으되 수상하다는 첫 의견은 바꾸지 않고 보란 듯이 클로에의 팔을 잡고 강제로 일으켰다. 얼굴이 보일세라 입술을 깨물며 고개를 푹 숙였는데 강제로 위로 당겨진 팔이 빠질 것처럼 아팠다.

"상당히 긴장하고 있었습니다."

"아."

듀이가 클로에를 수상하게 여긴 이유를 설명했다. 다니엘레는 모호한 반응을 들려주었다. 그의 반응을 보고 싶었지만 얼굴을 보이면 들킬 것만 같아 고개를 들 수가 없었다. 역시, 혀를 차며 듀이가 클로에의 뒷머리를 우악스럽게 쥐었다. 다니엘레가 볼 수 있도록 고개를 들게 하기 위해서였다.

"그만, 듀이."

이를 악물고 남자의 힘을 버티려는데 제지하는 음성이 있었다. 끌어당기는 힘은 즉시 사라졌지만 클로에도 완전히 풀려나지는 못했다.

"하지만, 주인님."

"놔라."

감히 주인을 책망하는 어투에도 다니엘레는 재차 명령할 따름이었다. 수상해 보이는 클로에 때문에 찝찝한 기분이 영 가시지 않은 듀이가 여러 번 주춤거리다가, 물러나라는 단호한 명에 하는 수 없이 클로에를 잡고 있던 손을 툭 던지듯 놓았다.

누가 볼세라 다급하게 고개를 숙인 클로에의 머리 위로 누구의 입술에서 나왔는지 모를 한숨이 내려앉았다. 듀이인가, 다니엘레인가. 클로에는 그저 눈을 꽉 감고 기적이 멀어지기만을 기다렸다.

'헉.'

한참 만에 동태를 살피려 실눈을 떴는데 하얀 장갑을 낀 손이 바로 코앞에 있었다. 소스라치게 놀라 날카로운 비명을 지를 뻔했지만 간신히 도로 삼킬 수 있었다. 콩닥콩닥 세차게 뛰는 심장 부근을 누르지도 못하고 바짝 얼어 있노라니 하얀 장갑이 움직였다.

"주인님?"

듀이가 당황했다. 클로에도 당황했다. 다니엘레가 지팡이를 옆에 놓고 무릎을 바닥에 대고 앉아 클로에를 일으켜 벤치에 앉혔다. 정체를 들키지 않으려고 했던 노력이 헛수고가 되었다. 깜빡 깜빡. 사태를 파악하느라 여러 차례 깜빡이기만 하던 갈색 눈이 정면의 다니엘레를 목격하자 갈 곳을 잃고 정처 없이 흔들렸다.

"내가 아는 이다."

듣자 하니 다니엘레는 클로에가 누군지 알고 있었다. 정확히는 오르시니의 성에서 만났던 여자임을 기억하고 있었다. 미타이까지 셋이 있는 자리에서 처음 만났을 때 그는 분명 클로에를 거들떠보지도 않았었다. 관심도 두지 않더니 얼굴은 한 번 보고 기억한 모양이었다. 아는 사람이니 걱정할 필요 없다는 말까지 듣고 나서야 듀이는 경계심을 누그러뜨렸다.

"이런 꼴로 여기서 무얼 하고 있었지?"

클로에를 내려다보며 인상을 쓰는 다니엘레가 어색하게 느껴졌다. 소설에 묘사된 다니엘레와 상이해서일까. 여주인공과 함께 있는 다니엘레 오르시니는 무뚝뚝한 일면에 다정함을 감춘 남자였다. 이지적이고 어른스러워 두 동생과는 다르게 화를 내는 일도 없었다. 무엇보다도 사랑하는 여자에게 한없이 부드러워지는 남자였더랬다.

"저, 절 아세요?"

클로에는 시치미를 뗐다. 다니엘레가 명확하게 그녀를 인지했음에도 불구하고 잡아뗐다. 그만큼 지금의 다니엘레는 소설처럼 부드러운 성품을 지닌 남자처럼은 도무지 보이지 않았다.

물론 그녀가 여주인공이 아니니만큼 다니엘레가 숨겨둔 이면의 모습을 보여야 할 이유가 없다. 알고 있으면서도 다니엘레가 두렵게만 느껴졌다. 기분이 나빠진 것 같다는 생각을 하니 덜컥 겁이 났다.

"아무, 래도 사람을, 잘못 보신, 것 같습니다."

이를 딱딱 부딪치면서도 용케 딸꾹질을 하지 않고 끝까지 말을 마쳤다. 잠자코 듣고만 있던 다니엘레의 주변을 둘러싸고 있는 기온이 내려가고 있었다. 그에 대해서 잘 몰라도 확연히 알 수 있을 정도였다.

"그런가."

얼마나 떨고 있었을까. 찰나였을 텐데도 클로에에게는 길었다. 침묵 후에 다니엘레는 의외의 반응을 보였다. 그런가 보다며 조용히 수긍했다. 오히려 당황한 사람은 그녀와 듀이였다. 두려웠던 순간도 잠시였다. 다니엘레는 그의 태도에 얼떨떨해하는 클로에를 가만히 둔 채 일어났다.

당혹스러움에 흔들리는 갈색 눈이 자신도 모르게 뒷모습을 좇을 때였다. 그녀를 남겨두고 마차로 돌아가던 다니엘레가 뒤를 돌아보았다. 입술이 작게 움직였다. 클로에를 향해 무어라 말을 하고 있었다.

「다음은 없다.」

청력이 평범한 클로에로선 당연히 듣지 못했을 거렸는데도 다니엘레가 한 말을, 환청으로 들은 것만 같았다. 성에서 그가 그녀를 보고 있었다는 착각을 했을 때처럼.

8

조마조마하긴 했지만 결과적으로는 잘 풀렸다. 다니엘레는 클로에를 알아보고도 조용히 넘어가주었다. 뻔히 보이는 연기에도 속는 척해주었다. 여주인공으로부터 클로에에게 괴롭힘을 당했다는 하소연을 듣긴 했을 텐데도 보복을 하지 않고 보내주었다.

클로에는 안도의 한숨을 내쉬며 가슴을 쓸어내린 후, 다니엘레의 마차와 조우하기 직전까지 하던 일을 다시 시작했다. 즉, 강변을 따라 헤매며 걷기 시작한 것이다.

다니엘레와 대화를 나누는 사이 불꽃놀이는 끝나 있었고, 삼삼오오 지나가는 사람들은 갑작스레 열린 불꽃놀이에 대해 떠드는 중이었다.

"역시 오르시니군 그래."

"소리 때문에 놀라긴 했지만 그 화려한 불꽃이라니!"

불꽃놀이를 시작한 장소에서 구경하다가 돌아오는 길인지, 한 무리의 사람들이 듣는 귀가 있건 없건 개의치 않고 저들이 본 바를 떠들며 오고 있었다. 본의 아니게 엿듣게 된 클로에는 슬그머니 걸음의 방향을 바꾸었다. 이대로 가던 방향으로 가면 그들이 있다는 장소로 제 발로 가는 셈이 된다.

"근데 갑자기 웬 불꽃?"

"글쎄? 원래는 갤러리에 누군가 침입했다지 아마?"

"오르시니가 운영하는 미술관에?"

"도둑질을 하려다 딱 걸리면 경고음 대신 폭죽이 터지게 해놓았나 보더구만."

야밤에 예고 없이 일어난 소동치고는 퍽 평안한 반응이었다. 소란을 축제처럼 불꽃놀이로 치환한 덕인지, 오르시니라는 이름이 주는 위력인지 오늘 밤의 안줏거리 정도로밖에 여겨지지 않는 모양이었다. 떠들던 중 한 사람이 고개를 절레절레 저었다.

"그나저나 마법사가 낀 싸움이라 위험할 뻔했어."

"그러게. 국가에서 면허를 관리하는 타입의 공격 마법사만 둘이라니."

"셋째가 아니었다면 죽는 사람이 나왔을지도."

"마법을 맨몸으로 맞아도 끄떡없는 사자라더니 진짜일 줄이야."

"오죽하면 맨손으로 형체 없는 마법을 쥐고 잡아 뜯을 수 있는 괴력의 소유자라는 소문도 퍼져 있겠어, 하하!"

수다의 화제는 마법사와 미타이의 괴력으로 옮겨갔다. 제대로 보지도 못한 데다 전말을 알 수도 없는 현장에 대한 관심은 금방 식기 마련이었다. 마치 친구처럼, 지인인 것처럼, 친분이 있는 듯 미타이에 대한 세간의 소문을 늘어놓던 사람들은 자연스럽게 또 화제를 바꾸었다.

"신기하기로 따지면 둘째도 만만찮았지. 주문도 외우지 않고 마법을 쓰잖아."

"그 황궁 수석마법사? 모노클? 외눈 안경을 쓰고 황실마법사 로브를 입고 다니는 호리호리한 남자 맞는가? 확실히 신기하긴 했지. 무슨 마법을 그렇게 밥 먹듯이 쉽게 쓰나. 오늘 터트린 불꽃 중 절반은 둘째의 마법이었으니."

"에이, 밥 먹는 건 은근 힘들어. 숨 쉬듯이가 더 쉽겠네. 하여간, 공격 마법사는 소리를 내서 긴 주문을 외워야만 한다지만 공격 마법이 아니면 상대적으로 간단하다고 하더군."

"허, 마법을 어찌 쓰는지도 아나?"

"손자가 마법을 배우겠다고 하고 있어서 어깨너머로 좀 봤지."

미타이 이야기가 나온다면 같은 장소에 있던 지안니 얘기가 빠질 수 없는 법. 수다의 대상이 지안니에게 옮겨가더니 마법사에 대한 주제로 널을 뛰었다. 마법사라는 존재에 대해 어느 정도는 알고 있지만 마법을 쓰지 못하는 평범한 일반인인 이들은 자신들이 아는 정보를 이것저것 풀었다. 이야기보따리를 훔쳐듣는 클로에의 귀에도 고스란히 들려왔다.

중년의 남자가 말하는 마법 쓰는 방법은 간단했다. 마법을 빠르고 쉽게 쓸 수 있도록 미리 자기 마력을 뽑아다 농축해놓은 돌을 한시도 떼놓지 않고 몸에 지니고 다니면서 마법을 쓸 몸과 마력석이 서로 익숙해지게끔 만든다. 마력석을 지닌 채로 마법사가 지정한 특정 동작을 행하면 몸의 움직임을 계기로 마력석이 반응하여 활성화되고 증폭시켜주는 역할을 하는데, 그때 주문을 외우면 된다며 남자는 아들에게 배웠다는 주문 몇

개를 중얼중얼 늘어놓았다.

마력석은 휴대하기 편하도록 다양한 형태로 가공해 몸에 지니고 다니는데 어떤 형태인지, 어디에 숨기고 다니는지는 본인만 안다고 했다. 남자의 말대로라면 클로에 역시 그 무엇만 찾을 수 있으면 마법을 쓸 수 있다는 이야기여서, 클로에는 처음 이 세계에서 깨어난 날부터 가면무도회에 가기 전까지 보냈던 시간을 순차적으로 떠올리며 그동안 놓치고 지나간 것이 있었나 짚어보기 시작했다.

클로에로서 일어났던 날, 어디 아픈 곳 없이 푹 자다 깬 것처럼 개운하기만 했으나 가족들은 믿지 못했다. 과거의 클로에가 마법 연구 중에 의식을 잃었기 때문에 유모라고 밝힌 중년 여인은 깨어난 이후 마법의 마도 꺼내지 못하게 했다.

대부분의 고용인을 해고한 파르세 저택에는 일하는 사람이 얼마 없었다. 유모는 평생을 파르세 가문에서 지내왔고 제 손으로 클로에 남매를 키웠기에 떠나지 않고 남아 있는 이였다. 고용인이라 해도 남매를 키운 사람이라는 설명을 듣고 반색하여 이것저것 물어보았었는데, 되레 유모는 눈시울을 붉히며 이제 마법사일랑 그만두고 연애나 하라며 닦달을 할 따름이었더랬다. 그러니 아무리 기억을 되짚어봐도 건질 만한 것이 없긴 했지만…….

"아!"

어느 날 하루는 혼자 입을 수 없는 드레스를 입게끔 도와주던 유모가 의아한 얼굴로 고개를 갸웃거렸던 적이 있었다. 상처라도 났나 싶어 무슨 일이 있느냐고 묻는데 조그만 목소리로 「마력석이……」라고 중얼거리던 유모는 애매하게 얼버무리고 말았었다.

'그때 반응으로 미루어 보아 어디 있는지는 몰라도 내게 마력석은 있는 것 같은데……'

마력석이 있다고 친다면, 그다음 문제는 지정했을 특정 동작이 무엇인가다. 여주인공은 마법에 관심이 없었기 때문에 소설에서는 마법을 어떻게 사용하는지에 대한 설명이 나온 적이 없었다. 때문에 재밌는 꼴이 되었다. 원작도 읽었고 마법사였다는 몸뚱이를 가지고도 정작 생판 타인인 행인들이 떠드는 대화를 엿들어야 할 정도로.

"그 뭐시냐. 동작 머시기는 꼭 해야만 한다던가? 폼으로 하는 것 아닌가?"

"초보일수록 동작을 다양하게 만들고 여러 번 시도해야 한다니까 폼은 아니지. 고놈이 지안니 오르시니처럼 된답시고 자는 날 깨워서 자꾸 보여주는데 폼은커녕 웃겨서 귀엽기만 하거든!"

"하하."

변화무쌍하게 바뀌는 대화 주제는 이제는 손자 자랑으로 넘어갔다. 중년 남자는 제 발에 제가 걸려 넘어지는 놈이 무슨 마법사가 되겠느냐며 짓궂게 말했지만 자랑하고 싶어 근질근질했고 동행하던 이들이 하나둘 받아주기 시작하자 신이 나서 사진을 꺼냈다. 마법에 대한 이야기가 더 이상 나오지 않자 뒤따라가던 걸음을 멈추었다.

예상치 못한 수확에 살짝 마음이 들떴다. 아직 상황이 달라지지도 않았고 집으로 어떻게 돌아가야 할지도 모르지만, 이상하게도 희망의 빛이 비추기 시작한 기분이었다. 들뜬 마음은 당장 금방이라도 돌아갈 수 있지 않겠느냐고 속삭였다.

낮에는 따뜻해도 밤이 되니 제법 쌀쌀한 기온에 옷깃을 세우고는 어깨를 들어 목을 쑥 집어넣고 움츠렸다. 어깨나 등이 드러나는 드레스를 입고 나왔었다면 밤이 깊어질수록 체온이 식어 버티기 힘들어졌을 텐데, 이런 의도로 입히지는 않았겠지만 남자 옷이라 어찌 보면 다행이었다. 클로에는 다니엘레의 마차가 향하던 방향과는 반대 방향으로 계속해서 걸었다.

"어둠을 밝히는 빛, 어둠을 밝히는 빛, 어둠을……."

이렇게 저렇게 다양한 동작을 취해가며 아까 엿들었던 주문을 외우느라 앞을 제대로 보지 않고 걷던 클로에는 어느덧 거리의 인적이 드물어졌다는 사실을 다소 늦게 눈치챘다. 조용한 밤을 도란도란 수놓던 사람들의 수가 줄어들더니 여전히 강가를 따라 걷고 있었음에도 어느새가 사람은 한 명도 보이지 않았다. 문득 엄습한 불안에 주위를 휘휘 둘러보았지만 단 한 사람도 없었다. 곧게 일직선으로 뻗은 줄 알았던 길은 완만하게 휘어 있었는지 하필 사람이 잘 다니지 않는 길로 잘못 들어선 모양이었다.

"어……."

드문드문 서 있는 가로등이 비추고 있는 산책로는 깜깜하진 않았다. 그러나 인기척이 없는 길은 두려워질 수밖에 없어 다급하게 되돌아가려고 했을 때였다.

"이거 놔!"

가려고 했던 방향에서 어떤 여자의 외침이 들렸다. 사람이 아예 없지는 않다는 의미였는데, 싸우는 듯한 분위기는 좋은 신호가 아니었다. 반갑지 않다.

"여럿이서 두 사람을 못 당한다는 게 말이 돼!"

"너야말로 우리더러 잡아두기만 하면 된다 자신만만해할 때는 언제고!"

"너무 빨리 정리됐잖아!"

들리는 목소리로만 따지면 여자 한 명과 남자 한 명. 여자는 날카롭게 날이 선 목소리로 신경질을 내고 있었고 대꾸하는 남자도 만만치 않게 짜증으로 가득했다. 아무도 없는 곳에서 조용한 밤에 싸우고 있어서인지 클로에가 서 있는 곳까지 꽤나 선명하게 목소리가 들려왔다. 그렇지 않아도 인적이 없어 꺼림

칙한데 싸우는 커플이라니. 상황이 정말 좋지 않았다.

"도와주면 한몫 단단히 떼어준다며? 그런데 지금 꼴이 이게 뭐지? 난 겨우 빠져나왔고 라스는 다쳤어! 그리고 넌 언제나처럼 엉덩이를 흔들며 혼자만 빠져나가겠지!"

"천박한 소리 하지 마. 감히 누구더러……!"

"지금 누가 누구에게 「감히」라는 거지? 전 약혼자를 그렇게 차버리고 좀 괜찮은 남자를 잡았다고 너까지 대단해졌다고 착각하는 모양인데."

"그 입 닥쳐. 방자하게 굴다 나중에 후회하지 말고."

"……."

"바꿔치기는 실패했으니, 다음엔 성공시켜. 반드시 그날이 되기 전까지는 끝내야 해."

"그냥 그 계집애를 없애지 그래."

"아니, 나중에. 난 그년의 무심한 면상이 절망으로 일그러지는 걸 꼭 봐야겠……."

돌아가는 길에 무심코 낸 부스럭 소리에 다툼이 뚝 멈췄다. 언쟁이 클로에게도 또렷하게 들리는 만큼 그녀가 무언가를 밟는 바람에 바스러지는 소리도 그들에게 들린 듯했다. 단연코 몰래 엿들을 의도가 아니었지만, 듣는 귀가 있었다는 사실을 안 두 사람의 말다툼이 멈췄다.

곧바로 누군가 클로에 쪽으로 뛰어오는 소리가 났다. 분명 쫓아오는 것일 텐데 함께 뛰어서 도망가야 하나, 아니면 태연한 척 걸어야 하나. 아주 잠깐 고민하던 클로에는 쫓아오는 사람이 누군지 확인한 순간 본능적으로 달리기 시작했다.

"거기 누구야!"

밤이고 거리가 있었지만 윤곽만으로도 남자의 이름이 바로 떠올랐다. 게르였다. 왜 게르가, 하고 의문을 표할 여유는 없었다. 다시는 만날 일 없으리라 생각했던 사람이 무서운 얼굴로 쫓아오고 있었다. 게다가 뒤가 구린 일을 하고 있었다는 뉘앙스를 풍기는 언쟁까지.

열심히 도망쳤지만 숨이 넘어가도록 뛴 지 얼마나 되었다고 또다시 시작된 도주에 달리는 속도는 금세 느려졌다. 운동으로 단련되지 않은 하체는 금방 후들거리기 시작했고 겨우 안정되었던 호흡은 가빠졌다. 헐떡거리며 조금이라도 앞으로 나아가려고 애를 썼지만 이내 머리채가 잡히면서 중심을 잃고 나동그라졌다. 오늘 여러 모로 수난을 당하는 머리칼이었다.

"너 누구야?"

게르는 넘어진 클로에의 어깨를 발로 찼다. 몸을 뒤집어 바닥에 눕게 한 채로 구둣발로 가슴을 짓밟았다. 가해진 무게에 쿨럭, 기침이 터졌지만 클로에는 두 팔을 들어 교차시켜 얼굴을 가렸다.

"어디서부터 듣고 있었어!"

물어도 대답을 하지 않고 얼굴을 가리려고만 하자 화가 났는지 가슴을 누르고 있던 발을 들어 손목을 툭 툭 찼다. 클로에가 끝내 얼굴을 가리고 버티니 잠깐의 화를 이기지 못해 세차게 발을 휘둘렀고 뻥, 차인 두 손목이 날아가며 바닥에 세게 부딪혔다. 손등과 손목과 팔 전체가 다 욱신거렸지만 클로에는 옆으로 몸을 누이며 다시 얼굴을 가렸다.

"잠깐, 너⋯⋯."

얼굴을 제대로 보진 못했을 텐데도 게르가 멈칫했다. 옷만 보고 남자인 줄 알았다가 진짜 성별을 깨달아서일까, 아니면 그녀가 누구인지를 알아챈 걸까. 잔기침을 토해내는 클로에의 주위에 퉤 침을 뱉으며 옆구리를 툭 툭 발로 찼다.

"누군지 알 것 같은데. 야. 팔 치워. 치워보라고. 뻔히 서로 아는 사이에 모르는 척 시늉은 무슨. 안 치워? 안 치우면 몇 대 맞고 시작한, 악!"

가감 없이 막말을 쏟아붓는다고 새삼 충격받을 겨를도 없었다. 클로에는 꽤 힘이 담긴 발길질을 버텨내며 게르의 발목을 잡았다. 바르작거리면서도 발목을 잡자 게르가 비웃었다. 클로에는 후들거리느라 마음대로 움직이지 않는 팔로도 용케 버티며 주문을 외웠다. 기댈 것은 가능할지 아닐지조차 모르는 마법주문뿐.

"아아악! 내 눈!"

하늘이 유일하게 내려준 동아줄이었을까. 저항할 수단이 없어 기대하지 않고 시도했는데 의외로 마법이 터져버렸다. 알고 있는 몇 안 되는 주문 중 하나인 빛을 만들어내는 마법이 발현되어 눈부신 빛의 구가 툭 터져 나와 게르의 시야에 직격했다.

정통으로 빛을 쓴 게르가 클로에를 밟고 있던 발을 떼어내고 눈을 감쌌다. 비명을 지르다 뒤로 넘어져 엉덩방아를 찧는 광경이 슬로모션처럼 보였다. 또옥, 파사삭. 귓가에 작디작은 돌이 떨어져 나와 가루로 부서지는 소리가 들렸다. 무의식중에 떠올리는 돌만큼 작은 크기라면 그리 선명할 리가 없는데도.

공중에 흩어지는 마지막 가루는 신호였다. 현실로 돌아온 클로에는 게르가 떨어져나가자마자 지체 없이 일어나 다시 앞으로 달려 나갔다. 기대에 미치지 못한 몸은 무척 둔했지만 그럼에도 열심히 한 발이라도 움직였다. 데굴데굴 구르는 게르를 힐끗 돌아보았다. 문득 시선을 위로 올리니 멀찍이 떨어진 위치에서 푸른 눈만 내놓고 얼굴을 가린 여자가 클로에 쪽을 바라보다 곧 사라졌다.

"이익! 거기 서지 못해!"

여자가 누군지 확인하기도 전에, 게르가 시력을 되찾았는지 벌떡 일어섰고 클로에는 앞을 보며 뛰었다. 클로에가 몇 번 더 빛을 만들어내려 했지만 이번에는 마법이 발동되지 않았다. 호흡만 흐트러지고 금방이라도 넘어질 듯 휘청했다. 바로 따라

잡은 게르가 욕을 하며 팔을 뻗었고 끝이라 생각한 클로에는 젖은 눈을 깜빡였다.

"……아."

게르에게 쫓기고 있는 클로에 앞쪽에 두 남자가, 아까 보았던 오르시니의 마차를 배경으로 두고 걸어오고 있었다. 어느새 클로에를 쫓던 발소리는 멈추었다. 클로에 역시 앞으로 가지도, 다시 뒤로 돌지도 못하고 뜀박질을 멈추고 가쁜 숨을 내쉬며 섰다.

"다시 묻겠다. 이런 꼴로 여기서 무얼 하고 있었지?"

자신과 상관없는 제삼자의 말을 옮겨 읊는 듯 차분한 어투였으나, 아까 전에 한 질문을 토씨 하나 틀리지 않고 꺼냈다. 저벅저벅 다가오는 다니엘레의 표정은 딱딱했다. 평소와 다름없이 덤덤한 분위기는 분명 아니었다. 클로에를 똑바로 응시하는 금안이 알려주고 있었다.

"이제는 모르는 사이가 아닐 테지. 만나고 헤어진 지 얼마 되지도 않은 시점이니."

이번에는 모르는 척을 해봤자 통하지 않을 것이라며, 받아주지도 않으리라고.

∞

　뒤쫓고 있던 게르는 클로에의 어깨를 잡고 씨근덕거리며 거칠게 당기려 했다. 다니엘레를 보고도 분에 못 이겨 화풀이를 하고자 그녀를 잡은 모양이었으나 그 행동이 좋지 않은 결과를 초래하고야 말았다.

　화가 난 남자의 힘을 이기지 못해 다리에 힘이 풀리고 중심을 잃으며 휘청거린 순간 풀린 머리가 휘날렸다. 바람이라도 분 듯 떠올랐다 사르르 긴 머리카락이 내려앉았을 땐 게르가 비명을 지르며 나가떨어졌고 클로에의 몸은 앞으로 기울어져 있었다.

　무슨 일이 일어났는지 파악하느라 느리게 눈을 깜빡이는데 클로에를 받치고 있던 사람이 저벅 발소리를 내며 다가온 다른 이에게 그녀를 넘겼다. 어어, 하는 사이 시원한 향이 코를 파고들었다.

　클로에를 받아서 번쩍 안아 든 사람은 다니엘레였다. 다른 사람도 아닌 다니엘레가 직접 그녀를 안고 있다는 사실에 얼어버린 채 말을 잇지 못하고 있자, 그녀를 얼게 만든 장본인이 혀를 찼다.

"듀이. 데려가서 잘 가르치고 보내."

못마땅해하는 기색이 완연했지만 다니엘레는 더 이상 클로에에게 눈길을 주지 않고 있었다. 담담하게 게르의 처우에 대하여 가벼운 명을 내렸을 뿐이었다.

간단한 명이었지만 고래고래 고함을 지르고 있는 게르의 입을 단숨에 다물게 만들기엔 충분했다. 아마도 다니엘레가 듀이를 통해 주려는 가르침은 클로에의 짐작만큼 가벼운 것이 아님이 분명했다. 듀이가 만들어내는 그림자에 게르가 견디지 못하고 도망을 가려 했다.

"저쪽은 볼 필요 없다."

다니엘레는 클로에가 듀이와 게르 쪽을 보지 못하도록 안고 있던 자세를 고쳤다. 보지 않아도 된다고는 하지만 실제로는 보지 말라는 명령에 가까웠다. 그의 어깨 너머에서 우드득, 불길하게 꺾이는 소리가 들렸지만 마차에 도착할 때까지도 결국 무슨 일이 일어났는지는 보지 못했다.

"저……."

듀이가 돌아온 후 마차는 클로에라는 손님을 늘리고 출발했다. 침묵이 지배하는 공간을 점유하고 있는 사람은 그녀를 포함하여 셋. 담소를 주고받을 관계는 아니지만 해야 할 말이 있었다. 마침 다니엘레와 눈이 마주친 지금이 기회였다.

"전 슬슬 내려주시면……."

"내려?"

기껏 어렵사리 포문을 텄더니 매정하게도 가차 없었다. 차분하게 잘라내는 그를 보니 저절로 어깨가 움츠러들었다.

"그 태도, 정말 짜증 나는군."

"……."

깊은 한숨에 바로 이어지는 신랄한 비난은 클로에를 더 움츠러들게 하기에 충분했다. 이미 머리카락 한 올도 앞으로 나오지 않게 완벽하게 정돈된 이마건만 다니엘레는 거슬리는 머리카락이라도 있는 듯 이마를 문질렀다. 눈가에 미미한 짜증이 어려 있었다.

"듀이."

"네, 주인님."

"내 동생들은?"

"저택으로 돌아가시라 전해두었습니다."

화를 가라앉히기 위해서인지 다니엘레는 클로에의 맞은편에 앉아 있는 듀이를 불렀고, 주인을 닮은 보좌관은 주인과 마찬가지로 차분하게 질문에 대답했다.

"……저."

짧은 문답이 끝나자 무거운 침묵이 재차 찾아와버렸다. 으레 있는 일인 듯 듀이는 제 주인이 입가를 딱딱하게 굳히고 무표정하게 있어도 눈치를 보는 기색을 보여주지 않았다. 오직 클로에만 조마조마한 심정으로 머뭇머뭇 다니엘레를 부르려 했다.

"조금 전엔 구해주셔서 감사했습니다."

물어보고 싶은 부분은 많다. 어디로 가느냐, 왜 데리고 가느냐, 어떻게 곤경에 처했음을 알았느냐. 그런데 온기 없는 돌 같은 금안을 응시하고 있었더니 자신도 모르게 생각지도 않았던 감사의 인사가 튀어나왔다. 다니엘레도 놀란 눈치였는지 얼어붙어 있던 눈동자가 조금은 녹은 듯 보였다.

"듀이. 나가 있어라."

"네, 주인님."

클로에로부터 시선을 떼지 않은 채 나가라는 명을 내리는 다니엘레에게 듀이는 일체의 의문을 표하지 않았다. 종을 울려 마차를 세운 후 약간의 주저함도 없이 훌쩍 내려섰다. 모두가 당연하다는 듯이 행동하는 가운데 혼자 당황한 이는 클로에였다.

"그, 그럼 저도."

당황했어도 일단은 듀이가 나가는 틈을 타서 은근슬쩍 따라내릴 기세로 엉거주춤 일어섰다. 다니엘레는 스윽 아래로 시선을 내렸다. 반쯤 일어선 클로에를 발견하고는 핏 실소를 터트렸다. 비록 싸늘했지만 그래도 나름 미소라고 이름 붙일 수 있는 종류의 표정인지라 희망을 가지고 슬쩍 옆으로 움직였다.

"이만……."

"내가 어떻게 알고 왔을까."

다니엘레는 몇 마디만으로도 클로에를 멈추게 만들었다. 소리를 내어 물어본 적 없건만 그녀가 내밀고 싶었던 궁금증이 무엇인지 아주 잘 알고 있었다. 멈춰 선 클로에가 고개를 돌렸을 때, 밖에서 마차 문을 탁 닫아버렸다. 쐐기를 박은 셈이었다.

"그……."

"모르는 척을 하기에 돌려보내줄까도 했었다."

차디찬 시선이 머리부터 발까지 차분하게 훑었다. 직접적으로 손을 대고 있지 않았음에도 사로잡힌 기분이 들었다. 클로에가 긴장하고 있다는 사실을 눈치챈 다니엘레의 얼굴에서 표정이 사라졌다.

"한데 지안니가 그러더군. 누군가 단추의 기능을 알아차리고 떼어냈다고. 덕분에 강에 뛰어들었다가 나온 상태에서 바로 밤손님을 맞았다고 하던데."

"……."

설마. 강에 던져버린 커프스단추에 속아 뛰어들었단 소리는 아니겠지. 설마 지안니가.

덜커덕 심장이 떨어진 줄 알았다고 착각한 이유는 마차가 흔들린 탓이리라. 움직이는지도 모를 정도로 탑승감이 뛰어난 마차지만 분명 흔들렸다. 충격적인 소식에 깍지 낀 두 손이 새하얘지도록 꽉 쥐고는 입술을 깨물었다.

단추 때문에 화가 난 지안니와 미타이가 그녀의 도주극에 대해 어떻게 나올지가 두려워서이지, 절대 걱정되기 때문은 아니다. 자기최면을 걸기에 바빴던 클로에는 다니엘레가 그녀의 표정 변화를 하나하나 놓치지 않고 있다는 것도, 그를 감싸고 있던 온도가 강하하고 있다는 것도 몰랐다.

"지안니에게 먼저 마음을 열었나."

강한 힘에 손목이 낚아채이고 그의 품 안으로 끌어당겨졌다. 소스라치게 놀라 팔이 다니엘레의 손아귀 안에서 푸르르 떨렸다. 허공을 찌르고 있는 손가락이 흠칫흠칫 까닥였다.

다니엘레는 왜 화가 났지. 지금 마차 안에 같이 있는 사람이 지안니라면 조금은 이해가 되지만 다니엘레는 아니었다. 겁에 질린 말간 눈과 마주하고 있는 시간이 길어질수록 금색은 온도를 잃어갔다.

"미안하지만."

얼굴색이 변하지도 않고 목소리 또한 떨리지도 않았다. 떨고 있던 와중에 순간 환청을 들었나 생각해버렸을 정도로 지금 이 상황과, 그리고 그와 어울리지 않는 말이었다. 또한 뜻 모를 사과를 하는 그는 표정 변화도 없었다.

"그대의 마음이 그렇다 해도. 난 이제 보내줄 생각이 없어."

또 알쏭달쏭한 중얼거림. 심지어 이번에도 환청을 들었다.

다가오는 다니엘레를 멍하니 올려다보는 클로에의 귀에 희미한 잡음이 웅웅 울렸다.

〔달아나. 그는 너를 혐오해. 너는 그를 끔찍해해.〕

"싫……."

〔오르시니는 이즈리에를 위해 존재해.〕

"……어."

또다. 또 시작했다. 또였다. 찌르는 통증이 시작되고 진짜 환청도 들렸다. 그녀가 다니엘레는 물론 3형제를 싫어한다고, 3형제 또한 여주인공을 괴롭힌 클로에를 싫어한다고 속삭이고 있었다.

"하지…… 마."

알고 있다. 남자주인공은 여주인공을 위해 존재하는 법이고, 여주인공만을 사랑하는 법이다. 알고는 있는데 3형제가 싫지 않았다. 귓가의 속삭임대로 그들이 클로에를 정말 싫어한다 할지라도. 이유는 모른다.

〔인정하면 편해질 텐데.〕

뇌를 지배하고 마음을 부정하려 하는 속삭임에 수긍지도 못하고, 아니라고 외치지도 못하는 클로에의 얼굴이 고통으로 일그러졌다. 본능적으로 자신의 귓가에 대고 속삭이지 말라고 밀어내고 떨쳐내려 발버둥 쳤다.

"클로에."

싫다는 말을 들은 직후 무섭도록 무기질적인 얼굴로 변한 다니엘레의 음성이 지독하게 낮게 가라앉았다. 클로에는 이름이 불려 무심코 고개를 들었다가 흡, 숨을 들이켰다. 방금 전까지 그녀를 괴롭게 한 두통과 이상한 환청을 순간 잊게 할 정도로 그는 단단히 화가 나 있었다.

느릿한 손길에 조끼가 벗겨지고 셔츠도 벗겨졌다. 느릿느릿 움직이는 손의 힘은 의외로 세서 쉬이 밀려나지 않았다. 결국 드러난 속옷 차림에 당황한 것도 잠시, 두 팔은 뒤로 돌려진 채 다니엘레의 넥타이에 둘둘 매였다. 두 팔이 봉쇄당했다.

"지안니로군."

가려진 부분이라곤 가슴을 조이는 코르셋과 속옷 대신 채워진 정조대뿐. 금색 정조대에 닿은 시선을 느끼고 무릎을 모아 붙였으나 다니엘레는 바로 누가 그랬는지 알아차렸다.

무감한 눈동자가 꼼꼼하게 클로에의 전신을 훑었다. 스르륵 다가온 그의 손이 풀어 헤쳐진 상태나 다름없는 클로에의 머리카락을 뒤로 넘겨주었다. 조금이나마 가려져 있던 어깨도 드러났다. 손을 대지 않고 있는데도 단단히 얽매이고, 마지막 속옷은 벗겨지지 않는데도 발가벗은 기분이었다. 뒤로 묶인 팔은 제법 세게 고정되어 빼내기도 힘겨웠다.

"취향이 이런 쪽이라면, 내가 맞춰보도록 하지."

"네? 아? 아니……!"

취향이 갑자기 왜 나오는지, 이런 취향이 무엇을 가리키는지는 몰라도 그녀에게 좋지 않은 상황으로 번지게 할 말이라는 것만은 확실했다. 맞출 필요 없다, 일단 아니라고 외치려던 입이 막혔다.

다니엘레가 미소 비슷한 것을 지었다. 머리카락을 넘겨주던 손이 클로에의 뺨을 감쌌다. 열이 오른 뺨은 한 손에 쏙 들어갔다. 약지가 주욱 귓불을 밀어올리고 새끼손가락이 볼록 튀어나온 돌기뼈를 눌렀다. 엄지가 눈 밑의 피부를 밀면서 한 움큼의 살이 손 안에 잡혔다. 은근한 손길이었지만 일순 클로에의 눈썹은 파르르 떨렸다.

잡혀 있는 볼의 반대쪽 귀도 반쯤 앞으로 접혔다. 꼼꼼하게 귀 뒤를 눌러본 후 귀구슬을 앞으로 당겨 귀조가비도 꾹꾹 눌렀다. 안으로 말려 있는 귀둘레도 임시로 펴 속을 하나하나 손끝으로 확인했다. 아찔한 감각에 클로에는 시선을 내리깔고 아랫입술을 깨물었다.

"깨물지 마라."

깨물자마자 이와 입술은 강제로 떨어져야 했다. 아예 양 뺨을 감싸고 가해지는 힘에 입이 벌어졌다. 달뜬 한숨과 함께 입술이 떨어지자 아랫입술이 꾸욱 눌렸다. 두 개의 엄지가 입 안으로 진입했다. 어금니를 더듬고 침이 묻는 것도 상관하지 않고 혓바닥 안쪽까지 휘저었다.

"그대 스스로 내는 상처도 안 돼."

타인의 손가락에 침을 묻히는 바람에 야기된 부끄러움과 마음대로 움직이지 못하는 혀에서 기인한 생리적인 거부반응으로 클로에의 얼굴이 빨갛게 달아올랐다. 그런 클로에를 내려다보면서도 일관된 표정이었던 다니엘레가 스윽 상체를 숙였다. 「그대」라는 단어를 발음할 때에는 바로 귓가를 스치는 바람에 목덜미가 간질간질했다.

"……으응."

손가락이 빠져나갔다. 속박에서 풀려난 입가가 욱신거렸지만 감각에 취해 있을 새는 없었다. 등을 덮고 있는 긴 머리카락 다발을 커튼 밀어내듯이 옆으로 치우고 클로에의 어깨 너머로 상체를 숙인 다니엘레가 코르셋의 끈을 끌렀다. 때문에 코끝에 그의 냄새가 훅 끼쳐왔다. 담백한 향의 지안니와 싱그러운 향의 미타이와는 다른, 조금 더 깊고 진한 향.

"나를 지안니라 생각해."

끈이 풀리고 조금씩 느슨해지는 코르셋을 그대로 두고 뒤로 물러난 다니엘레가 클로에의 허리를 잡고 일어서게 했다. 느긋하게 기대어 앉은 그가 코르셋을 벗겨내 바닥에 던지고 클로에를 끌어당겼다. 고스란히 드러난 알몸을 반사적으로 가리려 구부정하게 섰지만 다니엘레는 아예 클로에를 제 위에 앉혔다. 그의 허벅지를 다리 사이에 끼우고 무릎을 대고 앉은 자세로,

시선을 피하고 고개를 숙였지만 귀를 간질이는 나지막한 저음까지 피할 수는 없었다.

여기서 지안니 이름이 왜 나오는가 하여 인상을 살짝 썼더니 둥근 어깨를 쓴 손이 겨드랑이 사이에도 들어와 헤집었다. 간지러운 느낌에 더 앞으로 숙이자 등이 살짝 휘고 구부러졌다. 클로에로 하여금 제 어깨에 이마를 대고 기대게 한 다니엘레가 또다시 넓게 퍼진 머리카락을 치우고 등을 살폈다. 묶여 있는 팔이 중간쯤에서 막고 있었지만 매끈한 피부를 살피는 데엔 전혀 문제가 되지 않았다. 날개뼈를 집었다가 중지로 따라 그리니 앞으로 숙인 클로에의 어깨가 가볍게 떨렸다.

"훗……."

열기에 뒤덮인 채 귓가에 스며드는 숨결은 누구의 것인가. 머리카락이 귀를 덮지 않도록 틈틈이 넘겨주는 터라 희석되지 않고 고스란히 닿았다. 클로에는 목을 움츠렸다. 간지러우면서도 화끈거리는 감각이 짙어질수록 이상한 기분이 들었다.

'두통이…….'

약해지고 있다. 하긴 평상시에도 끔찍하게 아팠다가도 어느 순간 언제 그랬느냐는 듯 잦아들었더랬다. 통증이 사라지면서 약간 남아 있었던 긴장까지 풀리고 난 이후 그녀를 감싸는 체온이 더 따뜻해졌다.

허리가 잡히면서 살짝 뒤로 밀려났다. 기대고 있던 어깨가 멀어지고 클로에의 머리가 흔들렸다. 계속 숙이고 눈을 가리고 싶었으나 그녀의 속셈을 짐작한다는 듯 머리카락을 넘기며 이마를 가볍게 밀어 올렸다.

"감지 마라."

은근한 유혹을 이기지 못하고 솜털을 쭈뼛쭈뼛 서게 만드는 요구에 힐끔 실눈을 떴다. 명백한 명령이었는데도 왜인지 부탁으로 들린 듯도 해서.

"앗."

어떤 자세로 앉아 있었는지 깨달은 클로에가 헉, 숨을 삼켰다. 다니엘레의 허벅지 위에 엉덩이를 딱 붙이고 무릎을 꿇은 모양새였다. 민망스러운 자세에 뒤늦게 바르작바르작 벗어나려 했으나 꼼짝도 할 수 없었다.

목에서 쇄골, 가슴의 정점으로 이어지는 둔덕은 말끔하고 하얬다. 둔덕을 타고 올라간 손톱이 옅은 살구색으로 덮여 있는 유륜을 긁었다. 미세하게 야릇한 느낌이 슬그머니 원을 그리며 가운데로 몰려왔다. 귀가 만져질 때부터 쭈뼛쭈뼛 서기 시작한 솜털처럼 가슴에도 민망한 변화가 일어났다. 분홍색 젖꼭지가 또렷한 모양을 갖추며 꽃을 피우기 시작했다. 클로에는 손톱에 밀려들어 갔다가 쏙 올라오는 야릇한 움직임을 차마 계속 보고 있을 수 없어 고개를 틀고 눈을 감았다.

"아아, 하으윽! 자, 잠깐, 으응!"

까맣게 물들어 있는 시야에 탁, 불꽃이 튀었다. 눈을 감고 있는 사이 집기 좋게 바짝 일어선 유두가 잡아당겨진 탓이었다. 무게 때문에 살짝 아래로 처져 있던 가슴 덩어리가 위로 들리고 엉덩이도 살포시 떴다. 다니엘레는 문고리를 돌리듯 손끝으로 유두를 굴리며 좌우로 잡아당기고 가슴의 벌어진 골과 드러난 아래쪽 피부를 눈으로 살핀 후에야 놓아주었다. 뱃가죽이 확 당기는 아찔한 통증을 뚫고 나온 찌릿거리는 무언가가 감고 있던 눈을 절로 뜨게 했다. 클로에는 털썩 주저앉아 혁 혁 가쁜 숨을 몰아쉬었다. 어질어질했다.

"클로에."

숨을 깊게 들이쉬느라 미약하게 부풀어 올랐다 가라앉는 복부에 그림자가 졌다. 앙증맞게 나 있는 배꼽 구멍에도 어김없이 손끝이 파고들었다. 동시에 조이듯이 눌린 옆구리에도 손가락이 지나가면서 화끈거리는 흔적이 남았다. 겨우 입을 열었지만 이름이 불리는 바람에 끝을 맺지도 못했다.

"훗……."

뺨을 타고 땀이 흘렀다. 배가 허전해지나 싶더니 조심스럽게 볼을 닦아내는 손이 있었다. 액체가 또 한 방울 떨어져, 다니엘레의 엄지를 물들였다.

"지안니, 그 녀석들은 괜찮아도 나는 안 된다는 건가."

제 뺨을 적시는 따뜻한 물기는 눈물이었다. 뒤늦게 알았다.

클로에는 자신이 우는지도 모르고 울고 있었다. 젖은 속눈썹을 들자 차갑게 빛나는 한 쌍의 금안이 그녀를 내려다보고 있었다.

"그런……."

지안니는 괜찮고 다니엘레는 안 된다는 의사 표현을 한 적이 있었던가. 그 이전에 대체 무엇을 두고 하는 말인지.

다니엘레는 클로에가 그의 중얼거림을 이해하지 못했음을 알지 못한 듯했다. 아니, 어쩌면 이해하지 못했다 해도 상관없는 것처럼 보였다. 그런 말 한 적이 없다고 채 알리기도 전에 그의 손이 반응하듯 움직였다.

"으읏!"

클로에가 벗으려 애를 쓸 때는 꿈쩍도 않던 정조대는 다니엘레가 손을 넣자 꿀꺽 삼키듯 늘어났다. 손끝을 아래로 한 손바닥이 배꼽 아래 아랫배를 덮었다. 손가락 세 개가 수풀을 헤쳤다. 움푹 파인 입구를 발견하고는 불그스름한 수풀 속으로 파고들었다. 클로에의 입에선 짧은 신음이 터졌다.

"그래, 아무렴. 아무래도 좋아."

야무지게 붙어 있는 탐스럽게 부푼 두 개의 둔덕을 강제로 양옆으로 밀어냈다. 오므리고 있던 살덩이가 갈라지고 드러난 속살에 공기가 닿자 반사적으로 질구가 움찔거리며 애액을 토해냈다. 검지가 표피를 벗겨내고 움츠리고 있는 둥근 핵을 찾아 살살 부풀렸다. 클리토리스가 간질간질한 손가락 자극에 조금씩 부어오르기 시작했다.

당황하여 빨개진 얼굴로 다급하게 그의 손길에서 벗어나려 엉덩이를 들었다. 그 바람에 출렁이는 가슴이 고스란히 다니엘 레의 시야에 들어갔다.

"쉿."

엉덩이로 가벼운 토닥임이 전해졌다. 진정하라는 의미였지만 클로에의 뺨은 더 붉어졌다. 탱탱하게 튀어나와 있는 엉덩이 역시 피해갈 수 없다는 듯 꾹꾹 주물러 확인한 손이 골 사이로 쏙 들어간 탓이었다.

"잠깐, 거, 거긴 아니, 하읏!"

피하려고 살짝 몸을 일으킨 것이 화근이 되었다. 엉덩이 골에 손가락을 파묻기 쉬운 자세가 되어버렸다. 손톱이 속살을 살살 긁으며 아래로 미끄러지자 음핵에서부터 시작된 간지러 움이 엉덩이로도 전염되었다. 간지러움에도 도망칠 수도, 팔이 묶여 있어 시원하게 긁을 수도 없는 괴로움에 들썩이자 쑥 뒤로 빠진 엉덩이가 흔들렸다. 클로에의 머리가 중심을 잃고 스륵 앞으로 기울어졌다.

"자, 잘못, 위치가, 으으응."

"잘못?"

헝클어진 머리카락과 함께 부딪히듯 목덜미에 기대버리는 바람에 웃음기를 간직한 나직한 음성이 클로에의 귓속을 간지럽히며 파고들었다. 목의 솜털이 후드득 섰다. 다니엘레의 저음 때문인지 아래를 괴롭히는 손가락들 때문인지 알 수가 없었다.

"으, 으읏, 읏!"

클로에의 몸이 준비가 되었다며 쏟아내는 끈끈한 액체의 향이 짙어졌다. 다니엘레의 체향과 퍽 대조적인 냄새라 부끄러웠다. 얼굴을 가리고 싶은데 팔이 자유롭지 않았다.

질척해진 질구는 가운뎃손가락을 저항 없이 쏙 삼켰다. 꽃눈은 여전히 집요하게 굴려지고 있었다. 엉덩이 골에 숨어 있던 항문을 찾아낸 손가락도 여지를 주지 않고 침입했다. 본디 배출만 담당하던 통로에 역으로 구불구불거리는 손가락이 들어오자 뒷골이 지잉 울리며 허리가 당겨왔다.

질 내부를 동시에 점령한 손가락도 갈고리처럼 변해 속을 뒤적거리기 시작했다. 갈고리의 끝이 내벽을 건드리고 비비니 뱃가죽까지 땅기며 유두가 꼿꼿하게 섰다. 앞뒤로 침습해 마력석을 찾는 행위에 몸뚱이는 미끈한 물을 쉼 없이 내보내 손가락이 드나들기 쉽게 만들어주고 있었다. 클로에는 상체를 둥글게 말고 반쯤 일어서서 울음 섞인 신음을 쏟아냈다.

"흡, 흐으, 빼, 빼줘…… 아흣……!"

손가락만으로도 쿨쩍쿨쩍 민망한 소리가 계속해서 이어졌다. 도리질을 치며 그런 곳엔 마력석이 없다고, 이상해지기 전에 제발 빼달라고 애원하며 그의 어깨에 기대며 콩 콩 박았지만 손가락은 한층 더 빠르게 움직일 따름이었다.

호소가 먹히지 않고 엉덩이는 정처 없이 흔들리며 간지러움을 견딜 수 없게 되자 클로에는 가까이에 있는 목덜미를 물었다. 미타이의 물건으로 절정에 달했을 때와는 다소 다르게 보다 더 가벼우면서도 빠르게 천장을 치고 올라가는 느낌이었다.

그러나 까만 시야를 하얗게 번쩍거리는 무언가가 가득 메우기는 마찬가지여서 클로에는 물고 있는 목을 놓지 않고 엉덩이를 든 채 바들바들 떨었다. 절정에 달했다 돌아온 뒤에도 또 한 차례 투명한 액체가 터져 나온 탓에 다리 사이는 축축하게 젖었다.

"다른 이를 마음에 두고 있다 해도 이제는 놓아줄 생각이 없으니."

손가락을 빼내며 다니엘레가 속삭였다. 마차 안에 떠도는 열기가 무색하게끔 딱딱한 음성이었다. 그러나 단단한 얼음 바위가 된 것만 같은 다니엘레의 눈에 떠올라 있는 알 수 없는 감정이 클로에를 어지럽혔다. 그래서인지 응당 여주인공에게 해야만 하는 대사를 클로에, 그녀 자신에게 하는 것 같은 착각이 들었다.

※

　마차는 수도에 있는 오르시니의 저택에 도착했다. 비록 클로
에의 의사는 반영되지 않은 목적지였지만 외진 숲 한가운데 있
다는 외딴 성이 아니라는 점이 다행이라면 다행이었다.

　먼저 저택으로 귀가해 기다리고 있던 지안니와 미타이는 다
니엘레의 손에 잡혀온 클로에를 보고 묘한 얼굴을 했다. 마치
안심한 것도 같고 한시름 놓은 것 같기도 한······. 그러나 안도
도 잠시, 미타이가 으르렁거리며 화를 냈다. 물론 지안니라고
다를 바 없었다.

　"다, 다녀왔습니다······?"

　뒤로 물러나고 싶어도 다니엘레가 지키고 있었다. 앞으로는
발톱을 드러낸 미타이와 한기를 뚝뚝 떨구는 지안니까지. 세 마
리 맹수 사이에 낀 초식동물이 된 기분이었다. 뭐라도 말을 해
야 한다는 생각에 클로에가 무의식중에 내뱉은 말 한마디로 분
위기는 급변했다. 앞의 두 맹수가 어이없다는 듯 피식 웃었다.

　"대신 야옹이 넌 오늘부터 입을 옷 따윈 없을 줄 알아."

"전 간단하게 족쇄나 준비해보도록 하죠."

그렇다고 화가 전부 풀리지는 않았지만. 옷을 주지 않겠다는 미타이의 청천벽력과도 같은 선고에 이어 지안니는 한 술 더 떴다. 광기 어린 마법사가 그녀의 다리를 보며 입맛을 다시고 있는 듯.

"거기까지. 쉬게 해두고 너희는 이따가 서재로 오도록. 시간은 넉넉히 비워두고."

마지막 맹수인 다니엘레는 의외로 같이 화를 내거나 몰아붙이는 대신 클로에를 맹수 소굴에서 빼주었다. 게다가 두 동생을 서재로 불러낸 덕분에 적어도 오늘 밤은 한시름 놓을 수 있게 되었다. 쉴 수 있도록 배려하기 위한 의도였는지 단순히 우연이었는지는 모르겠으나 하나는 확실하다. 씻고 쉴 곳을 안내하는 메이드를 따라가는 그녀의 뒤통수가 간지러웠다.

∽

"어때, 야옹아? 마음에 들어?"

"마음에 드냐고 하셔도, 그게."

뺨을 긁적이며 곤란해하니 사자 한 마리가 거대한 어깨를 축 늘어트렸다. 클로에는 애매한 미소를 지으며 미타이가 내놓은 선물을 바라만 보고 선뜻 집어 들지 않았다. 딴에는 제게 의향을 물어보고 제작해온 선물이라지만 받는 입장에선 영 애매할 수밖에 없는 선물이었다. 그도 그럴 것이…….

"그보다 왜 하필 제게 선물을. 그분께 하시지 않고."

여주인공에게 사파이어 머리핀을 줄 때는 언제고 목걸이라니. 이해할 수가 없다. 비록 며칠 전 머리핀이 좋으냐, 목걸이가 좋으냐, 다른 것이 좋으냐 물어봤을 때 깊이 생각하지 않고 목걸이가 편하긴 하죠, 중얼거렸다지만 진짜로 목걸이를 들고 올 줄은 몰랐다. 클로에는 제 앞에 내밀어진 보석함을 차마 받지 못하고 갸웃거렸다.

"그분? 내가 너 말고 선물을 해야 할 상대가…… 아."

미타이도 그녀와 같은 방향, 같은 박자로 고개를 갸웃거렸다. 여주인공에게 선물을 하는 장면을 생생하게 텍스트로 봤는데도 발뺌을 하려는지 뻔뻔하게 중얼거렸다.

"그 여자는 내가 주고 싶어서 준 것도 아니라고!"

"아, 네."

뒤늦게 기억을 떠올린 미타이는 여전히 당당했다. 억울한 나머지 눈물을 글썽거리는 듯한 환각이 보였다. 클로에는 눈을 비볐다. 이건 환각이다, 환각. 소설에서 여주인공이 제가 받은 선물이 얼마나 비싼지를 신이 나서 설명하기까지 했는데, 실제로도 같은 선물을 준 당사자는 적반하장으로 억울해하고 있었다.

"야옹이 너 진짜! 내가 옷 진짜 주기 싫었거든!"

떨떠름하게 수긍하자 결국 미타이는 눈물을 글썽거리며 클로에가 긴장할 수밖에 없는 패를 꺼내 들었다. 그녀를 비난하는 눈초리로 꺼내 든 패는 옷이었다.

다니엘레에게 도로 잡혀온 날, 다시는 도망갈 생각 못 하게 옷을 주지 않겠다던 적이 있었다. 그날 밤은 쉬었으나 다음 날 진짜로 옷을 전부 뺏으러 왔다. 다급하게 한 벌이라도 사수하려고 반항을 시도하다 실수로 미타이의 손을 두 손으로 꼭 잡은 그 순간이었다. 갑자기 얼굴을 붉히더니 옷장 속의 손님용 여벌옷들을 전부 돌려놨더랬다.

"고마워요, 미타이 씨."

입꼬리를 억지로 끌어 올리며 보석함에 손을 뻗었다. 옷을 도로 빼앗아갈까 봐 거의 강탈하듯 보석함을 끌어왔는데 미타이의 얼굴은 오히려 환해졌다.

"내가 걸어줄게."

심지어 걸어주겠다며 싱글벙글 웃는 얼굴로 벌떡 일어나 다가왔다. 제법 두꺼운 손가락에 비하자니 실처럼 가늘다 싶을 정도로 얇게 보이는 목걸이 줄을 그는 어렵지 않게 풀었다.

얌전히 의자에 앉아 머리카락을 옆으로 넘기고 고개를 숙여

목을 내밀었다. 티어드롭의 분홍색 다이아몬드와 투명한 다이아몬드로 구성된, 화려한 만큼이나 묵직한 목걸이와 함께 미타이의 딱딱한 가슴이 다가왔다. 아슬아슬하게 닿지 않을 거리에서 클로에가 멈추자 미타이가 뒤통수를 살짝 눌러 기어코 제게 기대게 만들었다.

"다 됐다."

분명히 걸기는 금방 걸었을 텐데도 손을 떼지 않고 뒷목을 한참을 지분거리던 미타이가 아쉬운 듯 종료를 알렸다. 클로에는 천천히 눈을 떠 거울을 보기보다 직접 목에 걸려 있는 목걸이를 내려다보았다. 창문으로 들어오는 햇빛을 받은 보석이 너무나도 눈이 부셔 살짝 눈살을 찌푸렸다.

상식선으로 이해할 수 없는 일투성이다. 당장 입고 있는 간편한 로맨틱 스타일 드레스부터가 그랬다. 저택에 머물렀다 가는 손님들이 피치 못할 사정으로 옷이 없을 경우를 대비해 준비해둔 여벌옷들이라 들었는데 치수를 재기라도 한 듯 하나같이 그녀의 몸에 꼭 맞았다.

처음에는 여주인공을 위해 구비해둔 드레스들이겠거니 했다. 그런데 어느 날 우연히 여주인공과 클로에의 체격이 다르다는 사실이 기억났다. 여주인공이 가녀린 분위기를 풍길 수 있도록 비쩍 마른 몸매를 유지하기 위한 노력을 해왔다는 사실까지도, 소설에 쓰여 있지 않던 정보가 그려졌다. 클로에의 체형에 맞는 드레스들이 준비되어 있던 것과 마찬가지로 자연스럽게.

그러더니 이제는 목걸이다. 실제로도 소설과 같이 머리핀을 선물했으니 미타이는 이즈리에를 좋아하고 있을 텐데도 지금은 그녀에게 목걸이를 선물했다. 자꾸만 밤낮을 가리지 않고 클로에에게 달려드는 이유와 목걸이 선물의 이유는 같은 곳에 있다고 볼 수도 있지만, 문제는 미타이에게 달리 좋아하는 여자가 있다는 점이었다.

"있잖아, 나도 야옹이한테 받고 싶은 선물이 있는데."

"어엇?"

상념에 빠져 인상을 찌푸리거나 말거나 신경 쓰지 않고 신이 난 미타이가 클로에를 안아 들었다. 엉덩이 밑을 우람한 팔뚝으로 받치고 들어 올리는 바람에 바닥과 확 멀어진 클로에가 놀라 미타이의 양어깨를 짚었다.

"미타이님……."

귀엽다고 시도 때도 없이 번쩍 들어 안고 다니는 남자였다. 대체 어디를 보고 크나큰 착각을 하는지 묻지는 않았지만, 그녀와 단둘이 있을 때마다 애타게 원하는 유일한 한 가지에 대해서는 너무나도 잘 알긴 했다. 덕분에 상념에서 나와야 했던 클로에는 울상을 지었다. 들으나마나 밤새도록 울게 만들 운동이렷다.

"오늘은 이 목걸이 걸고 하자!"

"윽."

역시 들으나 마나다. 안고 있는 클로에를 살짝 내려 쪽 쪽 입
맞춤을 해오는 미타이는 벌써부터 신이 난 것 같았다. 상상만
해도 벌써부터 기력을 다 빼앗긴 기분이었다. 덩치에 어울리지
않게 들떠 있는 사자를 보고 있자니 밀어낼 기운도 나지 않았
다. 민다고 밀릴 짐승도 아니지만.

"야옹아."

클로에를 창가로 옮겨 앉힌 미타이가 목덜미에 코를 묻었다.
체격 차이 때문에 상체를 많이 숙여야 하는데도 한참 동안 같
은 자세를 유지했다. 그녀를 안고 코를 비비며 애타게 야옹거
리는 모양새로 인해 미타이야말로 덩치 큰 고양이처럼 보였다.
잘 봐줘야 덩치 큰 사자 정도.

"네에."

어리광부리는 것처럼 보이니 대꾸하는 말꼬리도 같이 늘어
졌다. 자신도 모르게 쓰다듬을 뻔했지만 다행히도 닿기 직전에
멈출 수 있었다. 클로에는 주먹을 쥐었다 펴며 당황했다. 자신
은 대체 어째서 미타이라는 남자를 이리도 친숙하게 느끼는지,
자기 자신이 참으로 낯설었다.

미술관에서 빠져나갔다가 다시 잡혀온 날 밤 이후로 며칠이
더 지났던가. 기억하기로는 밤이 세 번을 더 찾아왔으니 대략
사흘은 지났을 터였다. 몸을 섞고 피곤에 곯아떨어진 사이에

지나간 밤이 없다는 전제하에 사흘이다. 그 말은 곧 클로에가 가면무도회를 간다며 집을 나온 후로는 닷새가 더 지났다는 뜻이었다.

"집에 돌아가고 싶어?"

"네?"

미타이는 클로에의 심중을 꿰뚫고 있기라도 한 듯 때맞춰 날카로운 질문을 던졌다. 그렇지 않아도 집에서 나온 지 며칠이 지났는지를 꼽고 있던 차였기에 움찔하고야 말았다.

"딸이 갑자기 사라져 돌아오지 않는 셈이잖아. 집에서도 걱정할 테고."

"그렇죠……?"

당연히 집에 돌아가고 싶고, 당연히 가족도 걱정할 것이다. 그래서 저택에 있는 동안에도 감시의 눈이 붙어 있는 것을 알면서도 수차례 도망갈 시도를 했다가 현관을 넘지 못하지 않았던가. 세 마리 맹수가 번번이 그녀를 잡아왔었다. 너무나도 답이 뻔한 물음을 굳이 꺼내는 의중이 궁금했다.

"그런데 그 점은 염려 안 해도 돼. 걱정하시지 않을 거야."

"……네?"

"야옹인 가면무도회를 연 집에서 하룻밤 신세를 졌어. 너무 많이 마시는 바람에 잠이 들었거든. 그리고 그렇게 신세를 지는 초대객들이 종종 나오곤 해."

엄밀히 따지자면 클로에는 지안니에 의해 납치를 당했다고 봐야 한다. 미타이는 제 형이 한 짓을 덮기 위해 클로에의 행적을 꾸며두었다고 알려주고 있었다.

"다음 날에는 야옹이는 집에 들르지 않고 바로 연구실로 갔어. 생각난 것이 있었거든."

"……."

"그러고는 집에 연락을 했어. 「항상 그랬듯이 연구를 하다가 챙길 것이 있으면 돌아가겠다.」고."

뚫어져라 응시하는 금안을 받아내는 것만으로도 힘들었다. 3형제 모두가 가담한 감금을 숨기기 위한 거짓말임에도 불구하고 계속 듣고 있자니 묘하게 들리는 부분이 있었다. 마치 과거의 클로에가 했을 법한 행동, 지금의 클로에가 모르는 이쪽 세계 귀족들의 관습을 알려주는 것처럼 보였다. 미타이가 진실을 결코 알 리 없을 텐데도.

"마법사들의 나쁜 버릇이야. 열중해서 시간과 주변을 잊어버리는 것."

사자가 싱긋 웃으며 덧붙였다. 가둬놓은 채 매일 밤 짝짓기를 밀어붙이는 사자의 입에서 나온 말을 어찌 해석해야 할지 난감했다. 나쁜 짓을 덮고 알리바이를 만드는 과정에 협력하고 입을 맞추라는 뜻인지, 과거의 클로에의 습관을 알려주기 위함인지.

삐끔삐끔 입만 뻥긋거리던 클로에가 한숨을 쉬며 차가운 유리에 이마를 기댔다. 절대 후자일 리가 없으니 말을 맞추는 데 협조하라는 뜻이리라.

"있잖아, 야옹아. 이상형 물어봐도 돼?"

"이상형이요?"

"응. 이상형이 아직도 나이 많고 돈 많고 키 작고 빼빼 마른 몸에 배만 불뚝 나온 귀족이야?"

"⋯⋯네?"

협조를 하라면 해야지, 잡힌 몸으로 별수 있나. 혼잣말을 중얼거리며 차가운 감촉을 즐기고 있던 클로에의 이마가 순간 미끄러졌다. 이상형이 당연히 그럴 리도 없지만 미타이의 입에서 괴상할 정도로 구체적인 묘사가 나와서 어이가 없었던 탓이다.

"「아직도」라면⋯⋯."

과거의 클로에는 지금의 그녀가 빙의하기 전에 미타이와 의외의 접점이 있었던 듯했다. 그러나 설령 이상형을 주고받을 정도의 접점이 있었다손 쳐도, 과거의 클로에가 언급한 이상형 외모는 묘하게 구체적이고 이상했다.

언제 그런 헛소리를 한 적이 있었나 보다 싶어 우스갯소리로 치부하려던 그녀의 뇌리에 어떤 장면이 떠올랐다.

소설 속 클로에는 여주인공을 괴롭힌 가문의 일원이었던 대가로 불행한 결혼을 했더랬다. 부모보다 더 나이가 많은 늙은 귀족과 결혼한 이후 어느 날 채찍으로 맞다가 죽는, 그런 불행한 미래. 매스그레이브라는 성의 늙은 귀족의 생김새가 아마도 미타이가 지금 언급한 외양과 비슷했던 것도 같았다.

갑자기 등골이 서늘했다. 그녀의 머리를 쓰다듬는 손이 무섭게 느껴졌다. 그녀가 알기로 소설 속 클로에의 결혼은 3형제가 짜둔 계략 중 하나였다. 여주인공을 울린 이들을 전부 나락에 빠뜨리기 위한.

"아니, 물론 마법사가 좋기야 좋지. 대우도 괜찮고 보수도 좋고. 나이 제약도 적고. 황실로 들어가면 연금도 나오고. 그래도 있잖아, 결혼도 나름, 응?"

클로에는 무의식중에 그녀를 쓰다듬는 손을 쳐냈다. 아프거나 하지는 않았겠지만 미타이는 제 손이 거부당했다는 것 자체가 믿기 힘들었는지 깜빡거리며 손과 클로에를 번갈아 바라보았다.

뺨이 달아올랐다. 미타이가 매스그레이브를 언급한 이유가 짐작이 가질 않았다. 가면무도회 날 언쟁 중에 뛰어들어 막음으로써 여주인공이 겪을 모욕적인 사건을 사전에 차단했다. 가장 큰 사건이 일어나지 않을 것이기 때문에 오르시니의 보복은 이제 없으리라 생각했는데 실수였던 듯했다.

"야옹아."

창틀은 클로에가 기대어 앉을 수 있을 정도로 충분히 넓고 평평했다. 갑갑해진 마음을 털어내보려고 창문을 여는데, 커다란 손이 막으며 도로 닫았다. 창문과 제 몸 사이에 클로에를 가두듯 가까이 붙은 미타이가 지금까지 싱글벙글 웃던 미소를 싹 지워버렸다.

"내가 잘못했어."

"제가 잘못…… 네?"

올려다보는 클로에의 이마 바로 위에 미타이의 얼굴이 보였다. 처연하게 눈썹을 늘어뜨린 사자가 슬퍼 보인다는 사실을 인지하기도 전에 사과가 반사적으로 튀어나갔다. 미타이가 먼저 잘못했다고 빌었다는 것 또한 한 발 늦게 깨달았다.

"야옹이 뭘 잘못했어?"

말을 잇지 못하고 입만 벌리고 있는데 미타이가 이해가 안 된다며 고개를 갸웃거렸다. 클로에 역시 미타이가 왜 사과를 했는지 이해하지 못하고 있었다.

"아니, 그게…… 죽을지도 몰라서……."

"뭐? 죽을지도 모른다? 그게 무슨 소린데?"

소설에 대한 이야기를 할 수는 없어 멍한 상태에서 뭉뚱그려 대답하다 보니 애매하게 요약되어버렸다. 문제는 그 바람에 일어난 말실수였다. 깊이 생각하지 않고 내보낸 점이 실수라면 실수였다.

"무슨 소리냐고!"

"네? 왜 화를……."

"야옹아. 지금 말하는 게 좋을 거야. 넌 내가 진짜로 화난 모습 아직 못 봤어."

화난 미타이를 분명 본 적은 있는데, 오늘은 지금까지와는 어딘가 달랐다. 가장 큰 차이는 잡힌 어깨였다. 아파오는 어깨는 미타이가 평소와는 다르게 힘을 조절하지 않고 있다는 걸 뜻했다. 조절하지 못할 정도로 격분했거나.

"클로에, 무슨, 소리냐고."

이름이 불렸다. 미타이는 또박또박 으르렁거리며 마디마디 끊어 분노를 전달했다. 그 와중에도 클로에는 미타이가 그녀의 이름을 알고 있다는 부분이 신기하게 느껴졌다. 여주인공을 괴롭히는 존재니 당연히 정체를 파악해두었겠지만 정말로 이름을 정확히 기억하리라고는 생각하지 않았다. 오르시니에게는 클로에가 파르세가의 여식 그 이상도 그 이하도 아닐 줄 알았다.

"우리 야옹이는 차암 별별 비밀이 많아. 그렇지?"

다만 여주인공도 아닌 클로에가 죽을지도 모른다는 말에 왜 이리도 화를 내는지 도무지 모를 일이었다. 사자가 밀어내려 애를 쓰는 작은 손을 잡아챘다.

"비밀은 아니고……."

상식적으로 이해시킬 수 있는 사안이 아니라서 입을 다물려는 것뿐인데. 손을 잡힌 직후 버둥대던 움직임을 멈추고 그를 올려다보자, 슬그머니 매서웠던 기세는 가라앉았다. 클로에를 빤히 보던 미타이가 그녀 옆의 창틀을 짚고 가까이 다가왔다.

"아직 밤은 아니지만."

"저, 저기."

"낮도 꽤 좋을 거야."

송곳니를 드러내고 입맛을 다시는 사자처럼 히죽 웃으며 얼굴을 가까이 들이대는 통에 클로에는 처음으로 지안나가 빨리 돌아오기를 빌며 억지 미소를 띠려고 입꼬리를 끌어 올렸다. 미타이가 클로에의 미소를 흉내 내며 입을 열었다.

"참. 고양이는 옷 같은 거 갑갑할 텐데 내가 실수했어. 그치?"

누구보고 고양이 운운하는지는 너무나도 잘 알기에 옷을 걸고넘어지는 이유도 아주 잘 알았다. 목 아래 단추를 풀려고 하는 미타이의 손목을 간신히 잡고 고개를 세차게 흔들었다.

"비밀 그런 거 없으니까!"

잠옷은 전혀 갑갑하지 않았지만 부인한다 한들 잠자코 들을 사람이 아니었다. 다급하게 진정시키려고 했지만 소용없었다. 지이익, 잠옷으로 입고 있던 슈미즈 드레스는 벗겨지기보다는 아예 두 갈래로 찢어졌다. 천이라고는 해도 너무나 가볍게 찢는 무식한 힘에는 새삼스러울 것도 없었다.

"비밀이 없어? 그러면 말해줄 수 있겠네?"

"……."

"그래, 아깐 내 소망을 강요하려고 해서 사과한 거지만. 그건 그거고 네가 죽을지도 모른다는 문제는 이야기가 다르지."

자동반사적으로 입을 다물자 미타이는 그럴 줄 알았다며 으쓱였다. 그러나 곧바로 사납게 몰아세웠다. 클로에는 눈만 깜빡이며 동상처럼 굳어 있었다. 설마.

보면서도 믿기는 힘들지만 미타이는 분명 클로에가 죽을지도 모른다고 했기 때문에 화를 내고 있었다. 그 이유로 계속 다그치고 있는 중이다. 단지 객관적으로 그가 화를 낼 이유가 전혀 없다 여겨졌기에 영문을 알 수가 없을 뿐이었다. 파르세가의 일원인 클로에를 겁주기 위해 매스그레이브를 꺼낸 것이 아니었나.

"다를 이유가 없는……."

"누가 죽이려 했어? 맞아, 그날 그 자식이 때렸다는 말은 들었어. 그놈이야? 그래?"

겨우겨우 입을 떼었지만 금세 가로막혔다. 클로에가 당황해하건 말건 치고 들어온 미타이가 빠르게 캐물었다. 그녀는 금안을 빛내는 맹수가 빠르게 쏟아내는 추궁을 반도 알아듣지 못했다. 그날은 언제고, 그놈은 또 누구인지.

"아니……."

"역시 내가 직접 죽이러 가야 했어!"

설마 게르는 아니겠지. 클로에를 때린 사람이라고 한다면 짐작 가는 한 명이 게르였다. 그러나 당시에 다니엘레가 때맞춰 구해주긴 했지만 그도 클로에가 맞는 모습을 직접적으로 보지는 못했다. 쫓기는 장면만 봤을 뿐. 그러니 더더욱 미타이가 말하는 인물이 게르일 리는 없었다. 그보다도 혈관이 불끈 솟아난 주먹을 쥐며 정말 뛰쳐나갈 기세인 미타이를 말리는 것이 급선무였다. 클로에는 매달리듯 미타이의 주먹을 두 손으로 꼭 감쌌다.

"네? 아뇨, 아뇨! 절대로 죽일 필요는!"

"흐음. 옆에 붙어 있을 걸 그랬어……. 그래, 좋아. 그러면 야옹아. 앞으로 내 곁을 떠나면 안 돼. 알았지?"

다행히 화는 풀렸고, 죽을지도 모른다에 대한 설명은 구구절절 하지 않아도 되었다. 그러나 미타이 혼자 마음에 들고 클로에는 전혀 만족스럽지 않은 결론이 내려졌다. 축 늘어져서 자책을 하는가 싶더니 앞으로는 꼭 지켜주겠다며 멋대로 다짐을 했다.

"……."

다 좋다 치고 곁을 떠나지 않겠다는 약속은 할 마음이 없었다. 으레 돌아와야 할 대답이 없자 미타이는 찢어진 천 조각을 붙들고 입을 다문 채 기대어 앉아 있는 클로에로부터 천 조각을 기어코 **빼앗아** 뒤로 휙 던져버렸다.

"이런 거 가지고 놀면 못써."

무지막지하게 찢어버리지만 않았어도 멀쩡하게 제 구실을 했을 옷이다. 그런 천을 두고 가지고 놀면 못쓰는 것으로 취급하는 미타이의 **뻔뻔**함이 기가 막혔다.

"아직 날이 밝은……."

바닥에 내려서려고 했지만 발목이 잡혀버렸다. 천을 찾으러 가지 못하게 하기 위함이었다. 반대편 발목도 잡히고 나란히 창틀에 놓이자 민망해진 자세에 부끄러운 곳을 손으로 가렸다.

"아, 맞다. 야옹이는 사람 말을 못해서 대답도 안 한 거야. 그렇지?"

정작 한술 더 떠 미타이는 고양이 취급을 빌미로 말문을 막아버렸다. 원하는 수락이 돌아오지 않았기 때문이다.

"야옹이는 잘못한 거 없어. 내가 주의를 안 줘서 그렇지."

진퇴양난. 사람이라고 주장하려면 수락이든 거절이든 대답을 해야 한다. 그러나 미타이가 원하는 대답은 하나뿐이므로 싫다고 하는 순간 어떻게 될지는 **뻔**했다. 그렇다고 묵비권을 행사하면 고양이 취급이 다시 시작되는데, 미타이에게 있어 고양이란…….

"잠깐……."

"어허. 사람 말을 못하는 야옹아?"

차가운 유리 전면에 등이 닿을 때까지 미타이가 가까이 붙으며 속삭였다. 주의를 안 준 미타이 잘못이 아니라고 하자니 클로에의 잘못이 되어버리고, 그녀의 잘못이 아니라고 하자니 미타이가 주의를 줘야 하는 입장이 맞는다고 동의하는 셈이 되어버린다. 버벅거리며 작전타임을 외치려는데 미타이가 쐐기를 박았다.

"야옹 하고 울어봐."

무릎을 세우고 반으로 접은 다리가 좌우로 벌어졌다. 저택에서 지내는 동안 속옷은 입을 겨를이 없었기에 가림막 하나 없는 은밀한 곳이 서서히 탁 트인 공기에 닿았다. 손으로 가리고는 있지만 그곳을 쏘아보다시피 하는 미타이를 봐선 오래 버티기도 힘들 터였다. 잡혀 있는 발목은 강한 힘 때문에 도무지 빠져나올 수가 없었다.

"야옹아, 손 치워줘. 응?"

미타이는 지안니와는 다르게 부탁에 가까운 명령을 하곤 했다. 거스를 수 없기는 두 사람 다 마찬가지지만 미타이는 명령을 내리는 방법이 달랐다. 처음에는 정말 부탁인 줄 알고 무시했다가 후회했던 적이 한두 번이 아니었다. 이번에도 보여달라고 애원하는 재촉처럼 들린다지만 거절할 깜냥은 없었다.

"너무 밝……아요."

그래도 클로에는 우물쭈물 손가락을 꼼지락대며 버텼다. 지금까지는 이토록 환한 햇빛 아래에서 관계를 맺은 적이 없었다.

오전에 딱 한 번 성에 있을 내 구음을 한 적은 있었지만 적어도 햇빛 아래는 아니었다. 그런데 이 장소는 태양 빛이 너무 많이 들어와 솜털 하나하나까지 다 보일 정도로 밝았다. 당연히 부담스럽다.

"이상하다. 고양이가 자꾸 말을 안 듣네."

미타이는 코웃음을 치며 호소를 무시했다. 클로에의 발목을 끌어와 제 다리를 감게 하고는 클로에가 앉아 있는 창틀에 딱 달라붙었다. 거대한 몸집이 빈틈없이 밀착하자 사람 그림자가 지긴 했지만 역부족이었다. 젖꼭지가 탄탄한 상체를 스치자 가슴이 찌르르 울려서 한참을 웅크리고 있어야 했다.

"가지고 놀 장난감이라도 줘야 집사 말을 따라주려나?"

장난감이라는 단어에 지안니의 애장품이 떠올라 먼저 긴장했고, 이어서 황당하게도 스스로를 집사 운운하는 뻔뻔함에 할 말을 잃었다. 대체 어느 집사가 이렇게.

미타이는 거구를 숙여 클로에의 찡그린 눈썹에 입술을 댔다. 동시에 상대적으로 작은 두 손을 잡고 제 쪽으로 끌어당겼다. 클로에가 눈가를 핥는 혀에 정신을 빼앗긴 사이 앞으로 끌려간 손가락 끝에 단단하게 부풀어 오른 언덕이 닿았다. 위치상 손끝에 닿은 것이 무엇인지 직감한 손이 움찔거렸다.

"손톱은 세우지 말고, 헤집어서 꺼내면 돼. 쉿."

도망가지 못하도록 미타이가 꽉 붙들고 있었고 주먹으로 모아 쥐고 오므려도 피할 수 없게끔 몸을 가까이 붙였다. 분명 제 형처럼 그런 장난감을 모으는 취미는 없을 사자가 말하는 장난감이 무엇인지 알게 된 클로에가 난처해져서 고개를 옆으로 돌리자 짓궂게 쪽 쪽 빠는 입술이 끝까지 따라왔다.

"아니면, 설마 다른 사람 장난감이 마음에 든다는 건 아니겠지, 야옹아."

버티고 있자 미타이가 음산하게 으르렁거렸다. 단순히 장난감이 마음에 안 드느냐고 물었다면 끄덕여버렸겠지만, 다른 사람의 장난감을 원하느냐고 했다. 짓궂지만 끄덕일 수는 없는 추궁이었다. 클로에는 끄응, 한숨을 쉬며 손가락을 뻗었고 미타이는 그제야 만족스러운 듯 배부른 미소를 지었다.

떨리는 손가락이 바지춤을 헤치고 안으로 파고들었다. 브리프 천은 매끄러웠지만 미타이의 하반신에 너무 꼭 맞아 입구를 열기에는 다소 힘들었다. 단단한 손이 클로에의 두 손목을 한데 쥐고 딱 제 앞에 고정시켰고 자유로워진 다른 손이 클로에의 어깨에서부터 이어지는 둥근 곡선을 따라 움직였다.

"잡고 주무르고 가지고 놀면 돼. 그렇게."

조금만 건드렸을 뿐인데 어느새 딱딱하게 솟구친 성기가 앞으로 불쑥 튀어나왔다. 잡혀 있어 피하지 못한 손바닥 사이로 미타이의 페니스가 쑥 들어와 감겼다. 두 손 가득 질량감을 자랑하는 이것이 아래로 늘어져 있다가 천천히 일어서는 모습을 본 적도 있었는데, 이미 아까부터 흥분해 있었는지 한껏 머리를 곤두세운 상태였다. 클로에가 어찌할 바를 모르자 미타이가 귓불을 물며 속삭였다.

입으로 빨 때도 버거워서 물고 있는 정도가 고작이었지만 그것만으로도 잔뜩 흥분하던 남자는 클로에가 이번에도 손을 잘 움직이지 못하고 어설프게 힘을 준 것만으로도 선단에서 맑은 액을 흘리기 시작했다.

"으, 야옹이는 손놀림도 야해서 곤란하다, 정말."

손놀림이라고 거창하게 말할 것도 없이 꼬물꼬물 만지작거리다 잡고 있던 기둥에서 미끄러지듯 손가락으로 터치했을 뿐인데도 미타이는 클로에에게 입을 맞추며 으르렁댔다. 정작 그녀는 아무것도 한 것이 없는데. 억울했지만 이 상황에서는 억울하다고 하면 더 곤란해질 일만 기다리고 있어서 말도 못 했다.

"미안. 장난감은 이쪽으로 가지고 놀자."

끄응 앓는 소리를 내는 클로에의 손을 치우고 제 목에 두르게 한 미타이는 못 참겠다는 듯 클로에의 허리와 엉덩이를 잡더니 덥석 들어 올렸다. 수욱 허공에 뜬 클로에가 자연히 목을 감은 팔에 힘을 주었다. 상체와 상체가 맞닿자 미타이의 옷 너머로 열기가 전해졌다.

"으……읏."

순전히 팔 힘만으로 클로에를 안아 든 미타이가 움켜쥔 클로에의 엉덩이를 이리저리 움직였다. 꺼덕거리며 서 있는 귀두가 들어갈 곳을 찾느라 음부를 쿡 쿡 찔렀다. 미끌미끌한 귀두가 밤마다 녹진녹진하게 녹을 정도로 괴롭힘당하느라 아직도 부어 있는 음핵을 쑤시듯 찔렀다 떨어졌다. 부어 있어서 더 예민해진 꽃눈 때문에 찌르르 전율을 느끼고 만 클로에의 귓가가 빨개졌다.

"……아읔!"

보지 않고도 들어갈 질구를 찾아낸 성기가 머리를 들이밀었다. 아무리 겪어도 도통 익숙해지지 않는 크기여서 벌써부터 시작된 압박에 숨을 쉬는 박자를 놓친 클로에가 입술을 깨물고 견뎠다.

"이 장난감, 너한테만 주는 거야."

"하……아, 훗, 으흑!"

미타이가 달래듯 등을 두드렸지만 힘든 것은 변하지 않아서 매달리듯 안고 다리에 힘을 빼려 애를 썼다. 말랑말랑한 엉덩이를 주무르고 있던 손이 슬그머니 위치를 옮기는 사이 잠깐이나마 클로에를 지탱하던 힘이 사라지자 중력에 끌려간 몸이 아래로 떨어지고 다리 사이를 가르고 있던 페니스가 클로에를 꿰뚫었다.

"잡……아줘요, 제발……."

하아 하아 숨을 몰아쉬었지만 배 속을 가득 채운 물건이 몸을 반으로 갈라버릴 것 같은 느낌은 점점 강해졌다. 미타이가 의도적으로 힘을 살짝 뺀 채로 잡고 있는 탓이었다. 이 상태로 놔버리면 그의 꼬챙이에 찔려 죽을지도 모른다는 공포가 엄습해 다리와 팔에 힘을 주고 바들바들 매달렸다. 결국 거의 내뱉은 적 없었던 제발이라는 애원을 정신없이 쏟아냈다.

"야옹아. 클로에."

"네, 네……."

애타게 매달려 있는 상체가 뒤로 밀려났다. 버티려고 손톱에 힘을 주었지만 속절없이 팔은 풀리고 미타이의 가슴에서 떨어져 나갔다. 허리를 단단히 잡아주고 있었기에 떨어지지는 않았지만 갑자기 밀어내는 바람에 심장이 떨어질 정도로 놀랐다. 뒤로 무게중심을 받칠 만한 것도 없이 허공에서 팔을 허우적댔지만 미타이는 흔들리지 않았다.

"고마워…… 정말."

"읏!"

밀어낸 클로에의 얼굴을 빤히 쳐다본다 싶더니 세차게 끌어안았다. 들뜬 것처럼 들렸고, 감격에 겨운 것처럼도 들렸다. 기겁하게 만들 땐 언제고 이제는 숨이 막히도록 꽉 안고 있었다.

"흐……으."

미타이와 이어진 것은 중심부와 그의 엉덩이를 감고 있는 다리뿐. 클로에는 움찔움찔 떨며 하체에 힘을 주었다. 그러자 더 부풀 수도 없을 줄 알았던 속에 가득 차 있는 것이 부피를 키운 것만 같은 착각이 들었다. 질은 뻐근할 정도로 벌리고 성기를 간신히 받아들이고 있었다.

"역시 상상대로 이쁘다."

"……네?"

"다이아 색이랑 야옹이 털색이 잘 어울려. 그 여자 때만 해도 머리색이나 눈 색에 맞추는 거 촌스럽다 생각했는데. 별로 예쁘지도 않고. 근데 야옹이는 아니야."

"털, 털색이…… 으응!"

잠시 멈추어 클로에를 감상하듯 내려다보던 미타이가 무언가에 홀린 듯 중얼거렸다. 바들바들 미타이의 팔을 간신히 잡고 뒤로 넘어가지 않으려 버티는 클로에는 그의 혼잣말을 바로 이해하지 못했다. 털색이 머리카락 색을 의미한다는 정도만 알아들었을 때, 멈추었던 미타이가 클로에를 움직이기 시작했다.

"막 휘날리는 머리랑 목걸이랑, 여기 눈앞에서 봐달라고 춤추는 젖꼭지까지. 삼위일체네. 눈을 뗄 수가 없어."

"하으, 으응! 으……읏!"

클로에를 지탱하게 해주는 기둥이나 다름없는 성기가 중심부에서 빠져나가는 것 같은 착각에 질구에 힘을 주었다. 그러길 기다렸다는 듯 반쯤 나왔던 것이 푹 푹 안으로 꽂히듯 들어왔다. 목걸이가 짤랑짤랑 흔들리고 가슴이 아플 정도로 흔들렸다.

이리저리 날리는 목걸이가 턱에 부딪혔다 쇄골을 때리기도 했다. 제게 매달려 위아래로 흔들리는 클로에에게서 정말로 눈을 떼지 못하고 속삭이던 미타이가 뒤로 넘어갈까 봐 힘들어하는 클로에를 그제야 도와주었다. 어깨를 감싸고 위로 당겨 제대로 그를 안을 수 있게 해주었다.

"야옹이가 선물이랑 장난감 좋아해줬으면 좋겠어. 그래야."

"노, 놓으면 안…… 흑, 흐읏!"

클로에는 동아줄을 잡고 매달리듯 미타이의 목을 안고 매달렸다. 경고와도 같은 말을 끝까지 듣지도 못하고 그저 놓지 말라고 애원했다. 몸은 내준들 먼저 해달라고 조르는 형태만큼은 절대 되지 말자던 결심이 너무나도 쉽게 깨져버린 것 같아 눈물이 후드득 쏟아졌다.

심정을 아는지 모르는지, 의도한 바였는지 아닌지. 우뚝 태산같이 서서 안고 있는 클로에를 잡고 훅 훅 들이찌던 미타이가 쉿, 숨을 불어넣으며 등을 토닥였다. 거친 섹스 중에도 겁먹은 그녀를 달래기 위한 어설픈 손짓에 순간 도화선에 불이 붙듯 짧은 절정이 클로에의 눈물로 얼룩진 시야를 하얗게 메웠다.

긴 날숨이 지나간 자리에 꼼짝도 하기 힘든 몸뚱이가 축 늘어져 있었다. 만 하루를 채우기도 전에 대낮부터 시작된 정사는 기력을 몽땅 빼앗아가 숨을 쉬는 것조차 버겁게 만들었다. 원래라면 밤에나 가졌을 잠자리를, 어두워지지도 않았는데 화가 났다는 이유로 시작하는 바람에 더 힘들게 느껴졌다. 클로에는 따뜻한 물수건으로 제 몸을 꼼꼼하게 닦는 손길을 무시하고 색색 숨을 내쉬었다.

"형이 생각보다 늦네."

오늘은 오전부터 미타이가 클로에를 지켜보다가 오후에 돌아올 지안니와 교대하기로 되어 있었다. 지안니가 공사가 다망한 다니엘레가 올 때까지 맏이의 손님을 잠시 응대한 후, 일이 마무리되는 대로 미타이 방으로 오기로 했었다.

"큰형이 늦나?"

다니엘레가 늦고 있거나, 손님에게 일이 생겼거나. 이유야 어찌 되었든 지안니가 영 오질 않아서 우유놀이는 실컷 했으니 미타이로선 반가운 지각이었겠지만, 한차례 폭풍이 휘몰아친 후에도 오질 않으니 늦어지는 이유가 슬슬 신경 쓰이는 듯했다.

"야옹아, 외출할래?"

"기운 없어요."

"내가 안고 가면 되지."

의향을 물어보는 형태를 띠고 있었건만 대답은 정해져 있다. 거절은 거절당하고, 혼자서 옷을 갖춰 입은 미타이가 으라차 얇은 이불을 두르고 있는 클로에를 안아 들었다. 힘껏 밀어내 봐야 그에게는 간지럽기만 할 테고, 특히나 기운이 없는 지금은 그나마 간지러워하지도 않을 듯하여 일찌감치 포기하고 힘을 빼고 기댔다.

"중요한 손님이면 어쩌시려고."

노곤하게 늘어져 있어서 입에서 나오는 말은 웅얼거림에 가까웠다. 미타이가 외출을 운운한 건 지안니를 찾으러 가는 동안 클로에를 혼자 두고 싶지 않아서일 터, 그렇다고 해도 손님을 접대하고 있는 지안니와 마주쳤을 때 동생이 망측한 꼴을 보여주기엔……. 유명하기도 유명한 미타이는 발가벗은 채 쓸데없이 화려한 목걸이만 걸치고 정사의 흔적을 팍팍 풍기는 여자를 안고 돌아다니는 모습을 보여도 될 정도로 체면이 바닥도 아니었다.

"그런 건 야옹이가 걱정할 문제가 아니야. 그리고……."

꿍얼꿍얼 중얼거려도 용케 알아듣고는 클로에의 걱정을 막았다. 그리고는 무언가 할 말이 있는데 해도 되나 안 되나 고민을 하는지 뜸을 들이고 있었다. 타인의 체면 걱정보다 스스로의 앞날이나 간수하라는 충고를 던질 사람은 아니어서 클로에는 묵묵히 이어질 말을 기다렸다.

"오늘 오기로 한 손님이 사실 그 여자, 아니, 이즈리에거든."

"……네?"

굉장히 많이 놀랐지만 워낙 기운이 없어서 몸이 따라주지 않았다. 왜 갑자기 여주인공이 등장한담. 왜 하필 오늘 저택으로 놀러 오고, 왜 하필 이 남자들은 클로에가 뻔히 같은 공간에 있는데도 초대를 하는지. 그러나 차마 따지거나 묻지는 못했다. 여주인공이 왜 오느냐고 날 선 반응을 보였다가 악녀 역할을 맡는 꼴이 되어버릴까 봐서였다.

"물론 그 여자가 왔다고 해서 경계를 게을리하지는 않을 테니까 어설픈 시도는 하지 마. 자그마한 머릿속엔 아직도 도망가겠다는 생각만 가득하잖아?"

"……."

"놀란 눈 하지 말고. 말 안 하고 있어도 무슨 생각으로 꽉 차 있는지 다 보인단 말이야. 그러니까, 음."

방심을 유도하겠답시고 며칠 동안 순순히 따르는 척 얌전히 포기한 척하고 있었는데 미타이는 클로에의 속을 정확하게 짚어냈다. 미타이가 이렇다면 지안니는 당연히 알고도 남으리라. 흔들리는 갈색 눈동자에 왜인지 모르게 씁쓸하면서 한편으로는 단호한 결심이 어려 있는 표정이 새겨졌다.

"아니다, 차라리 안전장치를 해둬야겠어. 미안, 야옹아."

"언제부터 고양이가 위험한 동물이었다고……."

"그럼 위험한 동물이지? 우리 셋을 들었다 놓았다 하는데?"

"……."

누구 덕분에 손가락 하나 까딱할 기운도 없어서 숨만 간신히 쉬는데 미타이는 안전장치 운운이었다. 기가 막혀 빈정거려도 봤지만 정작 그는 클로에가 빈정거리는지도 몰랐다.

'짐승 같은 놈. 나쁜 놈. 발정 난 자식.'

억울해서 이불 너머로 느껴지는 탄탄한 팔과 가슴을 발로 뻥 뻥 차고 싶었다.

지금까지 한 번도 스스로가 성욕이 넘친다 생각한 적은 없었는데, 지안니와 미타이 앞에서는 천하의 명기라도 된 것처럼 쑥쑥 삼키고 조이고 꿀물을 흘렸다. 스스로를 믿기 힘든 하루하루다. 몇 백 번도 더 속으로 욕을 했지만 까놓고 보면 너도 만만치 않다고 역공을 당할까 봐 마음으로 끝냈더랬다. 클로에는 이불을 이마까지 끌어와 얼굴을 숨겼다.

"왜 숨어?"

"말 걸지 마세요."

"응? 삐쳤어?"

너무나 천연덕스러운 대응에 욱했다가도 금세 한숨만 나왔다. 꼬리를 살랑거리는 사자 같은 작태를 무시하고 더 꼭꼭 이불 안에 숨었다. 오래 버티진 못하겠지만 그녀를 구경하는 즐거움은 주고 싶지 않았다.

"미타이님?"

그때, 성큼성큼 향하던 둘을 여린 음성이 불러 세웠다. 미타이는 천천히 뒤로 돌았고 클로에는 이불 속에서 고개를 갸우뚱거렸다.

저택 내에서 감히 미타이의 이름을 대놓고 부르는 여자는 클로에뿐이다. 부르지 않으면 워낙 미타이가 거칠게 덤벼서 하는 수 없이 이름으로 부르기 시작했더랬다. 실은 원한다면야 도련님 혹은 주인님이라 부를 의지가 충만하니 자랑으로 여기고 있진 않았지만.

그런 클로에조차도 미타이가 없는 자리선 그의 이름을 함부로 부르지 않는다. 동등한 위치의 귀족 영애로 와 있다면 모를까, 클로에의 위치는 애매했으니까. 오르시니의 저택에서 당당하게 이름을 부르는 여자라면.

"페인 영애."

각별한 선물을 주고받은 사이임에도, 게다가 사랑하는 대상임에도 미타이는 여주인공의 이름을 부르지 않았다. 왜인지 딱딱하게 선을 긋는 분위기여서 클로에는 이불 안에서 숨을 죽였다. 비록 발이 이불 밖으로 튀어나와 있긴 하지만 다행히 여주인공이 그녀를 알아볼 일은 없었다.

"여기는 객이 쉬이 들어올 곳이 아닙니다만."

"갑자기 왜 그렇게 무섭게…… 그런데, 그 여자분은?"

여주인공은 물기 어린 음성으로 애처롭게 호소했다. 하기야 다른 이도 아니고 여주인공에게 반갑게 인사해야 할 남자가 쌀쌀맞게 여기엔 왜 있느냐고 하니 당황할 법도 하다. 클로에는 이불 속에서 팔꿈치로 툭 툭 미타이를 쳤다. 그녀를 안고 가다 딱 걸려서 미타이 역시 당황한 탓에 그러는 것 같았는데, 그래도 좋아하는 여자한테는 다정하게 대하는 것이 좋으니 지금이라도 빨리 사과하라는 의미였다.

"지금은 보는 눈도 없는데 뭐 하러 시늉을……. 아니, 그보다 알 것 없……."

"아. 그러고 보니 지안니님 방이 근처죠?"

불퉁하게 굴거나 말거나 개의치 않고 말을 자른 여주인공은 난데없이 지안니를 화제에 올렸다. 투덜거림이 뚝 멈췄다. 미타이와 좋은 관계를 유지하고 있을 여주인공이다. 그의 앞에서 다른 남자의 이름을 올린 것으로도 모자라, 다른 남자의 방이 어디 있는지도 잘 알고 있다는 티를 냈다.

"여자분께서 편찮으신가 보네요. 그런데 지안니님과 미타이님 두 분과 관련 있는 여성이라면."

"형님은 이즈리에 양을 홀로 두고 자리를 비우실 분이 아닌데."

여주인공은 삐져나와 있는 발을 보고 클로에의 성별을 추측했다. 그리고 자연스럽게 클로에의 정체를 추측하려 했다. 어차피 여주인공이 알아낼 리 없을 텐데도 미타이는 차갑게 화제를 돌렸다. 때문에 쌀쌀맞은 남자를 팔꿈치로 쿡 쿡 찔렀지만 그는 꿈쩍하지 않았다. 역시 그녀의 힘으로는 찔러봐야 간지럽지도 않은 듯했다.

"아무리 초대 손님이라고 하셔도 이곳은 엄연히 사적인 공간, 동행하는 이 없이 오실 곳은 아닙니다. 형님께서 책임감 없이 손님을 너무 오래 방치해두셨나 봅니다."

"어머, 아녜요. 그저 제가 길을 잃었을 뿐인걸요."

미타이는 지안니를 책망함으로써 잘못을 가족에게 돌리면서도 넌지시 사적인 공간에서 나가라 요구하고 있었다. 여주인공은 스스로의 실수라 돌리면서도 순순히 나갈 생각은 없는 듯 버텼다.

'둘째 짐승 방도 아는 사람이 길도 잃네.'

클로에에겐 지안니도 짐승이다. 외양의 문제가 아니고 클로에를 괴롭힐 수 있는 정력이 미타이와 맞먹는 시점에서 이미 짐승이나 다를 바 없으니까. 미친 마법사를 둘째 짐승으로 명명한 클로에는 여주인공과 미타이의 원인 모를 신경전을 들으며 속으로 혀를 찼다.

애정을 시험하려고 지안니를 언급했다 보기에는 이즈리에가 조신한 여주인공답지 않은 행동을 했다. 미타이도 마찬가지였다. 명백히 짜증이 났다는 냄새를 풀풀 풍기는 짐승의 곤두선 신경은 이즈리에에게 향하는 중이었다. 무슨 일이 있어도 절대 여주인공에게는 짜증을 내지 않을 남자일 텐데도.

"미타이님. 제가 또 헤매다 실수를 저지를까 걱정이 되어 부탁드려요. 응접실까지 바래다주실 수 있으실까요?"

"안내를 해줄 고용인을 불러드리겠습니다."

"아뇨, 미타이님께서 해주셨으면 좋겠어요."

"……"

"대신 그 여자분은 눈감아드리겠습니다. 제게 주신 소중한 선물을 떠올려서요."

"하."

가련하게 오들오들 떨 때는 언제고 미타이가 말을 듣지 않자 돌변하여 조곤조곤 차분한 말투로 원하는 바를 끝내 쟁취하고야 마는 여주인공. 클로에를 무기 삼아 모른 척해줄 테니 응접실까지 에스코트하라는 명령을 받은 미타이는 하, 짧은 헛웃음을 터트렸다.

보이지 않아도 알 수 있을 만큼 미타이의 분노는 최고치를 찍었다. 이즈리에가 클로에에 대해 알면 얼마나 안다고 순순히 협박에 응하는지 참으로 의아했다. 무엇보다도 이즈리에는 이 불에 가려진 그녀가 클로에라는 사실도 모를 텐데도 미타이는 이를 갈면서 이즈리에의 요구를 들어주었다.

"여기서 꼼짝 말고 기다려."

결국 그는 여주인공을 무시하고 돌아서지 못했다. 지안니의 방에 클로에를 내려주며 어디 가지 말라 신신당부를 했다. 아이를 혼자 낯선 곳에 두고 가는 부모처럼 자그마한 머리를 꼬옥 잡고 이불 사이로 드러난 눈을 똑바로 응시했다.

"놓지 말라고 한 부탁대로 놓을 생각 없으니까, 나 없다고 불안해하지 말고."

'그게 그 뜻이 아니었잖아!'

지금 하고 있는 오해에는 조목조목 따지고 싶은 부분이 한둘이 아니었지만 행여나 밖에 있는 여주인공에게 들릴까 따지지도 못했다. 미타이가 불만의 표시로 부푼 볼을 툭 툭 친 후 찡긋 윙크를 했다. 본의 아니게 목도한 윙크하는 사자의 뒷모습을 바라보는 사이 육중한 문이 닫혔다.

∞

　문이 언제 다시 열릴까 조마조마한 심정으로 노려보고 있었다. 열을 세고 백을 세어도 열릴 기미는 보이지 않았다. 미타이는 정말로 그녀를 혼자 두고 여주인공을 에스코트하러 갔다. 클로에와 여주인공 중에서 여주인공에게 무게의 추를 기울였다고 해서 서운한 감정은 들지 않았다. 대신 딱딱하게 굳어 있던 클로에의 얼굴이 조금씩 환해지기 시작했다.

　"진짜다……."

　사흘간 혼자 있었던 시간이 없었다. 단 한 순간도 기회를 엿볼 수가 없었다. 족쇄만 없다 뿐이지 감금당한 상태나 마찬가지였는데, 여주인공의 등장으로 감옥에 약간의 틈이 생겼다. 믿을 수 없어 뺨을 꼬집어보니 욱신 통증이 느껴졌다.

　드레스룸을 뒤져 조금이나마 가릴 용도로 입을 만한 옷을 찾아낸 후 다급히 꿰입었다. 소매나 바지 기장이 길어서 걸리적거려 대충 여러 번 접은 다음 로브를 걸쳤다. 치수가 한참 맞지 않은 옷을 훔쳐 입은 티가 역력했지만 신경 쓸 겨를은 없었다.

"다행이야. 2층이네."

복도로 나가 마침 지나가는 누군가에게 걸리는 위험과 외벽을 타고 내려가는 위험 중 어느 쪽을 무릅쓰는 것이 나은가 한다면, 지금으로선 후자다. 나가는 길에 다급하게 돌아오는 미타이와 맞닥뜨리기라도 하면 끝장이었다. 차라리 떨어지는 위험을 감수하는 편이 나았다. 그리고 지안니의 방은 마침 2층이기도 했다. 클로에는 발코니로 나가 외벽에 발을 디디고 손으로 잡아 지탱할 만한 것이 있나 샅샅이 살폈다.

"저거면 가능할지도?"

발코니에서 팔 하나 정도의 거리에 있는 불룩하게 튀어나온 기둥이 덩굴로 감겨 있었다. 발코니 바깥쪽에 매달려 몸을 바깥으로 기울이고 팔을 뻗어야만 하는 거리였지만 시도해볼 만은 했다. 기둥에 매달리기만 하면, 설령 발을 헛디뎌 미끄러진들 매달려서 놓지만 않는다면 손바닥은 벗겨지겠지만 크게 다칠 가능성은 적어 보였다.

"하나, 둘, 셋……."

아무리 절실하다고는 해도, 그리고 아무리 다행히 2층이라고는 해도 역시 아래를 내려다보니 아찔해지는 것은 어쩔 수 없어서 용기를 내는 데엔 시간이 필요했다. 셋에 뛸 생각이었지만 숫자를 세다 보니 어느새 다섯이 되고 여섯이 되었다. 지금이 아니면 도망갈 기회가 없을지도 모른다고 스스로를 다독이며 이를 악물고 덜덜 떨리는 발을 들어 발코니 난간 밖으로 내밀었을 때였다. 무서워도 기회가 찾아왔을 때 도망쳐야만 했다. 그래야만 했다…….

'응?'

발코니 아래에 분명 아까 전엔 없었던 인영이 나타났다. 듣기로 지안니의 방은 다소 구석진 곳에 위치하고 있어서 그의 방 발코니를 볼 수 있는 정원 쪽으로는 드나드는 사람이 잘 없다고 했다. 시끌벅적한 것을 좋아하지 않아 일부러 동선이 불편하더라도 구석진 방향을 골랐노라고 말한 적이 있었으니, 확실히 그의 방 발코니 근처로 드나들 고용인은 없어야 했다. 실제로 클로에도 한 번씩 그의 방에 머무를 때 바깥을 내다볼 때마다 지나다니는 사람은 보지 못했었다.

"……해. ……면 안 돼."

그런데 하필 오늘따라 두 명이나 찾아왔다. 클로에가 위에서 내려다보고 있다는 사실을 모르는 두 사람이 소리를 낮추어 이야기를 하고 있었다. 외진 구석을 찾아온 이유야 뻔하다. 아무도 듣지 않았으면 하는 비밀 이야기를 하기 위함이다.

두 명의 여자는 메이드 복장이었는데 그중 한 사람은 머리카락이 드러나지 않게 둥근 캡을 쓰고 있는 것으로 보아 주방에서 일하는 메이드였다. 다른 사람은 딱히 담당 위치를 특정할 만한 지표가 없었지만, 적어도 이 저택에 있는 동안 클로에를 시중든 적은 없는 메이드였다.

'여기서 뭐 하는 거지?'

잿빛 메이드복을 입은 갈색 머리의 여자가 둥근 캡을 쓴 여자에게 주먹보다 조그만 주머니 두 개를 건넸다. 주머니를 받아 든 둥근 캡의 여자가 허리를 조아렸다. 난간 안으로 도로 숨어 바로 위에서 고개만 빼꼼 내밀어 보는지라 얼굴이 또렷하게 보이질 않았다. 그나마 허리를 숙이지 않은 갈색 머리의 여자의 인상은 파악할 수 있었는데, 사납게 올라간 눈썹으로 판단하건대 상당히 까칠해 보였다.

'군기 잡는 중인가?'

원치 않게 메이드 일일 체험을 했던 날에도 제대로 역할을 수행하지 않았기에 메이드의 세계는 잘 모른다. 분위기가 심상치 않아 보이긴 했지만 알지도 못하는 상태에서 섣불리 도와줄 수는 없어 안타까운 심정으로 지켜만 보았다.

둥근 캡을 쓴 여자는 많이 무서운지 심하게 떨면서도 안 된다고 중얼거리며 고개를 저었다. 깐깐해 보이는 여자는 "머저리!" 욕을 던지고 쿵 쿵 세게 발을 내디디며 먼저 자리를 떴다.

'빨리 가라, 좀.'

안타깝지만 클로에는 도와줄 수 있는 위치가 아니었다. 도와준 이후에 해코지를 당하지 않게 후속 조치를 해줄 능력도 없었다. 괜히 끼어들었다가 긁어 부스럼 꼴만 날 가능성이 현저

했다. 고개를 저으며 한숨만 푹 내쉬곤 차라리 나머지 한 여자도 자리를 얼른 뜨기를 애타게 기다렸다.

받아 든 주머니를 가슴에 꼭 안고 한참을 훌쩍이며 떨던 여자는 시간이 계속 흐르자 더 이상 오래 자리를 비우기가 힘들었는지 떨어지지 않는 발걸음을 억지로 움직여 저택 안으로 돌아갔다.

'됐어!'

기다리고 기다리던 시간이 드디어 돌아왔다. 메이드가 모두 사라졌음을 확인한 클로에는 이번에야말로 주저할 겨를이 없다고 스스로를 다독이고는 떨리는 손으로 난간을 꽉 잡고 오른발을 들어 밖으로 내밀었다. 조금만 실수해서 미끄러지면 바로 낙하다. 두 손으로 한 번 더 난간을 부여잡고 왼쪽 다리를 마저 밖으로 꺼냈다.

"……."

발코니는 티타임을 즐길 수 있을 정도로 크고, 통유리로 된 문이 이중으로 되어 있으며 방 안으로 두 겹의 커튼이 쳐져 있다. 클로에는 그렇게 큰 발코니의 한쪽 구석에서 난간을 타 넘었을 뿐이었다. 그리고 난간에 매달리는 자세가 되는 바람에 의도치 않게 방을 바라보는 방향으로 서게 됐을 뿐이었다.

"……."

닫아놓은 이중의 문 너머 두 겹의 커튼 사이로 이 자리에 있어서는 안 될 인불이 발코니를 보며 서 있었다. 언제부터 서 있었는지, 팔짱을 끼고 문틀에 기대어 서 있었다. 난간을 타 넘은 클로에를 보고서도 문도 열지 않고 보고만 있었다.

"지안니……."

절로 입술이 달싹이며 그녀를 보고 있는 남자의 이름을 불렀다. 클로에가 그를 인지하자 지안니의 입꼬리가 호선을 그리고 그녀를 따라 입모양이 또박또박 한 문장을 전했다. 「안, 녕, 아, 가, 씨」.

왜 보고만 있는지는 모른다. 클로에가 도망갈 수 없으리라고 여겨서일까.

실로 그럴 것이 순순히 다시 발코니 안으로 돌아가거나 그가 뻔히 보는 앞에서 소용없을 시도를 하거나 둘 중 하나뿐이었다. 아마도 지안니는 직접 나서지 않아도 순순히 클로에가 돌아오리라고 생각하고 있는 것일지도 몰랐다.

그래서 클로에는 두 눈을 질끈 감았다. 벌벌 떨고 있던 왼손이 난간을 제 의지로 놓았던가, 땀에 미끄러져 놓쳤던가. 채 깨닫기도 전에 몸이 허공에 붕 떴다.

자꾸만 도망치라는 메아리가 희미하게 들려왔다.

4장.
열락의 새장

"위험했어요, 아가씨."

간과했던 점은 지안니가 마법사라는 것. 머리로야 알고는 있었지만 마법이 있으면 불가능하다고 생각했던 일도 어느 정도는 가능한 일이 되어버린다는 현실은 몇 번 겪어본 정도로는 익숙해지지 않았다.

"그렇게 위험한 장난을 치면 쓰나요. 심장이 멈추는 줄 알았네."

분명 지안니는 닫힌 문 너머에 있었으니 밖으로 나오려면 당연히 시간이 걸려야 했다. 마법이라는 변수를 제외한다면 상식적으로는 그랬다. 그렇기 때문에 닫힌 문이 벌어다 줄 잠깐의 시간을 이용해 발코니 옆 기둥으로 옮겨 매달리려고 했다. 눈을 감아버린 것은 공포에서 기인한 본능이었다.

"미타이가 가만히 있으라고 하지 않았어요?"

공중에 떠서 멈춰 있는 클로에의 허리를 감고 끌어당기는 팔이 있었다. 뛰어내리다시피 몸을 던져 도망가려던 클로에를 움직이지 못하게 한 후 발코니 난간 밖으로 둥둥 띄운 지안니가 귓가에 대고 속삭였다. 참 재밌는 광경을 봤네요, 정중한 감탄에 끝내 딸꾹질이 터져버렸다.

"혼자서 떨고 있을지도 모른다기에 서둘러 왔더니."

"히끅!"

머리가 띵하니 울릴 정도로 세차게 상체가 요동치며 딸꾹질이 터졌다. 누군가 감시할 사람이 오기 전에 얼른 도망가려고 했는데 다른 고용인도 아니고 지안니가 몸소 서두르는 바람에 소용이 없게 되었을뿐더러…….

"아무래도 팔다리가 있어서 우리 아가씨가 세상 무서운 줄 모르고 위험한 행동을 하는 것 같아. 안 그래요?"

"아, 아, 안, 그, 딸꾹!"

보이지 않는 상자에 갇힌 듯한 몸은 속절없이 끌려갔다. 도망가던 중간에 잡힌 탓에 화창한 하늘과 탁 트인 정원의 풍경을 향해 팔을 뻗은 자세로 끌려 들어가고 있어 본의 아니게 클로에의 심정을 참 잘 대변해주는 꼴이 되었다. 클로에의 허리를 감고 한 걸음 한 걸음 방 안으로 돌아가던 지안니가 싸늘하게 웃었다.

"안전장치를 만들어 오긴 했지만 그래도 진짜 쓰고 싶게 만들 줄은 또 몰랐네요."

말투는 평소처럼 정중하지만 저음은 더더욱 낮아졌다. 좋지 않은 징조다. 침대에 내려진 클로에는 팔다리를 움직이려고 꼼지락꼼지락 애를 썼다.

"참. 제 옷을 입고 싶으면 말씀을 하시지. 제 눈에는 예뻐 보이지만 솔직히 사이즈는 맞지 않네요."

마비된 것처럼 움직일 수는 없는데 옷이 벗겨지는 느낌은 전해졌다. 안타깝게도 너무 금방이었다. 비록 사이즈는 많이 크지만 입고 있게 두어도 되잖나. 옷도 많으면서. 눈동자만 데굴데굴 굴리며 멀어져 가는 옷가지를 아쉬운 시선으로 쳐다보았다. ……알몸은 무서웠다.

"걱정 마요. 그렇지 않아도 오늘 하려던 선물이 있으니까."

"괘, 괘, 괜찮은……!"

지안니의 검은 상자가 또 등장하는 바람에 화들짝 놀라 숨을 들이켜자 딸꾹질이 잦아들었다. 그러나 심장은 쿵쾅거리기 시작했다. 착, 착, 착. 열심히 사양을 해도 검은 상자는 매정하게도 판을 벌렸다.

"재촉하지 말고 기다려야죠?"

도리질도 하지 못하니 더 애가 탔다. 클로에의 행동을 십분

오해해준 지안니가 조용히 타이르곤 상자 안의 물건 중 하나를 집어 들었다. 우아한 손가락이 고른 물건은 투명한 색의 도구였다.

"선물은, 사양하……."

체구는 미타이가 더 큰데도 정작 클로에의 간이 콩알만 해지는 상대는 따로 있다. 두말할 것도 없이 지안니다. 특히 검은 상자와 함께하는 지안니는 죽음의 마법사 같아서 도통 경계를 풀 수가 없었다. 도망가다 딱 걸린 오늘은 더했다. 미타이 앞이었다면 이렇게 심하게 더듬지 않고도 거절한다고 할 수 있었으리라.

"아가씨. 미타이 선물은 받았잖아요. 이 목걸이."

물론 거절을 침착하게 했다고 한들 미타이의 선물을 사양하는 데 성공하지는 못했다지만. 지안니는 클로에가 걸고 있는 목걸이를 보란 듯이 짤랑짤랑 흔들었다.

"제 선물만 거부하면 제가 섭섭하지 않겠어요?"

연이어 상자에서 꺼내 든 물건을 흔들어 보였다. 무슨 소재로 제작되었는지는 모르겠지만 색은 투명했다. 말굽형 자석처럼 생겼는데 자석보다는 훨씬 컸다. 고리의 한쪽 끝에는 끝이 뾰족한 물방울 모양의 공 같은 것이 달려 있었고 반대편 고리 끝은 울퉁불퉁한 긴 원통이었다.

상자 안에서 유리병을 꺼내 마개를 따자 달콤한 향이 새어 나왔다. 향의 정체를 알고 있는 클로에는 호흡을 멈추려고 했지만 오래 버틸 수는 없었다. 숨을 참았다가 가쁘게 들이쉬는 틈틈이 향은 놓치지 않고 클로에의 코를 파고들었다. 달콤한 향기를 맡지 않으려 노력하는 사이 지안니는 또 다른 병을 꺼내 먼저 꺼낸 반고리형 물건 위로 쏟아부었다. 점성이 강한 액체는 쏟아지는 대신 뚝 뚜욱 떨어졌지만 방울 하나하나가 커 물건을 적시기엔 충분했다. 물건을 돌려가며 꼼꼼하게 액체를 바른 지안니가 클로에의 엉덩이를 잡았다.

"하으으응!"

감각은 고스란히 느끼도록 둔 악취미가 원망스러웠다. 미끌미끌한 액체로 담뿍 젖은 물방울 모양의 고리 끝이 꾹 다물려 있던 항문으로 침입했다. 외부에서부터 반대로 밀고 들어오는 형체 있는 무언가를 받아들이는 경험을 한 곳이라 뻑뻑하게 뱉어내는 대신 오물오물 고리 끝을 잡아먹기 시작했다. 클로에는 엉덩이만을 치켜든 채 침대에 엎드려서 끈적한 비명을 질렀다.

"아프진 않을 거예요. 아가씨를 위해 맞춤 제작했거든요."

일자형이 아닌 반고리형이고 반대편 고리 끝에도 장치가 되어 있다는 소리는 이 정도가 끝이 아니라는 의미다. 장난감 도구들의 쓰임새를 조금은 짐작할 수 있게 되니 덜컥 겁이 났다. 엉덩이를 내리려고 발버둥을 쳐봤지만 클로에의 하체는 조금도 움직임이 없었다.

"흑…… 흐, 흐으!"

회음부를 덮은 고리의 끝이 결국 꿀물을 뿜어내는 샘의 근원을 찾아 파고들었다. 먼저 축축할 정도로 발려 있는 액체는 이번에도 울퉁불퉁한 기둥이 좁은 내벽을 부드럽게 파고들 수 있게 도와주었다. 손가락에 비견될 법한 굵기와 길이를 가진 아담한 규격이었지만 존재감을 과시하는 데에는 충분했다. 비록 작은 크기의 고리였지만 앞뒤 양쪽으로 삽입당하자 평정을 가장할 수가 없었다.

"사실 동생이 하나를 했으면 적어도 둘은 해야 할 것 같아서. 아가씨 마음에 들려면."

방금 준 것은 선물 중 하나일 뿐이다 따위의 청천벽력을 태연하게 늘어놓은 지안니는 침대에서 일어났다. 지안니가 주는 선물은 하나로도 충분히 감당하기 힘들 만큼 벅찼다. 억지로 한 번 손으로 잡아봤었던, 손에서 튀어나갈 기세로 요동치며 움직이는 종류가 아닌 듯해서 다행이긴 했는데 또 주어질 선물이 정상일 가능성은 극히 희박했다.

"대체……."

지안니가 가지고 온 것은 드레스였다. 연한 분홍빛이 도는 하얀색의 화려한 드레스는 로코코 시대의 복식에 가까웠다. 코르사주와 리본, 동그란 모양으로 세공된 보석들로 장식된 스토마커와 어깨에서부터 내려오는 소매의 통은 좁지만 팔꿈치 부근에서 프릴이 겹겹이 덧붙은 소매를 보니 그러했다. 로브 아라 프랑세즈 사이로 드러난 같은 색상, 같은 직물의 언더스커트에도 층층이 촘촘한 러플 주름이 잡혔고 스토마커에 있는 꽃과 같은 종의 꽃송이가 붙어 있었다.

"그날의 그 누더기나 다름없는 천은 안 걸치느니만 못해요, 아가씨는."

가면무도회에 참석했을 때는 다른 생각으로 머리가 꽉 차는 바람에 다른 귀족 아가씨들의 화려한 드레스는 제대로 구경하지 못했더랬다. 아무리 보는 눈이 없어도 가면무도회 때 입고 간 옷이 얼마나 이상했는지는 안다. 그러나 예쁜 드레스를 하나 살 시간적, 금전적 여유가 없었다. 옷장에 들어 있던 드레스 중 그나마 멀쩡한 옷들에는 세월의 흐름이 묻어 있었다. 누더기 같다고 꼬집은 드레스의 꼴이 어떠했는지 잘 알고 있었지만 생판 남인 지안니가 거슬려 할 줄은 몰랐다.

움직일 수 없는 클로에를 앉혀 하나씩 천천히 입혀주었다. 당연하다는 듯이 시중을 받고만 살아왔을 귀족이, 그것도 성별도 다른 클로에에게 옷을 입혀주고 있었다. 드로어즈는 건너뛰었지만 코르셋의 끈은 능숙하게 조였고 파니에를 익숙한 듯 둘렀다. 허벅지까지 올라오는 스타킹과 가터벨트까지, 복잡한 순서여도 거침없었다.

"잘 어울리네요."

미타이가 걸어주었던 목걸이 외에는 따로 액세서리도 하지 않았다. 드레스를 입고 긴 머리를 늘어뜨린 후 인형처럼 서 있는 클로에를 훑고는 만족스러웠는지 끄덕였다. 거울을 볼 수 없는 클로에는 막상 어울리는지 어떤지도 알 수 없었다.

"하나! 하나가 빠졌……어요."

"하나?"

"소, 속옷이요……."

"아아."

종처럼 퍼진 드레스 안이 꽤 허전했다. 위는 코르셋으로 허리를 조여가며 갖춰 입었는데 아래는 대조적으로 속옷도 없이 이상한 고리만을 삽입하고 서 있느라 허전한 부위에 공기가 직접적으로 닿아 온 신경이 쏠리려고 했다. 클로에는 다 끝냈다는 듯 정리하려는 지안니를 다급하게 불러 세웠다.

"입을 필요 없어요. 드로어즈 대신 안전장치 하나를 해줬잖아요?"

"네……?"

"아. 그리고, 흠."

마네킹처럼 서 있는 클로에의 눈꼬리가 사르르 떨렸다. 당황하여 되묻는 클로에를 보고 웃던 지안니가 생각난 것이 있는 듯 바짝 붙어 서더니 분홍빛으로 달아오른 두 뺨을 감싸고 고개를 들게 해 쪽 쪽 입술을 쪼았다.

"미타이에게 선물을 받고 제발 놓지 말아달라고 애원했다고 하던데."

"……아?"

대체 무슨 말을 지껄였기에 저렇게 왜곡이 되나 싶어 어안이 벙벙해졌다. 저 정도면 사람의 말로 전달한 수준이 아니다.

"아가씨가 내겐 어떤 보답을 해줄지 참으로 기대하고 있어요."

아마도 거울이 앞에 있었다면 하얗게 질린 클로에가 비치고도 남았을 터였다. 그리고 지안니는 클로에의 상태를 오히려 즐기는 듯했다. 말을 잇지 못하는 아랫입술을 뒤집어 쪼는 듯한 키스를 계속했다.

"그런 의미에서 예쁜 옷도 입었겠다. 산책 좀 해볼까요."

애를 태우듯 간질간질한 키스만이 쏟아졌다. 지안니가 해줄 수 있는 키스를 알고 있는 본능이 더 달라 보챘지만 속살거리는 혀는 클로에의 치아 안쪽으로 넘어오지 않았다. 마법이 혀와 입술은 자유롭게 움직이도록 해주었던 탓에 클로에는 본능을 누르려 안간힘을 썼다.

"잊을 뻔했네요. 선물은 선물이고 도망가려던 벌도 받아야 하는데."

소리 없는 발버둥은 훤히 보인다는 듯 삐딱한 미소를 띤 지안니가 에스코트를 하는 흉내를 내며 클로에의 손을 들어 손등에 입술을 가져다 댔다. 잠시나마 떨어져 나간 덕에 속으로 안도의 한숨을 쉬던 클로에는 아직 해결되지 않은 발코니 건이 남아 있음을 깨달았다. 역시 다른 사람도 아닌 그가 이대로 넘어갈 리가 없었다. 탈출 시도를 하다 현장에서 딱 걸린 마당에.

"아가씨, 팔다리는 필요 없겠죠?"

사시나무 떨듯 떨 수 없는 몸 대신 갈색 눈동자가 흔들렸다. 팔다리가 필요 없지 않느냐고 묻는 저의가 꼭 사지를 잘라버리겠다는 뜻으로 들렸다. 겁을 먹은 그녀를 보고서도 지안니는 웃기만 했다.

드레스룸에 다녀온 지안니의 손에는 뮬이 들려 있었다. 서 있는 클로에 앞에 무릎을 꿇고 몸을 숙여 치맛자락을 살짝 들더니 드러난 발에 신발을 신겨주었다. 리본이 장식된 뮬의 굽은 제법 높긴 했지만 거기까지는 괜찮았다.

"위험하게 높은 난간을 타 넘는 다리에는."

두 발목에는 꽃 장식이 달린 발찌가 채워지고 발찌끼리는 금속 체인으로 이어져서 일정 너비 이상은 벌릴 수 없게 되었다. 난간을 타 넘기는커녕 걷기만 할 수 있는, 딱 그 정도의 너비였다.

"그리고 난간을 잡지도 못하고 쉽게 놓쳐버리는 손은."

손가락 하나하나에 마디 하나 정도 폭의 원통이 끼워졌다. 각 원통을 잇는 진주가 꿰인 줄이 손등을 덮고 손목을 한 바퀴

돈 후 풍성한 치마 사이에 숨어 있던 고리에 고정되었다. 이로써 주먹을 쥘 수도, 팔을 마음껏 뻗을 수도 없게 되었다.

바로 이 장치들이 팔다리를 못 쓰게 만든다는 의미였다. 움직이지 못하는 마법은 풀렸지만 힘으로든 뭐든 벗겨내지 않으면 도망갈 시도는 하지 못할 테니까. 서서 차마 한 걸음을 내딛지 못하는 클로에의 옆에 스윽 지탱할 수 있게끔 반쯤 접힌 팔이 다가왔다.

"가요, 아가씨. 그동안 갇혀 있느라 답답했을 텐데."

"바, 밖으로요?"

"아까 나가고 싶어 하더니?"

"그건…… 훗!"

거절은 받아들이지 않겠다. 지안니가 손수 클로에의 손을 잡고 제 팔에 끼웠다. 겉으로는 에스코트를 받고 외유를 나가는 진짜 아가씨로 보였지만 속은 반대다. 에스코트를 받고 넓게 벌리지 못하는 보폭으로 애써 떨리는 한 발짝을 내디뎠을 때, 서 있느라 이물감 정도만 느끼고 있던 고리의 존재를 생생하게 느껴야 했다. 스스로 움직이지는 않았지만 걷게 되면서 고리 끝이 내벽을 건드리는 모양이었다. 클로에는 더 걷기를 거부하며 지안니의 팔을 잡고 매달렸다.

상대가 지안니임을, 애원할수록 더 가혹해지는 남자임을 잊고 매달렸다. 이대로 걸어 나갔다간 이성을 놓을 것만 같았다.

지안니가 순순히 물러날 사람이 아님을 안다. 그럼에도 손끝이 하얘지도록 잡고 보았다.

"사실 아가씨께 반가운 이가 있을 거예요."

"저를……?"

"굉장히 보고 싶은 사람일 거야, 아가씨에겐. 그러니, 나가볼까요."

먹히지 않을 호소에 대해 돌아온 답은 역시나 싫었지만 한편으로는 예상 밖이었다. 클로에의 숙였던 허리가 펴졌다.

우려와 달리 체인이 스치는 소리는 나지 않았다. 다만 자칫 넘어질까 허벅지를 붙이고 걷다 보니 엉덩이에 힘이 들어간 탓에 고리가 너무 잘 느껴져서 문제였다. 무척이나 느리게 육지를 걷는 거북이 속도로 이동하는 클로에의 옆에서 실수로라도 더 멀리 발을 뻗지 않는 지안니가 속도를 맞추어주고 있었다. 고리의 끄트머리에 눌린 내벽이 의식이 흐려지게끔 하는 스위치를 머금고 있는 지점이어서 입 안이 바짝바짝 말랐다. 덕분에 체온이 올라가고 있어 옷이 거추장스럽게 느껴지고 음부를 적시는 애액이 콸콸 쏟아져 허벅지를 타고 흘렀다.

"더는…… 더는 못 가요……."

흘러내린 액은 스타킹에 흡수되어 마른 듯했다. 증발했어도 한시름 놓을 순 없었다. 끊임없이 고리를 적시며 나오고 있는 맑은 액체 때문이었다. 클로에는 더 걷기를 거부했다.

손만 자유로웠다면 당장이라도 고리를 잡아 **빼고** 싶었다. ……아니, 보는 눈이 없다면 고리를 잡고 절정에 달할 때까지 넣었다 **뺐다**…….

'무슨 그런 생각을!'

화들짝 놀라 지안니가 보건 말건 세차게 고개를 흔들었다. 아무리 괴로울 정도로 간지러워도 그렇지 무너질 수는 없다. 굴복하는 건 아까 한 번만으로 충분히 차고 넘쳤다. 은밀하게 똬리를 튼 악마의 유혹을 떨쳐내며 통제를 잃기 직전의 하체에서 보내는 구조신호를 무시했다. 버텨야 했다.

"힘들면 도와줘야 도리겠죠."

지안니는 클로에를 추궁하지도, 싸늘하게 밀어붙이지도 않고 피식 웃더니 가볍게 안아 들었다. 드레스가 풍성해서 공주님처럼 안기엔 힘들지 않을까 했는데 아무렇지도 않아 보였다. 안긴 덕에 무릎이 꼭 붙어 고리를 물고 있는 조임이 강해졌다. 순간 치고 올라온 전류에 클로에는 두 손을 모으고 파르르 한 차례 떨었다.

드레스 때문에 부피가 제법 되는데도 지안니는 마치 깃털을 든 것처럼 가볍게 클로에를 안고 1층으로 뚜벅뚜벅 내려갔다. 마주친 고용인들은 일체 표정의 변화 없이 그들의 주인이 시야에서 사라질 때까지 말없이 허리를 숙인 채로 기다렸다. 공작가의 잘 훈련된 메이드와 하인은 아예 클로에가 보이지 않는 듯 행동해왔고, 사실 그래서 민망함을 조금 덜 수가 있긴 했다.

"미타이는?"

"응접실에서 차를 대접하고 계십니다."

"그래?"

언제라도 시키는 일이 있으면 바로 이행할 수 있도록 대기하고 있던 하인은 미타이의 행방을 알려주었다. 아까 이즈리에에게 붙들려 간 후로 계속 돌아오지 않는다 했더니 응접실에 티타임 자리를 마련한 모양이었다.

"잘됐네."

무엇이 잘됐다는 것인지, 피식 웃으며 중얼거린 지안니만이 알고 있으리라. 제 동생이 어디 있는지만 파악해둔 후 하인을 지나쳐 가려 했을 때였다.

"어머, 다시 뵙네요, 지안니님. 어딜 가시나요?"

응접실의 문이 열리고 클로에를 안고 있는 지안니를 불러 세우는 목소리가 흘러나왔다. 누군지는 바로 알 수 있었다. 이즈리에다. 멈춰 서서 뒤돌아보지 않는 지안니의 표정이 사나워졌다. 클로에만이 목격할 수 있었던 변화였다.

"갑자기 어디론가 사라지셨다 했더니……. 그런데, 그분은."

무서운 남자이긴 하지만 항상 비웃는 미소를 거둔 적은 없었다. 이즈리에가 클로에를 언급했을 때엔 그나마 남아 있던 미소가 싹 지워졌다. 섬뜩할 정도로 변한 표정은 애꿎게도 클로에만이 보고 있었다.

클로에는 지안니의 심기를 거스를까 조심조심 그의 옷깃을 잡았다. 정황상 그녀에게 화가 난 것 같지 않기는 한데, 그러나 남자주인공 중 한 명인 지안니가 이즈리에에게 화를 낼 리도 없으므로 결국 클로에가 조심해야 한다는 결론이 도출된 탓이었다.

"아아, 다리를 다쳐서요."

우습게도 혹은 당황스럽게도 클로에가 그의 옷을 움켜쥐고 올려다본 순간, 지안니는 언제 화를 내고 있었느냐는 듯 싱긋 웃었다. 한쪽 입꼬리만 올라가긴 했지만 평소의 얼굴로 돌아온 셈이었다. 클로에를 향해 웃어주고는 천천히 방향을 틀며 대답했다.

"어머나. 그런가요?"

응접실 안에서 바깥에 있는 둘을 바라보고 있던 여주인공은 클로에의 다리에 힐끗 시선을 주었다. 얼마나 다쳤느냐, 괜찮으냐, 어쩌다 그랬느냐 등, 일반적으로 으레 던질 만한 걱정은 전부 생략한 이즈리에는 시선을 옮겼다.

"그래도 다과를 즐길 정도는 되겠지요?"

매력적인 미소가 담뿍 담긴 하얀 얼굴은 같은 여자가 보아도 무척이나 아름다웠다. 똑바로 서서 두 손을 앞으로 조신하게 모아 잡고 있는 자태 또한 여주인공을 한층 돋보이게 했다. 듣는 이의 의향과 사정을 고려하지 않은 일방적인 초대 강요를 묻어버릴 정도로.

"이 저택에 저 외의 손님이 계신 줄은 몰랐는데⋯⋯. 이래 봬도 꽤 섭섭하답니다, 지안느님. 그분을 소개해주시지 않으시겠어요?"

오르시니의 저택에는 단연 자신만이 드나들 수 있다는 자신감이 밴 탓인지 클로에의 출입을 책망하는 것처럼 들렸다. 원작에서처럼 지금의 이즈리에도 클로에의 존재에 관심이 없었는지 얼굴을 마주하고도 모르는 사람인 듯 소개해달라 요구했다.

지안느는 대꾸를 하지 않았다. 그러나 응접실로 향하는 발걸음은 이즈리에의 요구를 받아들이기로 했음을 알려주었다.

미타이와 여주인공이 마주 본 채 앉아 있고, 교차하듯 클로에와 지안느가 마주 보고 앉게 되었다. 의자에 앉는 순간, 고리가 눌리며 항문을 더 깊이 파고들자 신음이 흘러나올 뻔했지만 간발의 차이로 입술을 깨물어 막았다. 압박감이 심해져도 오히려 간질간질한 열기가 치마 속을 맴돌았다. 달뜬 한숨만 내쉬고 있자 지안느가 이마에 쪽, 입을 맞추고 반대편으로 이동해 버렸다.

메이드가 다가와 어떤 차를 마시느겠냐고 물었지만 고를 정신이 없어 생각나는 홍차의 종류를 대충 뱉었다. 미타이와 지안느가 힐끗 클로에를 보았지만 메이드는 대수롭지 않게 받아

들이고 차를 준비하기 시작했다. 땀이 차는 손가락을 슬쩍 치마에 닦던 클로에는 제 손에 무엇이 채워져 있는지를 뒤늦게 눈치챘다.

과연 찻잔을 들어 입 가까이 가져갈 수 있기나 할지, 여주인공이 클로에를 보고 어떻게 생각할지. 이 결과를 능히 짐작하고도 남았을 지안니가 일부러 응접실까지 데리고 들어온 저의가 대체 무엇인지.

버티던 클로에가 결국 창피를 당해 굴복하고 용서해달라고 빌게 만들겠다는 의도던가. 아니면, 클로에의 웃긴 꼴을 여주인공에게 보여준 후 여주인공의 반응을 가늠하기 위해서던가.

클로에를 만나고 싶어 하는 사람, 클로에가 보고 싶을 사람은 설마 여주인공인가. 지안니도 여주인공에게 관심을 가지고 있다는 사실까지 조합하면, 아마도 후자가 이유일 확률이 컸다.

"지안니님. 제게는 소개해주지 않으실 건가요? 서운한걸요."

"영애가 관심을 가질 필요가 없는데."

"그래도 앞에 버젓이 두고 없는 사람 취급을 할 수는 없죠."

"제가 알기로 그럴 자격은 없으신데."

"말씀이 지나치신 것 같네요, 지안니님."

이즈리에가 푸른 눈을 반짝이거나 말거나 차디찬 거절만이 돌아왔다. 여주인공을 위해 존재하는 남자주인공이 한 말이니만큼, 하등 관심을 줄 만한 가치가 없으니 신경을 끄라는 의미로 들려야 했다. 그런데 대체 왜 두 사람 사이에서 보이지 않는 전류가 흐르는 것 같은가. 왜 지안니가 클로에를 보호하려는 것처럼 느껴질까. 스스로라도 소개를 하려 애써 미소를 지었다.

"죄송하지만……."

"아! 저야말로 죄송해서 어쩌죠. 초면에 너무 친근한 생각이 들어 들떴나 봐요. 부디 아량을 베풀어 너그럽게 봐주시고 내치진 말아주세요. 제가 더 조심할게요."

뒤늦게라도 이름을 밝히고자 사과로 말문을 트려고 했다. 그러나 이즈리에는 깜짝 놀라는 시늉을 하며 되레 더 과하게 사과를 해왔다. 푸른 눈에 눈물이 글썽이자 보석처럼 빛이 났다. 죄송하다며 고개를 기울이는 여주인공은 무척 가련하게 보였다.

언뜻 들으면 혹은 사정을 지켜보지 않았던 이가 듣는다면 클로에가 이즈리에의 무례를 나무란 것만 같은 뉘앙스다. 이즈리에를 처연하게 만드는 표정과 손짓, 몸짓도 한몫했다. 소설 속이었다면 이 자리에 앉아 있는 미타이와 지안니도 여주인공을 편들어 클로에를 비난했을지도 모르겠다.

"네, 그럼."

아마 클로에가 심드렁하게 알아서 조심하시라 대꾸해버린 이유는 지금 이 상황이 소설이 아니기 때문이리라. 현실에서의 미타이와 지안니는 소리 없는 미소만 머금고 가만히 지켜보고 있었다. 때문에 무의식적으로 무심하게 반응해버렸다.

"참! 다니엘레님은 언제쯤 오시는지 알 수 있을까요?"

화사한 얼굴로 상냥하게 말을 걸긴 했지만 여주인공의 눈동자에 스친 어둑한 짜증을 놓치지 않았다. 억겁과도 같은 몇 초가 흐른 후, 이즈리에는 자연스럽게 화제를 바꾸었다. 뜨거운 김이 모락모락 나는 차를 보면서 어색한 자세로 앉아 있는 클로에를 의미심장한 눈길로 응시하던 여주인공은 언제 그랬느냐는 듯 시선을 돌렸다.

"동행하게 된 또 다른 손님이 계셔서. 그래도 곧 도착할 겁니다."

"손님이요? 오늘은 평소와는 달리 손님이 많은 날이로군요."

"네, 모처럼."

"오르시니 저택이 모처럼 북적이겠어요. 호호."

"또 다른 손님은 남자랍니다."

"어머."

부드럽게 웃던 여주인공이 잠시 차를 한 모금 마시기를 기다려, 미타이가 불쑥 손님의 성별을 밝혔다. 대뜸 성별부터 밝히는 의도를 짐작하기 어려워 클로에도 시선을 들었고, 여주인공은 애매하게 웃기만 했다.

"이즈리에 양도 아는 분이고요."

"그런……가요?"

지안니가 나른하게 웃으며 미타이의 말을 받았다. 지안니도 다니엘레와 같이 오고 있다는 손님이 누구인지 아는 모양이었다. 아무나 초대받지 못한다는 오르시니 저택에 방문할 수 있으면서도 여주인공과 아는 사이. 소설 속 세계에서 시간을 좀 보냈다고 벌써 내용이 가물가물해지는지, 소설에서 언급된 바 없었는지 통 짐작이 가는 인물이 없었다. 여주인공은 웃는 듯 마는 듯 미소를 띠고 고개를 기울였다.

"제가 이즈리에 양과 만나게 된 계기가 된 분입니다."

"……."

소외된 바람에 차만 홀짝거리고 있었다면 미타이의 말에 분명히 잔을 떨어뜨렸을 것이다. 그래서 처음이자 마지막으로 손이 구속되어 있어 다행이라 생각했다. 클로에가 소스라치게 놀라는 원인이자, 미타이와 여주인공이 만나게 된 계기인 사람은 클로에 파르세의 오라비.

"큰형님은 네르딘 파르세와 같이 도착할 예정입니다."

"왜 하필 그자를 친히 초대까지 하시나요?"

여주인공이 보기 드물게 고운 아미를 찡그렸다. 항상 예의 바르게 행동했을 그녀가 사람이 있는 자리에서도 기분이 좋지 않다는 티를 대놓고 드러냈다. 길 가다 붙잡혀 술주정을 받아주어야 했던 여주인공으로선 불쾌하기 짝이 없을 것이 당연할 테지만 성녀와도 다름없는 마음씨를 지녔다는 평을 듣는 이치고는 퍽 날 선 반응이었다.

클로에는 덜덜 떨리는 손을 프릴 사이에 숨겼다. 미타이도 이즈리에에게 말을 거는 듯하면서도 클로에를 보고 있었고, 지안니도 마찬가지였다. 100퍼센트의 확률로 평정을 유지하지 못하는 모습을 목격했을 것이다.

소설에서는 확실히 여주인공에게 네르던 파르세가 안긴 기억은 굉장히 불쾌한 경험이었다. 클로에도 동의했다. 다만 소설과는 다른 방향으로 진행되는 현실 때문에 잊고 있던 부분이 있었다. 그녀가 중간에 클로에라는 캐릭터에 빙의하기 전에, 이미 네르딘과 여주인공의 악연은 일어났을 수도 있다는 사실을. 아니, 이미 일어난 이후였음을.

"매번……."

이즈리에까지 클로에를 보고 있었다. 의미를 알 수 없는 중얼거림은 클로에의 귀에 닿지 않고 흩어졌다. 마주친 시선을 피하지 않고 보고 있으려니 새삼스럽게도 이즈리에가 멀게 느껴졌다. 소설을 읽으며 떠올리고 기대했던 인상이 자꾸만 깨졌다. 이미지를 벗어나는 낯선 모습이 드러날 때마다 당혹스러웠다. 일견 한 사람의 내면을 전부 다 알 수는 없는 법이지만 여주인공, 이즈리에는 퍽 생소하게 다가왔다.

이즈리에는 비생산적인 가십만을 떠들어대는 사교계 파티에 질려 한숨 돌릴 겸, 찬바람을 쐴 겸 무도회장을 나선다. 계절은

초겨울이었으나 가슴과 등이 파인 드레스를 입을 수 있도록 과하게 난방을 하는 회장의 문과 창문이 모두 꼭꼭 닫혀 있는 바람에 숨이 막히던 차고, 샹들리에가 눈을 아프게 하고 어지럽게 하기도 해서.

그날 이즈리에가 참석한 파티는 어떤 부르주아의 창단 기념 파티로, 주최자가 귀족은 아니지만 무시할 수 없는 영향력을 행사하는 부유층이어서 아무나 참석할 수 없는 자리였다. 그런 자리에 이즈리에는 일부는 오르시니라는 배경의 힘으로, 일부는 자신의 힘으로 초대받는다.

그러나 에스코트를 해주기로 한 다니엘레에게 사정이 생기는 바람에 혼자 참석한 이즈리에는 그녀를 두고 수군거리는 여자들의 수다를 흘려 넘기다 무도회장을 벗어나고, 그 자리에서 술에 취한 네르딘 파르세와 조우한다.

잔뜩 취해 혼자 밖에 나와 우두커니 앉아 있던 네르딘은 이즈리에를 발견한 순간 벌떡 일어선다. 여자가 만취한 남자에게 다가가는 것은 위험하다 판단해 거리를 두고 지켜보고 있던 이즈리에는 네르딘의 반응에 깜짝 놀란다.

네르딘과 단둘이 있었다는 이유로 뭇사람들이 어떤 입방아를 찧을지도 모르고, 무엇보다도 인적이 드물어 만일의 사태가 일어날 경우 도움을 받기도 힘들다. 차라리 돌아가 다른 사람을 불러오는 것이 낫다는 판단을 내린 이즈리에를 먼저 잡은 사람은, 사실은 네르딘이다.

이즈리에는 굉장히 놀랐지만 침착하게 대응했다. 울면서 가지 말라고 말리는 네르딘을 다독이고 돌아가라고 하려고 했지만 네르딘은 막무가내. 자신이 다 잘못했으니 마지막으로 딱 한 번만 사랑해서 떠난다고 말해 달라 애원하지만 이즈리에로선 난감할 따름이다. 더는 안 되겠다 싶어 정중한 거절을 건네고 돌아서려는데 네르딘은 결국 그녀의 옷을 잡고 발목에 매달리듯 애원하며 매달린다.

이러지도 못하고 저러지도 못하고 곤란해하는 이즈리에를 때마침 구해준 사람은 다니엘레 대신 파티에 참석한 미타이. 이즈리에를 구하면서 네르딘을 단어 그대도 발로 뻥 차버린다. 같은 남자여도 상대가 미타이니만큼 체급의 차이는 엄청나서, 네르딘은 날아가듯 뒤로 구르고, 미타이는 다시는 이즈리에에게 접근하지 말고 괴롭히지 말라는 경고를 남긴다. 경고를 어겼다간 네르딘의 소중한 것들을 전부 부수어버리겠다고…….

"아가씨."

회상에 잠긴 클로에를 끌어내는 부름에 화들짝 정신을 차렸다. 동시에 문득 이즈리에가 주는 위화감의 원인을 파악했다. 이즈리에는 클로에를 모르는 사람인 양 소개해달라고 했으면서도 또 다른 손님이 네르딘이라는 사실이 드러나자 빤히 클로에를 보고 있었다. 즉, 그녀는 클로에가 누군지 안다는 뜻이다.

알면서도 모른 척한 이유는 짐작이 가지 않았지만.

'그런데 오빠가 여긴 왜?'

여동생을 걱정하는 그와 처음 대면했을 때만 해도 편하게 오빠라고 부르기 힘들었지만, 노력 끝에 한번 물꼬를 트고 난 후로는 확실히 대하기 편해졌다. 아무래도 과거의 클로에가 가족에게 상당히 애착을 느끼고 있었던 듯했다.

여주인공에겐 길거리 술주정뱅이였겠지만 확실히 지금의 클로에에겐 기댈 수 있는 가족이다. 기억을 잃어도, 실수를 연발해도, 상식 이하의 발언만 쏟아내도 한 번도 답답해하거나 짜증을 내지 않은, 그야말로 환상 속에서나 존재할 것 같은 오라비였다. 많이 주저했지만 용기를 낸 순간 눈을 뜬 후 쭉 느껴졌던 불안은 상당히 줄었더랬다.

'오빠 역시 단역에 불과한 캐릭터였을 텐데.'

소설에서는 네르딘 파르세 역시 결코 비중 있는 조연이 아니었다. 이유야 간단했다. 여주인공이 네르딘에게 관심을 가지기 않았고, 네르딘이 여주인공에게 한 일은 다른 악역에 비해서는 강렬하지도 않았기 때문이다. 파르세 가문의 몰락은 네르딘 한 사람의 실수가 아니라 몇 가지 요소가 얽히면서 일어난 결과였을 뿐이다. 따라서 지금 오르시니가 네르딘 파르세를 저택으로 초대할 이유는 없었다.

"하지만 다니엘레님께서 절 생각하신다면 그런 자는 오래 두지 않으실 테니까요."

언제 클로에를 노려보았느냐는 듯 호호호 웃는 여주인공의 자태가 너무도 어여뻤다. 자신이 원하기만 한다면 다니엘레는 언제든지 바로 네르딘을 쫓아내줄 것이라는 자신감도 내비쳤다. 클로에를 바라볼 때는 푸른 눈에 음울한 그늘이 졌지만 미타이나 지안니를 향할 때면 청순한 미소가 되살아났다. 무슨 이유에서인지 이즈리에를 보기가 점점 거북해졌다.

저릿한 엉덩이 때문에 힘을 주기가 힘들어 내쉰 깊은 숨이 낮게 가라앉았다. 말 한마디 잘 꺼내지 않는 클로에를 어찌나 주시하고 있었는지, 작은 움직임에도 바로 세 쌍의 눈동자가 응시했다.

"야, 아니, 영애?"

미타이는 실수로 야옹이라 부를 뻔했지만 간발의 차로 말실수를 하지 않을 수 있었다. 세 사람의 시선을 한 번에 받자 어지러워지는 바람에 클로에의 상체가 흔들렸다. 미타이와 지안니는 그녀의 몸 상태를 기민하게 알아챘다.

"이런, 좀 쉬어야겠네요."

한참 눈을 감았다 뜨니 어느새 지안니에게 들려 있었다. 미타이가 불만을 담고 제 형을 쏘아보았지만 지안니는 무시했다. 두 남자의 시야에서 벗어나 있는 이즈리에가 클로에를 빤히 보고 있었다.

"첫째 도련님께서 도착하셨습니다. 바로 오시겠답니다."

기묘한 대치를 깨트린 노크 소리의 주인은 하인이었다. 다니엘레의 등장으로 새로운 전환을 알리는 소식을 전했다.

"그런데 동행한 손님이 계셔서, 그분을 다른 내빈실로 안내하신 후 들르시겠다고 하셨습니다."

네르딘은 다른 장소로 안내된단 뜻이다. 클로에는 어지러운 머리로 내빈실의 위치를 가물가물 떠올렸다. 이동 반경에 제한을 받은 탓에 즉각 어디다, 알 수는 없었지만 짐작 가는 곳은 있었다. 손님을 맞이하고 대접하고 기다리게 하는 장소의 위치는 저택이 아무리 커져도 크게 다르지 않으리라.

다니엘레를 기다릴 생각이 없는 지안니는 미타이와 이즈리에 둘만 응접실에 남겨두었다. 클로에는 지안니의 품에 얼굴을 묻었다. 특히 눈동자가 보이지 않도록 숨죽여 기댔다. 안겨 이동하는 동안 몰래 내빈실의 위치를 가늠하기 위해서였다.

다니엘레까지 도착하자 확실히 저택 내부에 한층 더 활기가 돌았다. 유독 반가워서라기보다는 신경 써서 맞이해야 할 주인이 한 명 더 늘어나서다. 웬만하면 호탕하게 웃어넘기는 미타이나, 차갑고 섬세하긴 하지만 의외로 고용인에게 까다롭게 구는 일 없는 지안니와 다르게 다니엘레가 무척 엄격하고 딱딱한 주인이라는 이유도 있었다.

주인이 있는 자리에선 뜀박질은 결코 용납되지 않기에 빠른 종종걸음으로 다니던 메이드가 지안니를 발견하면 하던 일을 멈추고 허리를 숙였다. 그러던 어느 순간부터는 하녀와 하인이 허리를 숙이는 방향이 바뀌었다. 지안니가 지나치고 나서도 숙인 자세를 유지하고 있기도 했다. 반대편에서 다니엘레가 어떤 남자를 대동한 채 걸어오고 있었던 탓이다.

"늦었네, 형. 그리고, 오랜만입니다."

"앗, 오랜만입니다."

지안니가 비웃는 대상은 다니엘레였지만, 되레 옆에 서 있는 부슬거리는 적금발의 남자가 화들짝 놀라 인사를 했다. 뺨을 붉히는 모습이 클로에를 연상시켜 확실히 남매로 보이는 남자였다. 여동생을 닮았다 해도 딱히 왜소한 체구는 아니었음에도 머리 하나씩은 큰 두 남자 사이에 서니 약간은 작아 보였다.

"여기까진 어인 일로 오셨는지? 우리가 이렇게 저택을 오고 가는 친분이 있는 사이는 아니잖아요?"

"드릴 말씀이 있어서 제가 공자께 부탁드렸습니다."

그러나 본격적으로 입을 열자 네르딘에게서 풍기는 분위기는 조금 달라졌다. 오르시나라는 거대한 두 개의 산을 넘어설 수는 없어도 겁먹지 않겠다는 의연한 태도가 비쳤다. 지안니가 실소하자, 안겨 있던 클로에가 살짝 흔들렸다. 그러나 고개를 푹 숙이고 있는 클로에가 제 동생임을 아직 눈치채지 못했는지 그녀 쪽으로는 눈길을 주지 않았다. 희귀한 머리색은 아니라서인가. 그렇다면 다행이었다.

"네. 하나는 과실주에 대한 오해를 풀기 위함이고, 다른 하나
는……."

아아. 떨지 않는 네르딘이 새삼 달리 보였다. 클로에는 속으
로 탄식했다. 영문을 몰랐던 오르시니와 네르딘의 만남을 이제
야 이해했다. 여주인공으로 인해 입어야 했던 타격이자 불명
예. 여주인공의 존재 덕분에 무너져 버린 재기의 발판을 살려
보고자 네르딘 나름대로 써볼 수 있는 방법은 써보는 중이었던
거다.

"다른 하나는……."

두 번째 부탁은 네르딘도 차마 말을 잇기 힘들어 보였다. 같
은 말을 반복하며 뜸을 들였지만 끝내 멈춰버렸다. 과실주 문
제가 여주인공으로부터 비롯되었다면, 클로에는 당연히 두 번
째 부탁은 술주정에 대한 사과이리라 추측했다. 확실히 술주정
오해에 관련된 주제가 맞는다면 꺼내기 힘들어하는 네르딘이
이해도 되었다. 클로에도 얼굴을 보이지 않게 두며 씁쓸히 웃
었다.

"다른 하나……."

"거기까지만 듣겠습니다."

결국 다니엘레는 조용히 손을 들었다. 몇 번이고 애를 쓰며
힘을 들이던 네르딘의 말을 끝까지 기다리지 않고 끊어냈다.

"파혼한 지도 오래된 사이 아닙니까. 더구나 영식에게 일말의 관심도 없고 오히려 다가오는 것조차 껄끄러워하는. 이쯤 되면 부탁할 이유가 없는 남이나 마찬가지입니다."

네르딘이 당황해하건 슬퍼하건, 다니엘레에게는 신경을 쓸 정도로 주의를 기울여야 할 문제가 아니었다. 담담하게 늘어놓는 사실은 정중하지만 매정하게도 네르딘의 말문을 막았다.

두 번째 부탁의 내용에 대한 추측이 틀리긴 했지만, 오라비의 예전 약혼녀에 대한 그리움이 생각보다도 더 절실하다는 현실을 다니엘레를 통해 알게 되자 클로에로선 마냥 안타깝다는 감정만이 들었다. 전 약혼녀를 두고 오르시니에게 부탁을 해야만 하는 것이 무엇인지는 차치하고서라도.

'그런데 전 약혼녀가 대체 누구지.'

사고를 당해 오랜 시간 잠들어 있다 깨어나며 기억을 잃었다는 동생에게 오라비는 이렇다 저렇다 자세한 사정을 알려주지 않았다. 특히 과실주 사건을 비롯한 좋지 않은 소식은 클로에가 수차례 조르기 전까지는 입을 다물었더랬다. 그런 오라비인 만큼, 저토록 그리움을 버리지 못한 전 약혼녀에 대해서도 함구했다면. 이유야 하나였다. 안 좋은 사유로 인한 파혼. 그리고 아마도 파혼의 원인을 제공한 쪽은······.

"다시 말하면 영식이 페인 영애에 대해 그 어떠한 부탁을 한다 해도 이쪽에서 들어줄 이유는 없다는 뜻입니다."

네르딘이 아니라고 하는 속삭임이 들렸다. 동시에 놓치려야 놓칠 수 없는 성이 선명하게 들렸다. 하마터면 구르듯 지안니를 밀치고 네르딘에게 달려갈 뻔했다. 간발의 차였다. 정말로 간신히 실수를 하지 않을 수 있었던 데에는, 아까처럼 너무 놀란 탓에 몸이 굳어버린 덕이 컸다.

"잘 알고 있습니다. 알지만."

"아니요, 파르세 영식. 「그녀」를 보아 참아주는 것도 여기까집니다."

다니엘레가 네르딘을 부르는 호칭에서 이미 둘은 이미 대등한 위치가 아니었다. 공작이 보유한 작위 중 하나인 백작 위를 먼저 물려받은 다니엘레와 그조차도 없고 자작의 위도 물려받지 못한 네르딘은 결코 대등할 수 없었다. 더 들을 것도 없다 외면을 당한 네르딘의 안색이 점차 파래졌다. 외면하고 고개 숙인 클로에의 깨물린 입술도 조금씩 색이 변했다.

"선약도 없이 무례를 저지르면서까지 하필 오늘 오시려고 한 이유는 잘 압니다. 다만."

"……."

네르딘과 다니엘레의 거리는 서로의 옷이 스칠 정도로 가까워졌다. 하얀 장갑을 낀 손이 네르딘의 어깨 위로 올라왔다. 스윽 허리를 숙이고 귓가에 대고 작게 속삭였다. 네르딘의 장갑을 끼지 않은 손이 둥글게 말렸다.

귓속말의 내용은 들리지 않았으나 선 채로 딱딱하게 굳은 반응으로 미루어 좋은 내용이 아니었다는 사실 정도는 짐작할 수 있었다. 흥미롭다는 듯 잔잔한 비웃음을 띠고 지켜보고만 있던 지안니가 무슨 의도에서인지 다니엘레 가까이 서 있던 집사를 불렀다. 내빈실로 모시라는 핑계로 네르딘을 불편한 자리에서 빼냈다.

"이런, 아가씨. 입술에 상처가 났잖아요."

통증은 느끼지 못했는데 어지간히 세게 깨물고 있었는지 혀를 차는 소리에 이어 쪽, 알싸한 통증이 남은 입술을 빠는 소리가 났다. 지안니의 혀가 그녀의 아랫입술을 닦고 제 침을 묻히자 그제야 조금 따끔거리는 감각이 느껴졌다.

어느새 네르딘에게 가족의 정이라도 느끼고 있었던가. 오라비의 어깨가 처지기라도 한 것 같아 자신도 모르게 입술을 깨물고 있었다. 지안니에 의해 자각하기 전까지는 까맣게 모르고 있었다.

"상처 내지 말라고 했을 텐데요."

왜 네르딘을 도와주는 시늉을 하나 했더니 클로에 때문이었다는 소리다. 지안니는 그녀의 아랫입술을 보며 쯧 혀를 찼다. 치켜 올라간 한쪽 눈썹으로 보아 상당히 불쾌해 보였다.

"상처 안 났어요."

"그래요? 그래요, 그럼."

피 맛이 나지 않으니 최소한 상처는 안 났겠지. 자신은 없지만 지안니의 기분이 더 나빠지기 전에 우기고 봤다. 마음에 들지는 않지만 일단은 넘어가주겠다는 어투에 클로에는 휴 안도의 숨을 내쉬었다.

"그런데, 아가씨. 별로 반갑지 않은가 봐요."

"……네?"

네르딘이 가던 방향으로 시선을 힐끔 돌리다 이쪽을 바라보고 있는 다니엘레와 딱 마주쳤다. 감정을 읽을 수 없는 눈동자는 클로에가 누구를 보는지 짐작했겠지만 별다른 말은 하지 않았다. 심장이 두근두근 뛰는 바람에 귓가의 속삭임을 흘려들을 뻔했다.

"고양이 둘이서 부둥켜안고 웃기지도 않은 보호자 행세를 서로 할 땐 언제고."

"……."

"매정하기도 해라."

그녀가 보고 싶었을 사람은 사실 여주인공이 아닌 네르딘이었다는 의미다. 비웃는 내용과는 다르게 즐거워 보여서, 클로에는 최대한 눈을 크게 부릅뜨고 깜빡였다. 긴장을 풀면 눈이 붉어질 것만 같았다. 입술을 연달아 깨물기엔 용기가 조금 모자랐다.

조금 전의 대화로 미루어 보자면 네르딘은 다니엘레와 선약을 잡지 않았다. 막무가내로 그를 따라온 것이다. 다니엘레가 콕 찍어 무례하다고 직설적으로 언급할 만큼 예의에 어긋난 행동이었는데도 정작 제지하지 않고 저택까지 동행시킨 데는 이유가 있었다.

"오빠를 어떻게 하시려는 거죠?"

비죽 올라가는 입꼬리가 삐딱했다. 히죽 웃는 소리가 의성어로 들린 것만 같았다. 떨리는 목소리로 겨우 꺼낸 질문에 지안니의 기분이 상당히 나빠졌음을 확연히 알 수 있었다.

"이즈리에 영애는."

마음속으로는 꼬박꼬박 「여주」라고 불렀던 존재의 실제 이름이 아주 자연스럽게 언어로 새어 나왔다. 혀끝에 감도는 여운이 익숙해서 오히려 생경했다.

"클로에 파르세."

이름이 불리자 심장이 덜커덩 흔들렸다. 불안했다. 남자주인공들 앞에서 여주인공의 이름을 불러서일까, 다른 이유 때문일까. 필시 후자이리라. 아무래도 오늘 네르딘에게 무슨 일이 일어날 것만 같았다. 일어날 일이 좋은 결과로 이어질지 나쁜 결과가 될지는 이 경우 한 사람에게 달려 있는 법이다. 다니엘레도 「그녀」를 보아 참아준다고 했으니 아마도 그녀는 남자주인공을 좌지우지할 수 있는 여자고, 그렇다면…….

'여주가, 오빠의 전 약혼녀.'

거짓말이다. 그럴 리가 없었다. 차라리 네르딘이 사람을 착각하는 멍청한 실수를 저질렀을 뿐이라고 생각하고 싶었다. 그러나 아무리 그래도 전 약혼녀를 잘못 알고 있는 사람이 있을 리가 없었다. 게다가 다니엘레까지 알고 있는 사실인 이상 거짓말일 수가 없었다.

'그렇지만. 여주는, 단 한 번도 파르세에 대한 언급은 하지 않았…….'

한편으로는 소설을 읽었기 때문에 여주인공과 파르세는 아무 사이가 아니라 여겼다. 단지 여주인공은 선의로 네르딘을 도와주려다 곤욕을 치렀고, 우연히 파르세의 특산품인 과실주를 마시고 쓰러졌을 뿐이라고.

결정적으로 현실의 여주인공도 클로에를 몰라보고 소개를 해달라 했기에, 소설에서처럼 파르세와 연도 닿아 있지 않고 파르세라는 가문에 관심도 없으리라 믿었다.

'나를 모를 수가 없을 텐데.'

이즈리에는 클로에를 알은척하지 않았다. 일방적으로 파혼 통보를 했다던 유모의 고백이 사실이라면 약간은 클로에가 껄끄럽긴 했을 터였다. 그렇다 해도 클로에처럼 정말로 처음 만나는 사이인 것처럼 굴 필요까진 없었다. 또한 파혼이 사실이든 거짓이든 네르딘 본인도 아닌, 동생인 클로에를 두고 날을 세울 필요도 없었다…….

여주인공을 잘 안다고 생각했었다. 소설을 읽었기 때문에 여주인공의 외부 평판과 실제 속마음까지 전부 안다고 생각했었다. 유일하게 모르는 것은 세 명의 남자주인공에 대한 마음. 그런데 현실의 여주인공, 이즈리에는 클로에가 알고 있는 여주와 자꾸만 다른 점이 보였다. 아무리 숨을 들이마셔도 답답한 가슴은 뚫리지 않았다.

"이거 봐요. 아가씨는 역시……."

"지안니."

그녀가 먼저 질문을 던져놓고도 정작 입을 다물어버리자 지안니는 한숨을 터트렸다. 흩어지는 한숨에 섞여 있는 얕은 원망은 다니엘레 때문에 채 전달되지 않았다. 지안니는 제 형을 노려보다 코웃음을 치며 성큼성큼 지나쳤다.

긴 날숨을 쏟아내던 중 무심코 다니엘레와 시선이 마주쳤다. 클로에를 지켜보고 있었던가, 우연히 잠시 보았을 뿐인가. 그러고 보니 마차에서의 그 일 이후로 단둘이 대면한 적은 없었다는 생각이 들자마자 다니엘레는 이내 희미한 미소를 띠며 시선을 거두었다.

"우리 아가씨는."

다른 생각에 잠겨 있는 클로에의 닫힌 문을 똑 똑 두드리는 부름이 들렸다. 그녀를 안고 지안니가 향한 곳은 서재였다.

"오빠가 너무나 좋은가 봐요."

"네?"

"얼마나 좋은가 하면, 이것. 존재조차 까맣게 잊을 만큼?"

서재의 문을 닫고 다가오는 지안니가 소파에 앉아 있는 클로에의 신체 부위를 눈짓으로 가리켰다. 그에게 안겨 있다가 소파에 앉은 순간부터 체중에 눌려 안쪽으로 파고드는 고리를 느끼고 있던 터라 어디를 가리키는지는 보지 않아도 잘 알았다. 동시에 신경을 쓰지 않고 있는 줄 알았던 지안니가 세심히 지켜보고 있었다는 사실에 놀라 고개를 든 채로 바짝 굳었다.

"왜요. 내가 아가씨 오빠를 어떻게 할 것 같아요?"

"저, 그⋯⋯."

푹신한 소파가 살포시 내려앉는다 싶더니 옆에 지안니가 앉았다. 클로에를 소파에 앉힐 때 풍성한 치마를 구겨지지 않게 옆으로 손수 펴준 사람이 그이니만큼 드레스를 밀어내거나 치우지 않아도 될 위치였다.

"마음 같아서야 다시는 못 보게, 만지지도 못하게, 이름을 부르지도 못하게 하고는 싶죠."

그러나 드레스 덕분에 확보한 거리는 안정을 되찾아주지 못했다. 흔들리는 눈동자를 이제는 고정할 여유도 없었다. 보고 만져지는 대상이 이즈리에인가, ⋯⋯혹은 설마 클로에인가.

"우리 아가씬 왜 이렇게 떨고 있을까요. 짜릿해지게."

"전⋯⋯."

대응해야 할 걸맞은 대꾸는 떠오르지 않았다. 달싹이기만 하는 아랫입술이 잡혔다. 엄지의 온기가 상처를 눌렀다.

　"그래요. 솔직히 파르세라는 성, 곱씹을수록 마음에 들지 않긴 해요."

　"……!"

　훅 상체가 옆으로 기울어졌다. 어떤 힘에 당겨져 강제로 옆으로 넘어진 셈이었다. 팔의 자유를 빼앗겨 꼼짝없이 부딪힐 것 같아 질끈 감았는데 예상을 깨고 뺨에 부드러운 천이 닿았다. 부딪히기 직전에 클로에를 단단하게 받친 손이 천천히 내려가 제 다리에 머리를 대고 누울 수 있게 해주었다.

　"아무리 불러봐도 아가씨껜 별로 어울리지 않는 성이기도 하고."

　"지, 지안님."

　싱긋 떠오른 미소가 왜 이리도 무서운지. 파르세라는 성이 마음에 들지 않는다는 말이 마치 여주인공이 힘들어하는 데에 일조한 파르세 가문이 꼴 보기 싫다는 말로만 들렸다. 클로에에겐 현실이 되지 않기만을 바랐던 선고와도 같은 청천벽력이었다.

　"무서워요? 내가, 우리가. 아가씨의 오빠에게 뒤로 해코지를 할 것 같아서?"

　"그, 그게."

정곡을 찔렸다. 그러나 솔직하게 대답했다간 지안니가 어떻게 돌려줄지 짚이는 바가 전혀 없었다. 클로에는 옆으로 누워 약간은 불편한 자세로 할 말을 고르고 있었다.

"아가씨가 아직 나를 모르는구나. 적어도 오빠라는 자를 뒤에서 어떻게 할 생각은 없는데. 뭐, 그런 의미에서 조금 풀어줄까요?"

"네?"

풍성한 치마를 들어 올리고 안으로 쑥 들어온 손이 엉덩이를 더듬었다. 풀어준다던 것은 고리였나. 항문과 질구에 들어가 있는 고리의 딱딱한 곡선이 만져지자 한 손으로 잡고 스윽 반쯤 빼냈다.

"아……흐으!"

고리가 절반 빠지자 철컥 철컥, 주먹을 쥘 수 없게 구속하고 있는 장신구에 이어진 걸쇠가 떨어져 나갔다. 팔의 자유도 돌려준다는 의미였던가. 클로에는 제 몸에 눌린 왼팔을 밖으로 빼냈다. 발목을 연결하고 있던 체인도 풀리고 오른쪽 무릎이 세워졌다. 그의 팔꿈치가 클로에의 무릎을 뒤로 지그시 누르고 손을 움직였다.

"흐으, 으읏……."

클로에가 품고 있느라 따듯해졌던 금속이 쑤우욱 빠져나가면서 내부가 허전해졌다. 고리 모양대로 변하고 입구를 좁힌 내벽이 고리가 나가려고 하자 놓아주지 않으려 꿈틀거렸다. 들뜬 신음을 쏟아내면서도 지안니로부터 멀어지고자 힘이 들어가지 않는 팔로 억지로 상체를 지탱하며 일어섰다.

"자, 잠, 아앙!"

거의 다 빠져나왔던 고리가 쑥 미끄러지며 내벽을 긁고 들어왔다. 잔뜩 달아 있는 몸이 고리를 쑥쑥 삼켰다. 고리가 지나가는 자리가 화끈화끈하면서도 간질간질했다. 애액이 말라붙은 자리 또한 다시 한 방울씩 물들기 시작하면서 움찔거렸다. 풀썩, 쾌감을 이기지 못하고 쓰러지는 클로에의 상체를 받아 든 지안니가 허리를 숙여 귓불에 키스했다.

"이렇게 내게만 정신을 집중해도 모자랄 판에, 다른 남자 생각을 하면 곤란하죠."

클로에는 아찔해지려는 정신을 다잡고 가쁜 숨을 쉬었다. 애매하게 기대감만 부풀어 오른 상태에서 충족되지 못해 허전한 아래에서는 주룩주룩 끈끈한 물이 새어 나왔다. 가늘었지만 결코 무시할 수준이 아니었다. 손끝만 까딱거리는 손등 위를 유려한 손이 덮었다.

"흠······. 다른 남자 생각 한 시간만큼, 내 생각도 해야 공평하겠죠? 잠시 나갔다 올 테니. 이거 가지고 놀고 있어요."

가지고 놀고 있으라는 장난감은 방금 전까지 클로에를 잔뜩 괴롭히던 고리였다. 물론 클로에로선 당연히 그의 말을 착실하게 따를 생각이 없었다.

"가지고 놀면서. 내게 해주고 싶은 말이 있나, 고민도 해보고 요."

클로에를 일으켜 앉힌 지안니는 아무 일도 없었다는 양 그녀의 옷매무새를 정리해주고 머리까지 정돈해주었다. 나갔다 온다는 말 또한 농담이 아닌지 감시하는 사람도 세워두지 않고 손을 흔들며 나갔다. 서재의 문도 잠그지 않았다.

믿는 구석이 있는 걸까. 하긴 이 꼴로 도망이나 칠 수 있겠느냐만. 다리 사이가 찌르르 울렸다. 해소되지 못한 열감이 확실한 무언가를 원하고 있었다. 예를 들어, 누군가의 페니스와 같은……

"아냐, 아니야……."

처음에 발려진 로션 같은 액에 최음제 효과가 있음이 분명했다. 지안니가 명령한 대로 장난감이든 뭐든 넣고 흔들고 싶게 만들었다. 비틀거리며 일어난 클로에는 제 살을 아프도록 손톱으로 찔렀다. 지금은 본능에 져도 되는 때가 아니었다.

"대체 뭐가 어떻게, 돌아가는…… 거지."

그녀가 소설 속에 들어왔다는 이유만으로 이야기가 비틀렸다고 보기엔 석연찮은 구석이 있었다. 게르 일당으로부터 구해주려 했을 때 여주인공이 보인 반응부터.

소설의 화자가 여주인공을 천사나 성녀처럼 착하다고 묘사했기에 클로에도 무조건적으로 의심하지 않고 받아들였었다. 그러나 아무리 소설 속 세계라 해도, 여주인공이 소설의 주인공이라 해도 이렇게 눈앞에 버젓이 실존하는 이상 법칙을 따라 반드시 좋은 사람이어야 할 이유가 없었다. 사람이 살다 보면 누군가에는 좋은 사람이 될 수도, 누군가에는 악인이 될 수도 있는 것이었다.

"이즈리에가 반드시 좋은 사람이라는 절대 명제는 없는 거였어……."

파르세에게 닥친 사건들과 이즈리에가 실은 관계가 있을지도 모른다는 의심이 피어났다. 그렇기에 이즈리에는 벌을 받는 악역을 방관하는 주인공이 아닐지도 모르겠다는 생각이 들었다. 의혹을 소리 내어 중얼거리고 나니 지금껏 애써 아니라 믿고 있었던 위화감들이 하나둘씩 떠올랐다. 또한, 소설에 나오는 등장인물들의 이름이 같다는 이유만으로 너무나 맹신하다시피 달라지고 있는 이야기를 무시하고 있었던 스스로를 깨달았다.

"오빠를."

오라비에게 꺼내 보일 수 있는 진실은 많지 않았다. 이즈리에에 대해서도, 클로에 자신에 대해서도. 왜 동생인 자신이 오르시니의 저택에 있는지. 그렇지만 모두 제쳐두고 최우선으로 내보내야 했다.

현실의 이즈리에는 파르세에게 적대적이었다. 단순히 전 약혼자라는 과거 때문은 아님이 분명했다. 이즈리에는 파르세 남매 모두를 싫어했고, 딱히 클로에나 오르시니 앞에서 감추려는 노력도 하지 않았다. 즉 오르시니에 통용되는 영향력을 이용해 네르딘에게 좋지 않은 행동을 할 가능성이 존재했다.

다니엘레가 네르딘을 초대한 이유가 무엇이든, 지안니가 네르딘에게 날을 세우는 이유가 누구 때문이든, 이즈리에가 네르딘에게 독설을 퍼붓는 이유가 무엇이든 클로에가 해야 할 일은 하나였다.

"빼내야 해."

함께 도망갈 수는 없다. 그런데 저택을 빨리 나가라 종용한들 네르딘이 순순히 따르리라는 보장이 없었다. 여동생으로 갑자기 등장할 수도 없는 노릇이니 얼굴을 드러내지 않고 저택 밖으로 끌어낼 수단이 필요했다.

서재에는 지안니가 나간 문 외에도 다른 방으로 연결되는 문이 나 있었다. 모든 방이 연결되어 있지는 않지만 지안니가 이용한 문부터 열 용기는 없어 다른 길을 택했다. 안타깝게도 오르시니 저택의 비밀통로는 소설에도 나온 적이 없으니 알 방법이 없었고.

"웃…… 하아."

이제는 지안니가 무엇을 믿고 클로에를 풀어주고 갔는지 짐작이 갔다. 미쳐버릴 것같이 간지러운 감각은 피부에 쓸리고 공기에 닿을 때마다 강해졌다. 쾌감을 알고 클리토리스를 문지르면 얻을 수 있는 쾌락이 이미 배어버린 몸으로는 끊임없이 자위를 원하느라 도망갈 생각을 할 수 없으리라 생각했으리라. 고리가 안에 들어가 있을 때는 적어도 이 정도는 아니었다. 효과가 나타나기까지 시간이 제법 걸리는 종류의 최음제인지. 밤낮이 바뀌어도 생활하기에 제일 좋은 기온이 유지되고 있는데도 식은땀이 송골송골 맺히고 있었다.

가까이 있는 책을 한 권 빼 들다 구부릴 수 없는 손 때문에 그만 놓쳐버렸다. 클로에의 손을 떠난 묵직한 가죽 표지의 서적이 펼쳐지며 바닥에 떨어졌다. 펼쳐진 하얀 종이에는 우아한 필체로 시가 적혀 있었다. 집다 떨어뜨린 시집은 다행히 귀한 장서가 아니었는지 이미 낙서가 되어 있었다.

"낙서……."

〔흠. 법칙이랄 것도 없는데.〕

〔와. 너무 쉽게 알아내셨어요. 나름 고심해서 만든 메시지 전달법인데.〕

어렴풋이 떠오른 잔상 속의 여자는 클로에였다. 클로에는 앞에 책을 들고 서 있는 누군가를 보며 곤란한 듯 웃고 있었다. 얼굴이 보이지는 않지만 마주 보고 서 있는 상대는 남자였다. 남자답게 마디가 굵은 손가락이 책 안의 내용을 가리켰다. 검지가 아래로, 옆으로 이동하다 페이지를 사륵 넘겼다.

〔그래서 이런 놀이를 오라비와 종종 하고 놀았다고?〕

〔네. 어렸을 땐 오빠가 제 놀이 상대이기도 하고 보호자이기도 했거든요. 보물찾기 놀이를 자주 했는데 그때 쓰곤 했던 방법이에요.〕

〔그대는 말끝마다 오라비, 오라비로군.〕

〔음, 다들 감탄하긴 하더라고요. 귀족답지 않게 사이가 좋은 오누이라고. 역시 시골에서 올라온 벼락부자답다나.〕

〔…….〕

〔비꼬는 말임을 모르진 않아요. 사이가 좋은 것도 사실이고. 설령 세간의 소문대로 오빠가 파혼을 한 배경에 제가 있다고 해도…….〕

"뭐야…… 이 장면?"

소설에 없던 장면이었고, 클로에로선 처음 보는 장면이었다. 그럼에도 너무나 자연스럽게 머릿속을 점령하고 맴돌았다. 낙서를 본 직후였다. 그녀는, 클로에는 시집의 낙서를 보고 잊고 있었던 기억을 뽑아내듯 떠올렸다.

"으……읏!"

심장을 두근거리게 만드는 잔상을 떨쳐내고 책을 집어 들고자 숙였을 때였다. 몸을 숙이고 굽히면서 은밀한 곳에 박혀 있는 고리가 제 존재를 알렸다. 딱딱한 금속이 내벽을 문지르자

식은땀이 흘러나왔다.

떨리는 손으로 책을 안고 소파 옆 작은 테이블까지 엉금엉금 이동했다. 테이블 위의 만년필을 들어 손등에 대고 꾹 눌렀다. 촉에서 부드럽게 나오는 검은 잉크가 그리는 대로 꼬불꼬불한 원을 그렸다. 뾰족한 펜대가 손등을 갉작갉작 긁었다. 클로에 는 만년필을 엄지와 검지 끝으로 위태하게 잡았다.

네르딘을 빼내야 한다고 생각했을 때, 오라비를 유인할 수단 으로 당연하다는 듯 책을 떠올렸다. 시집의 낙서를 봤을 땐 어 떤 암호를 쓸지도 생생하게 그려졌다. 신기하긴 하지만 그렇다 고 해서 생각 없이 넘길 수만은 없는 현상을 의심해야 하건만 육체의 열망 때문에 자꾸만 정신이 흐트러졌다.

"이제 전달을……."

메시지는 고용인을 통해 조용히 전달하는 편이 좋을 성싶었 다. 지안니의 반응을 떠올려 보건대 남매의 재회를 곱게 두고 볼 리가 만무하리라는 불안감이 든 탓이었다. 클로에는 휘청이 는 다리를 질질 끌다시피 걸어 서재를 나왔다.

서재 옆에 붙은 작은 휴게실을 지나니 복도로 이어지는 중간 통로가 나왔다. 1층은 2층으로 향하는 메인 계단 뒤로 응접실 과 서재, 접대실, 식당 사이사이에 작은 휴게실이나 차 준비실, 통로 등이 이어져 있고 그 사이를 반원형의 긴 복도가 꿰뚫는 구조로 되어 있는 듯했다. 통로에 나 있는 세 방향의 출입구를 보다 가운데를 찍었다.

"까악!"

출입구를 지나니 비어 있는 식당이 클로에를 맞이했다. 식사는 차려져 있지 않았지만 식기와 불이 켜져 있는 촛대, 꽃이 꽂힌 화병, 냅킨 등이 세팅된 긴 식탁과 비어 있는 의자가 식당을 채우고 있었고, 한구석에서 등을 돌리고 있던 메이드가 클로에가 들어서는 소리에 비명을 질렀다.

"죄, 죄송합니다!"

멀리 반대편에서 클로에를 확인한 메이드가 사색이 되어 허리를 깊이 숙였다. 클로에 본인도 그녀가 어떤 입장으로 오르시니 저택에 머무르고 있는지 몰라서 걸맞게 취해야 하는 태도를 가늠하기 힘들었지만, 메이드가 먼저 클로에의 드레스를 보고 조심해야 하는 귀족 영애로 받아들인 듯했다.

"아, 저…… 괜찮아요."

"정말 죄송합니다! 저, 전 아무것도 하지 않았어요!"

괜찮다고 하는데도 겁을 먹고 시선을 피하던 메이드는 제 발에 걸려 꽈당 옆으로 넘어졌다. 클로에가 이마에 주름을 잡을 정도로 아프게 넘어지는 소리가 났다. 메이드를 도와주러 가려고 다급히 드레스를 잡다 책을 떨어뜨린 클로에가 당황하여 다리를 구부렸다.

"정말이에요! 전, 그냥! 그냥……!"

책을 주우려고 했을 뿐인 클로에를 보고 자꾸만 죄송하다고 외치는 메이드가 이마를 땅에 쿵 쿵 박자 머리에 쓰고 있던 캡이 반쯤 벗겨졌다. 아무것도 아닌 클로에에게 과도하게 겁을 먹고 떠는 모습을 보자 아까 지안니의 방 발코니에서 봤던 메이드가 떠올랐다. 그때는 얼굴을 보지 못했지만 두려워하는 모습과 둥근 캡이 겹쳐 보였다.

"작은 부탁을 하나 하려고 사람을 찾았을 뿐이에요. 저도 뒷모습밖에 못 봐서 무엇을 하시는지도 못 봤고요."

슬쩍 위를 보니 메이드가 엎드리기 전에 가려져 있던 화려한 티포트 세트가 눈에 들어왔다. 티포트를 많이 볼 일이 없었던 클로에조차도 한순간 시선을 뺏길 정도로 아름다웠으니 메이드도 구경하느라 정신이 쏠려 있었을 수도 있다. 하지 않았다고 수차례 강조하는 것은 훔치지 않았다는 의미겠지. 그렇지 않아도 잠깐 훑으니 짝이 없거나 깨지지 않은 것으로 보아 아무것도 하지 않았다는 주장은 그런 뜻이지 않을까. 가볍게 생각한 클로에가 한숨을 쉬며 차분하게 말을 건네자 공포에 질린 메이드의 눈동자에 약간이나마 초점이 돌아왔다.

"이 책을 지금 계신 남자 손님께 전해달라는 부탁을 받았거든요. 그래서 전해드리러 가는 길이었는데 제가 몸이 좋지 않아서……."

"아."

"바쁘지 않다면 이 책이 전해지도록 도와달라는 부탁을 해도 될까요? 비싼 물건에 시선을 너무 오래 빼앗기면 괜한 의심을 살지도 모르니 대신 방금 일은 못 본 척할게요. 실제로도 못 봤지만."

가능한 경계를 풀 수 있게 별일 아닌 척, 상냥한 미소를 만들자 메이드가 뒤의 티포트와 클로에를 번갈아 보더니 주춤주춤 다가왔다. 가만히 서 있기 힘들어진 클로에가 본의 아니게 한 번 휘청했더니 조금 남아 있던 경계심을 푼 메이드가 다다다 뛰어와 부축했다.

"고마워요."

"저, 집사님께 손님께서 편찮으시다 말씀드릴까요?"

"아니에요. 잠시만 앉아서 쉬면 나아요. 절 기다리는 분이 계셔서 바로 돌아가봐야 해요."

눈앞의 메이드는 클로에가 누군지 못 알아보는 눈치였다. 오르시니 저택에 오늘 온 손님 외에 며칠째 머무르는 손님이 있음을 모르는 듯했다. 메이드의 착각을 고칠 필요는 없을 것 같아 그대로 두고는 책만을 부탁했다. 의자에 기대어 서 있는 클로에를 힐끔힐끔 보던 메이드가 식당을 후다닥 나섰다.

순진한 아이니 별것 아닌 일이라 여기고 이 정도 위협만으로도 부탁을 들어주려고 노력하리라. 그리고 클로에는 지안니가 돌아오기 전에 제자리로 돌아가 있기만 하면 된다. 물론 그녀가 몰래 벌이고 있는 이 일을 3형제 중 누구든 금방 알아낼 수도 있었다. 그러나 클로에가 얌전히 있는 척하기만 한다면 그들은 알아낸다 하더라도 눈감아줄 것 같았다. 근거는 없었지만 직감이 그리 알려주고 있었다.

서재로 돌아가려 허벅지에 힘을 주니 간지러움이 반복되어 되레 마비되려고 했던 피부에 짜르르 감각이 돌아왔다. 의자를 잡을 수가 없어 팔꿈치로 지탱하고 헐떡이는 클로에의 뒤에서 호기심 가득한 음성이 날아들었다.

"어머나. 웬 도둑고양이가 다 있네?"

교묘한 반말과 함께 갈색 머리의 메이드가 앙칼지게 눈을 빛냈다. 익숙한 잿빛 하녀복을 입고 있는 그녀는 조금 전의 메이드와는 달리 클로에를 명백하게 무시하고 깔보고 있었다. 알지도 못하는 사이인 데다 옷차림만 보아도 함부로 말을 해도 되는 대상이 아님을 알 텐데도 힘들게 서 있는 클로에를 보며 비죽비죽 웃음을 흘렸다.

"애가 타서 내려오셨나. 남의 남자를 빼앗는 도둑년인 주제에."

메이드는 비웃으며 날카로운 말을 꽂았다. 클로에는 입을 열지 않았다. 메이드가 표출하는 적의에 짓눌려서도 아니요, 그녀의 신체를 지배하고 있는 열기 때문도 아니었다. 단순히 클로에에게 막말을 해서는 안 되는 입장인 메이드의 행동이 이해

되지 않아서였다. 뚜렷한 부정적 감정을 보면서도 실감이 나지 않은 탓이기도 했다.

"불쌍해서 어째? 넌 이제 비참해질 거야. 구해줄 사람 없이 벌을 받다 죽어갈 거라고."

아무런 반응을 보여주지 않아도 메이드는 혼자 신이 나 떠들었다. 저택에서 지내는 동안 클로에의 시중을 든 적도 없었으면서 마치 클로에라는 사람을 잘 아는 것처럼 이야기하고 있었다. 메이드는 티포트 세트를 서빙카트에 옮기며 소리 내어 웃었다.

"그러게 누가 제 분수도 모르고 욕심을 부리래?"

끝끝내 원색적인 비난을 던지고 나서야 카트를 밀며 나가는 메이드의 등을 잠자코 지켜보던 클로에는 한숨을 쉬었다. 대체 언제 본 적이 있다고 남의 남자를 빼앗는 도둑고양이라 주장을 하는지. 클로에의 몸에 들어온 후로 당연히 처음 만난 사이다. 설령 과거의 클로에가 만난 적이 있나 싶기도 했지만 그녀가 오르시니 저택에서 일하는 메이드와 만난 적이 있을 리가 없었다. 소설대로라면 오르시니 저택에 초대를 개인적으로 받은 미혼의 여성은 단 한 명, 이즈리에일 테니까.

"……설마."

힘든 걸음을 옮겨 서재로 돌아가려던 순간 어떤 생각이 뇌리를 스쳤다. 갈색 머리의 메이드는 클로에더러 남의 남자를 빼앗았다 비난했다. 클로에가 현재 의도치 않게 깊은 관계를 유지하고 있는 남자인 오르시니 형제를 두고 한 말이라면, 그녀가 남자를 빼앗은 대상은.

"내가, 이즈리에의 남자를⋯⋯?"

〔넌 항상, 언제나 그랬지. 저 혼자 고고한 척, 저 혼자 초연한 척! 시골 출신에 하찮고 가난한 하류인생 주제에, 감히 그 사람을 넘봐? 내 거야! 너 따위가 꿈도 꾸면 안 되는 내 것이라고!〕

〔음, 그분이 누구의 것이라고 불릴 소유물이 아니란 점은 둘째 치고요. 비천한 태생이 따로 있고 아닌 태생이 따로 있진 않죠. 당신이나 나나 어쨌든 귀족의 딸이고. 무엇보다도 당신은 당신 노력으로 사교계의 꽃으로 군림하고 있잖아요. 모두가 당신을 찬양하고 숭배해요. 그런데 아직 뭐가 그리도 부족해서 절 경계하시나요.〕

〔아니. 누가 경계한대? 난 너 따위완 달라. 내가 타고난 피는 아주 고귀하거든. 급이 다르다고. 미모만 해도 그렇잖아? 그리고 봐, 몇 년 네르딘과 어울려주었으면 됐지. 그만하면 내 덕분에 그 남자의 보잘것없는 가치가.〕

〔입 닫아, 이즈리에. 한 번만 더 네 전 약혼자의 평판을 깎으면 나도 널 귀족 영애로 대우하지는 않을 거야.〕

〔너⋯⋯! 어디서 이게 건방지게!〕

〔불러내서 하실 말씀이 그것뿐이라면 전 이만 가보겠습니다.

참, 오늘 대화는 없었던 일로 하죠. 당신의 전 약혼자는 아직도 당신을 너무도 사랑하고 있거든.〕

〔웃기지 마. 언제나! 언제나 우월한 척! 너나 그 남자 둘 다 그동안 얼마나 짜증 나고 꼴 보기 싫었는지 알아? 무슨…… 무슨 남매가 그렇게 서로를 감싸질 못해서 안달이냐고, 역겹게!〕

두 여자의 날 선 공방이 시끄럽게 머릿속을 웅웅 울렸다. 또다시 두통이 찾아왔다. 한 여자는 이즈리에라고 불렸으니 여주인공일 텐데, 다른 여자는 이름이 불리지 않았다. 그렇긴 해도 목소리는 무척 익숙했다. 매일, 하루도 빠짐없이 들었던 음성처럼.

미칠 듯이 뛰는 심장을 부여잡고 가쁘게 숨을 들이쉬었다. 쓰러지기 직전 가까이 있는 의자 등받이를 잡고 간신히 버텼다. 자꾸만 소설에서 읽지 않았던 내용들이 주마등처럼 간헐적으로 스쳐가곤 했다. 초조하고 불안했다.

기도하듯 두 손을 맞잡고 비틀거리며 서 있으려니 서재 바깥이 시끌시끌했다. 주인이 있을 때엔 정숙하도록 철저하게 교육을 받아 예의가 몸에 배어 있는 고용인으로 가득한 저택에서 일어날 법한 소란이 아니었다. 무언가 일이 심상치 않게 돌아가고 있었다. 불길한 기운에 덜컥 겁이 난 클로에가 참지 못하고 오른발을 내디뎠을 때였다. 콰당, 문이 부서져라 밀리며 열렸다.

"저 여자! 저 여자입니다!"

눈을 휘둥그레 뜨고 나가려던 자세 그대로 얼음이 된 클로에를 가리키는 여자가 있었다.

"제가 봤어요! 저 여자가 티포트를 건드렸어요!"

오늘만 벌써 두 번이나 본 여자였다. 발코니 밑에서, 식당에서. 클로에에게 우호적이지 않은 감정을 가지고 있음이 분명해 보이는 여자가 눈을 치뜨며 표독스럽게 외쳤다. 높고 가느다란 목소리가 고막을 찔렀다.

"확실한가? 저분은 도련님의 손님이시다."

"확실하고말고요! 제가 들어갔을 때 분명히 저 여자 혼자 티포트와 함께 있었습니다!"

클로에를 감시한 적 있던 기사가 미심쩍다는 표정을 짓자 의심을 받아 흥분한 메이드가 버럭 화를 냈다. 손가락 하나로 똑바로 클로에를 가리키는 스스로가 무슨 실수를 저지르고 있는지는 모르는 듯했다.

"무슨 일이죠?"

미타이의 엄명으로 기사와 단둘이 있을 때는 거의 대화를 나누지 못했었지만 얼굴은 서로 알고 있는 사이다. 클로에는 메이드를 상대하느니 기사에게 자초지종을 묻는 편이 빠르리라는 판단을 내렸다. 안면을 익힌 기사 외에도 메이드는 기사 둘을 더 데리고 왔다. 네 명의 표정이 모두 어두운 것으로 보아

무언가 좋지 않은 일이 벌어지고 있었다.

"손님께서 쓰러지셨습니다. 원인은 찻잔에 묻은 독이고요."

"독이요……? 누, 누가 쓰러졌나요?"

"이즈리에 페인 영애입니다. 다행히 생명에 지장이 갈 정도
는 아니었지만."

"왜 뜸을 들이시죠, 기사님? 지금 당장이라도 저 여자를 끌
고 가야 하는 것 아닌가요! 제가 두 눈으로 똑똑히 봤다고요!
티포트에 다가갈 이유가 없는 여자가 사람의 눈을 피해 접근했
다는 것부터가 범인이라는 증거가 아니면 뭐겠냐고요!"

클로에는 엄연히 손님이다. 그녀를 저택으로 데리고 오던 날
다니엘레는 지안니를 유난히 오래 바라보며 그 점을 분명히 해
두었다. 지안니는 피식 웃으며 어깨를 으쓱하고 말았고, 저택
에서 지내는 동안은 정중하게 손님으로 대접을 받아왔다.

"미래의 공작부인을 해하려고 했다고요, 저 창……!"

갈색 머리의 메이드는 발을 동동 구르며 소리를 꽥 질렀다.
머리가 아픈지 눈살을 찌푸리던 기사 중 한 명의 얼굴색이 변
했다. 험악해진 표정으로 악을 쓰는 메이드의 입을 틀어막으며
밀쳐냈다. 메이드는 기사의 강한 힘을 이기지 못하고 쿠당탕
넘어졌다.

"일단 여기서 나가시는 것이 좋겠습니다."

범인이라는 의심을 받고 있는 클로에게, 기사는 끝까지 정

중했다. 감시를 할 때마다 미타이로부터 절대로 손끝 하나 대지 말고 특히 맨살에 손을 대는 일은 없는 것이 신상에 좋을 것이라는 으름장을 매번 들은 탓인지 이번에도 손을 대지 않으려 하는 태도는 여전했다.

에스코트를 받는 클로에를 넘어진 채 지켜보는 메이드의 눈이 세모꼴이 되더니 뿌득 이를 가는 소리까지 났다. 기사는 메이드의 행태를 알고도 묵인했다. 클로에는 떨리는 손을 감추고 꼿꼿하게 고개를 들고 허리를 펴, 기사의 뒤를 따랐다.

처음에는 독을 마시고 쓰러진 사람이 혹시라도 네르딘일까 소스라치게 놀랐었다. 오르시니가 기어코 네르딘을 죽이려는 줄 알았다. 뒤로 해코지를 하려고 하는 줄 알았느냐며 비웃었던 지안니의 말대로 정말 손을 대버린 줄 알았다.

그러나 정작 독을 마셨다는 사람이 이즈리에라는 소식을 들었을 땐 다른 감정이 앞섰다. 걱정보다는 의아함. 아무리 소설 내용대로 흐르지 않고 있다지만 여주인공인 이즈리에가 오르시니의 저택에서 독을 마시고 쓰러졌다? 저택에 있는 사람 중 그 어느 누구도 그녀를 해할 이유가 있는 사람은 없었다. 이즈리에 페인과 대척점에 있을 사람이라면 모를까. 예를 들어.

"나……."

안내를 받으며 장소를 옮기는 길에 응접실을 스쳐 지나가게 되었다. 반쯤 열린 문 사이로 소파에 누워 있는 파리하게 질린 안색의 이즈리에가 보였다. 곁을 지키고 있는 미타이와 찻잔을 들고 있는 지안니, 마지막으로 한 발짝 떨어져서 모두를 살펴보고 있는 다니엘레는 한 폭의 그림 같았다. 바로 저 광경이야말로 클로에가 소설을 보며 머릿속으로 그렸던 장면이다. 여주인공과, 그녀를 위해 존재하는 세 명의 남자.

언뜻 누워 있는 이즈리에와 눈이 마주쳤다. 호선을 그리는 푸른 눈이 새초롬했다. 이즈리에의 입꼬리가 올라가면서 그림이 조각조각 깨져 나갔다. 고요히 멈추어 있던 공기가 움직이기 시작했다.

৪৩

도착한 곳은 미타이의 방도, 지안니의 방도 아니었다. 누구의 소유인지 모를 공간에 홀로 갇혀 언제 올지 모를 누군가를 기다려야 했다. 클로에를 안내한 기사가 딱히 방문을 잠그고 나가지는 않았음에도 그녀는 갇혔다 느꼈다.

"훗……."

지안니가 넣어둔 장난감이 어김없이 존재감을 과시했다. 방문을 닫고 나가자마자 쓰러지듯 넘어질 뻔한 클로에는 겨우 벽에 기대고 버텼다. 상황이 이렇게까지 꼬였는데도 열락에 취해 머리는 백지가 된 채 홀로 떨고 있어야 하다니. 알고 보면 지안니가 노리고 원했던 바가 바로 이것이 아니었나 싶었다.

손과 팔의 자유를 제한하는 구속구 때문에 드레스의 치맛단을 끝까지 들 수도 없었거니와 용케 든다 해도 그녀의 음부를 젖게 만드는 원흉을 빼낼 수가 없었다. 애꿎은 치맛자락 위로 손바닥만 자꾸 미끄러뜨리며 젖은 눈을 들었다.

클로에는 자신이 울고 있었음을 깨달았다. 교묘하게 달아오르게만 만들고 시원한 해갈을 얻지 못한 탓인지, 조금 전의 충격적인 사건 탓인지, 그도 아니면…….

"하지만 왜 내게, ……을……."

교묘하게 웃었던 이즈리에의 미소는 찻잔 사건의 전말을 알려주고 있었다.

가장 먼저 티포트에 손을 댄 사람이 누구인지는 클로에도 알고 있다. 그리고 그 사람을 어디서 먼저 보았는지도 기억했다. 두려움에 떨던 어린 메이드는 지안니의 방 발코니 아래에서 갈색 머리 메이드로부터 두 자루의 주머니를 건네받았다.

클로에가 운이 나쁘게도 그 자리에 있었기 때문에 범인으로 몰린 걸까. 아니면 원래 범인으로 몰릴 사람은 클로에가 아닌 어린 메이드였을까. 갈색 머리 메이드가 신이 나서 클로에가 범인이라며 덮어씌운 지금 목표가 처음부터 그녀였다고 본다면, 왜 이즈리에가 위험한 일을 벌였는가가 문제다.

아무리 약한 독이라 해도 연약한 귀족 아가씨의 체력으로 견디기엔 너무 위험했다. 성공 확률도 높다고 볼 수 없었다. 비록 내부인을 용케 매수해두었지만, 이즈리에가 마실 찻잔 근처로 클로에가 접근하리라는 보장도 없었다. 무엇보다도 클로에 역시 주방 담당의 어린 메이드를 지목하면 그만이었다. 그럼에도 이즈리에는 강행했다.

이즈리에의 의도를 짐작하려 애를 쓰던 그때, 머릿속에선 또 환청이 울려 퍼졌다.

〔오빠. 웬 티포트 세트야? 로열 윈튼 마르셀 제품인 것 같던데. 맞아?〕

〔어? 벌써 도착했니? 별거 아냐. 선물하려고. 요즘 차에 관심을 보이길래.〕

〔누구? 페인 영애? 오빠가 권할 때는 매몰차게 싫다 하더니 웬일이래.〕

〔하하. 정말 맛있는 차를 마셔보니 생각이 바뀌었대. 이제라도 제대로 마셔보고 싶은데 리에 주변에 나만큼 차를 잘 아는 사람이 없다고 부탁하더라고.〕

〔오빠 넌 고작 그런 부탁에도 행복하세요. 아주 만면에 웃음꽃이 피셨네요. 기도 안 찬다 정말. 걔는 진짜…….〕

〔어허. 뒤에서 욕하는 건 나쁜 행동이란다, 동생아. 그리고 리에에 대해서는 네가 오해하고 있는 점이 많아.〕

〔……미안. 내가 잘못했어. 그런데 궁금해서 그러는데, 페인 영애는 어디서 그렇게 맛있는 차를 마셨대? 나도 마셔보면 생각이 바뀔지도 모르겠는데. 오빠 들었어?〕

〔응? 아아, 가게는 아니고. 다니엘레님이 차를 즐긴다는 소문이 최근 돌면서 그가 즐겨 마신다는 종류가 유행을 탔나 봐. 우연한 기회에 마셔봤는데 좋더래.〕

〔아하! 오르시니가의 장남이…….〕

〔마셔볼래? 지금 당장이라도 내려줄 수 있는데. 우리 집에도 있는 차들이야.〕

〔응? 어떻게? 비싸고 구하기 힘든 종류 아냐? 황실에나 진상할 법한.〕

〔으음, 딱히 그렇게까지 고급품만 찾진 않던데…….〕

〔뭐야. 오빠 그 사람이랑도 차 마셔본 적 있어?〕

〔그 사람이라니. 이 자리에 없다고 함부로 부르지 말랬지. 그냥, 예전에 우연히 가게에서 마주친 적 있어서. 내가 좀, 차 이야기만 나오면 말이 많아지는 편이라…… 정신을 차리고 보니 몇 개 추천해버린 후이기도 했고……. 으음.〕

〔아하. 그러니까, 장남께선 차를 즐기신 지 얼마 되지 않으셨다…….〕

〔응, 그럴 거야. 아무리 학교 선후배 간이라지만 친하지도 않은 사이에 난데없는 사내의 수다를 참고 끝까지 들어주신 건 그 때문이 아닐까 하거든. 뭐, 어쨌든. 내려줄까?〕

〔그으러어니이까아, 장남 분의 취향이 오빠와 큰 차이가 없다는 말이지…….〕

〔응?〕

〔아니야, 아무것도. 한 잔 부탁드려요, 오빠.〕

클로에의 귓가에 윙윙 맴도는 목소리는 여성 한 명, 남성 한 명의 것이다. 둘 다 변성기는 지났으나 약간 앳된 느낌이 남아 있는 것으로 보아 아직 성인이 되지는 않은 듯했다. 서로 이름을 부르지는 않았지만 클로에는 직감적으로 두 목소리의 주인이 누구인지를 알아차렸다. 네르딘과 클로에. 소설에는 나오지 않은 대화이며 또한 절대 나올 리 없는 대화. 이즈리에와 다니엘레가 대화에 등장하지만, 내용대로라면 여주인공인 이즈리에는 다니엘레보다도 파르세 남매와 더 인연이 깊은 것처럼 들렸다.

"당신과 나는, 대체 무슨, 관계야……?"

그녀를 깔보듯 우월한 위치에서 내려다보는 푸른 눈의 잔상이 떠올랐다. 이어서 그녀에게 날을 세우던 청초한 얼굴의 윤곽선이 그려졌다. 어떤 여자를 비난하는 날카로운 음성이 덧붙여졌다. 클로에가 직접 겪은 현실과 머릿속에서만 떠도는 환청과 환각이 뒤섞였다 흩어지고 다시 조합되었다.

해서는 안 될, 환상 속의 그녀를 현실의 그녀와 동일시하려는 짓을 하려는 무의식을 멈추려 애를 썼다. 잘못된 망상일 터였다. 이즈리에가 아무리 클로에를 달가워하지 않은들, 그녀가 실제로 클로에에게 던지지 않았을 비난까지 했다고 덮어씌우려는 행동은 옳지 않다.

"아윽……!"

세차게 뛰는 가슴을 부여잡으려고 했으나 잡지 못해 탕 탕 쳤다. 이즈리에는 여주인공이니 결코 나쁜 사람일 리 없고 나쁜 행동을 할 리 없다고 스스로를 세뇌하는 자신과 이즈리에로부터 위화감을 느끼고 경계하려 하는 자신이 충돌했다. 답답하고 어지러웠다.

속이 울렁거렸다. 입을 막으려는데 높이 들어 올릴 수 없게끔 구속하고 있는 줄이 클로에의 손을 잡고 놓아주지 않았다. 후들후들 떨리던 무릎에선 힘이 빠지며 꺾여버렸다.

"클로에."

중심을 잃고 앞으로 쓰러지는 클로에를 때마침 받아드는 품이 있었다. 살짝은 생소하게 느껴지는 저음이 그녀의 이름을 불렀다. 힘없이 고개를 들자 그녀를 안고 있던 다니엘레가 내리깔았던 눈꺼풀을 스윽 들었다.

"……."

선명한 금안과 정면으로 마주쳤다. 다니엘레의 황금색 눈동자는 3형제 중 가장 색이 진해서 때로는 가장 사람의 눈 같지 않았다. 응시하고 있기를 1초, 2초, 3초. 영원히 다물려 있을 것 같던 입이 천천히 열렸다.

"기껏 이리로 피신시켜두었더니."

"……네?"

땀에 젖어 얼굴 여기저기에 달라붙은 머리카락을 떼어냈다. 송골송골 맺혀 있던 땀방울 역시 하나둘씩 사라졌다. 열이 올라 있는 뺨에 단단하면서도 서늘한 손등이 닿았다. 한숨이 섞인 다니엘레의 혼잣말을 제대로 듣지 못해 멍하니 되물었다.

다니엘레는 클로에가 들었건 못 들었건 관심이 없어 보였다. 클로에를 번쩍 안아 들고는 성큼성큼 걸음을 옮겼다. 여전히 멍한 시선에 방 안의 풍경이 감흥 없이 담겼다 빠져나갔다. 또 하나의 출입문 뒤에 있는 침실로 들어왔을 때조차 별다른 반응을 보이지 않았다. 휘장이 걷힌 침대에 조심스럽게 앉히는 순간에만 저도 모르게 얼굴을 찡그리고 말았을 뿐이었다.

앉게 되니 그녀의 몸속에 박혀 있는 지안니의 선물이 묵직한 감각으로 파고들었다. 말랐던 샘의 입구에선 다시 샘물을 내보내며 움찔거리기 시작했다. 일어서는 편이 좀 덜 괴로울 것 같은데 다니엘레가 혹 알기라도 할까 봐 이러지도 못하고 저러지도 못하고 안절부절못했다. 그러는 사이 클로에의 낯빛이 조금씩 더 안 좋아지고 있었다.

"잠시."

표정의 변화를 눈여겨보고 있던 다니엘레는 클로에의 상태를 귀신같이 눈치챘다. 원인도 바로 알아챈 듯했다. 그녀를 부드럽게 침대에 눕히고는 드레스를 들어 올렸다.

"아니에요, 거긴…… 잠깐……!"

풍성한 치마를 올리는 손길은 빠르지 않았다. 한 손에 치맛단을 모아 쥐고 느긋하게 들어 올렸다. 감추어져 있던 속살이 슬그머니 드러났다. 다니엘레는 바들바들 떨고 있는 한쪽 무릎을 지그시 누르며 밀어냈다.

"그대는 정말, 지안니를 아끼는군."

"……네? 아, 아니, 그…… 흐으응!"

속옷도 없이 음란하게 반원형 고리를 뻐끔거리며 물고 있는 음부가 고스란히 내비쳤다. 아직 눌리지 않은 반대편 다리를 끌어 올려 부끄러운 곳을 가리려 했으나 소용은 없었다. 다니엘레는 클로에의 한쪽 다리를 접으며 쭉 밀어 올렸다.

긴 손가락이 고리를 잡고 약간 빼내는 것만으로도 커다란 마개가 빠져나가는 기분이었다. 클로에를 고개를 좌우로 저으며 앓는 신음을 쏟아냈다. 빠져나가는 감각이 반가우면서도 허전했다. 질구가 놓치지 않겠다며 고리를 잡으려 했으나 매끈한 표면에 주우욱 미끄러지기만 할 뿐이었다.

"아니지, 그대의 허락 없이 지안니의 소장품을 제거할 수는 없지."

끝만 달랑달랑 걸린 상태였으니 마지막 한 발짝만 뽁, 하고 빠져나가면 그만인 상황이었다. 움직임을 멈춘 다니엘레는 엄숙하게 읊조리며 고리를 다시금 천천히 밀어 넣었다. 사라지려 했던 압박감이 다시금 밀고 들어오자 엉덩이를 움찔움찔 흔들었다.

"빼⋯⋯줘요⋯⋯."

대체 지안니와의 관계에 대해 어떤 오해를 하고 있기에 허락 운운을 언급하는가. 그러나 당장 다니엘레의 손길은 매정하게도 멀어지고 있었다. 클로에는 제 입으로 무슨 말을 중얼거리는지도 모르고 소매를 잡으려 했고, 놓쳐버렸을 땐 무의식적으로 젖은 눈을 들어 다니엘레에게 호소했다.

"후우."

다니엘레는 천천히, 아주 깊게 숨을 들이쉬고 아주 길게 내쉬었다. 클로에가 뇌까지 달아올라 녹아내리는 만큼이나 다니엘레는 냉정하게 침착을 되찾으려는 것처럼 보였다. 바꿔 생각하면 빼주지 않겠다는 뜻처럼도 보였다. 견디지 못하고 스스로 어떻게든 했으나 팔을 뻗지 못하게 구속하는 줄 때문에 헛손질만 해야 했다. 뺨을 이불에 비비며 울었다. 입술을 깨물고 발버둥을 쳤다.

"클로에."

고막을 사로잡는 음성은 지독히 낮았다. 담백하면서도 끈끈했다. 저음이 귓가에 닿은 순간 발버둥을 서도 모르게 멈추었다. 다니엘레가 그녀의 머리맡에 앉으며 클로에를 일으켰다. 제 어깨에 기대며 앉힌 후 클로에의 허리를 감싸 안았다.

"흐……훗!"

앞쪽의 치마를 둘둘 말아 거두고는 떨고 있는 다리 사이로 한 손을 집어넣었다. 드디어 바라마지 않았던 고리가 다니엘레에 의해 사뿐사뿐 빠져나왔다. 작은 마개 역할을 하고 있었던 금속이 빠져나가자 익숙하지 않은 허전함에 몸 전체가 파르르 떨렸다.

쉬잇, 그녀를 진정시키려는 낮은 숨소리가 들렸다. 기대어 안겨 있으니 옷을 입고 있는데도 벌거벗은 채로 피부가 맞닿아 있는 것처럼 후끈했다. 지안나 미타이와는 확연하게 또 다른 성인 남자의 품을 자각하자 뺨도 달아올랐다.

턱이 들렸다. 그녀를 품에 가두고 턱을 들어 올린 남자는 오뚝한 코끝에 가만가만 입을 맞췄다. 콧날을 더듬어 올라가 미간 위치에서 입술이 멈추자 그만 저절로 눈이 감겼다. 사르르 아래로 쏟아진 속눈썹은 턱을 받치며 볼을 감싼 손의 엄지에 툭 부딪혔다. 얇은 눈꺼풀에도 점을 찍으며 움직이는 입술이 콕 부딪혔다 멀어졌다.

저도 모르게 훌쩍이며 울었던 탓에 눈 주변엔 물기가 가득했다. 다니엘레는 고개를 숙여 천천히 한 방울, 한 방울 눈물을 받아 삼키고 남아 있는 흔적까지도 꼼꼼히 입술로 훔쳤다. 의식을 치르듯 경건하면서도 목이 말랐던 듯한 집요한 입맞춤이었다. 그는 클로에가 편히 기댈 수 있게 자세를 잡으면서도 한편으로는 달아날 수 없게 단단히 붙들고 있었다.

"약한 독이었다. 생명에는 전혀 지장이 가지 않는."

"……?"

어느 순간엔가 잔떨림은 가라앉았다. 어째서인지 어깨를 감싸고 있는 손길이 마치 토닥이는 것처럼 느껴졌다. 때문에 담담하게 이어진 그의 말을 이해하는 데에는 잠깐의 시간이 필요했다.

"그러니 신경 쓸 필요도, 걱정할 필요도 없다."

이번에는 클로에의 상태를 염려하는 것처럼 들렸다. 아까 그녀가 힘들어했던 이유가 이즈리에를 걱정하느라 그랬노라고 오해한 걸까. 아니, 그렇지 않다. 오해 자체가 가당치 않았다. 이즈리에에게 해코지를 했음이 드러날까 봐 두려워하고 있었노라고 생각하면 몰라도.

"하나로는 독이랄 것도 없이 현기증만 일으키는 수준이고."

마지막은 혼잣말이나 다름없었다. 그런데 문득 뇌리에 주방 담당 메이드가 받은 두 개의 주머니가 스쳤다. 별다른 의심 없이 한 주머니는 독, 다른 한 주머니에는 이번 일에 대한 보상 금이 들어 있었으려니 하고 넘겼었다. 설마 다른 하나에 들어 가 있던 것이 보상금이 아니었던가. 하긴, 슥효성의 치명적인 독이라면 주머니를 두 개나, 그렇게 많은 양을 건넬 필요는 없 으리라. 대개 그런 종류는 소량으로도 효과를 볼 수 있을 테니. 단, 그렇다고 해서 두 개의 주머니에 전부 독이 들어 있을 가 능성은 높지 않았다.

"그 독이요, 아까……."

"아니. 생각하지 말도록. 그대가 해야 할 일은 따로 있어."

"해야 할 일……."

무엇을 목격했는지 다급히 이야기하려는 클로에를 보며 다 니엘레는 고개를 가로저었다. 지금 그 무엇보다도 중요한 화두 가 이즈리에게 닥친 일일 텐데도 생각하지 말라 일렀다. 당 혹스럽기도 한 다니엘레의 반응에 주춤거리며 그가 내미는 당 부를 따라 읊었다.

"우선 쉬고 있도록 해."

시큰해질 정도로 부릅뜨고 있는 눈 위로 어둑한 그림자가 내 려앉았다. 다니엘레의 손바닥이 그녀의 얼굴을 덮었다. 눈을 감고 자라는 의미였다.

"이야기는 다음에 하지."

그가 시키는 대로 자고 싶은 마음은 없었으나 몸은 아니었던 모양이다. 시야를 차단하는 암막 속에서도 꿋꿋하게 눈을 뜨고 버텼는데 다니엘레가 그녀보다도 더 끈기가 있었다. 클로에를 품에 안고 그녀가 가물가물 잠들 때까지 끝까지 손을 치우지 않았다. 긴장을 풀도록 유도하는 손길에 지칠 대로 지친 몸은 수면을 요구했다. 그녀의 의지와는 멋대로 잦아드는 의식 때문에 다음을 기약하는 나직한 속삭임을 채 듣지 못하고 까무룩 잠이 들었다.

"어서 일어나!"

누군가 세차게 흔들어 깨우는 통에 깊이 침잠해 있던 정신이 수면 위로 억지로 올라왔다. 마구잡이로 끄집어내 뭍에 던져버린 듯한 감각에 헉, 숨을 멈추고 번쩍 눈을 떴다. 쿵쿵 뛰는 심장을 가라앉히지도 못한 채로 시선을 이동했다.

"간도 크지. 대체 네 처지가 어떤 줄 알고 세상모르고 자고 있는 거야?"

"넌……."

클로에를 깨운 이는 그녀를 범인으로 몰아붙인 갈색 머리 메이드였다. 표독스러운 인상은 아른거리는 초의 그림자와 어우러져 한층 더 사나워 보였다. 실제로 눈썹도 높게 치켜 올라가 있었다.

"얼른 나와!"

메이드는 클로에를 위아래로 훑어보더니 팽 코웃음을 치고는 덥석 팔을 잡았다. 뽑을 기세로 세게 잡아 올린 탓에 저도 모르게 윽, 소리가 났다. 클로에가 아파하거나 말거나 침대 밖으로 끌어내리다시피 잡아끌던 메이드는 새된 목소리로 소리를 쳤다.

"내가 왜?"

클로에도 만만치 않은 힘으로 버티며 잡힌 팔을 잡아 뺐다. 움직임이 가벼워졌기에 아래를 힐끔 보니 화려한 드레스는 사라지고 편한 실크 드레스가 자리하고 있었다. 손목과 발목의 구속구도 전부 사라졌다.

"이게 지금! 다 널 위한 줄도 모르고 버티기는? 야. 난 너 같은 건 죽게 내버려두자고 했는데 우리 아가씨께서 워낙 심성이 고우셔서 안 된다 하시더라고."

"무슨 소리야."

"모르는 척하긴? 넌 우리 아가씨를 건드린 것으로도 모자라이 저택의 후계자까지 해칠 심산이잖아!"

"뭐?"

몹쓸 인간을 보는 듯한 비난의 시선에도 화가 나기는커녕 황당해서 되물었다. 어떤 취급을 받는지보다도 더 중요한 이야기 때문이었다. 이즈리에로도 모자라 다니엘레를 어쩌려 한다고?

"네년의 오라비라는 남자에게서 증거가 발견됐어. 너랑 네 오라비가 짜고서 벌이려던 짓도 다 들통 났다고!"

"……"

"아가씨 하나로 끝났다면 당신께선 너그러이 용서해주시고 싶다 하셨지만, 감히 공작가의 후계까지 건드리려 한 이상 죄는 덮을 수 없지. 하지만!"

"……"

"아가씨께서 내게 몰래 부탁하셨어. 너와 네 오라빌 불쌍히 여겨 혹독한 대가를 치르기 전에 이 저택에서 내보내주라고. 정말 친절하신 분이시지. 그러니까 어서 나오기나 해!"

구구절절 밤중에 클로에를 끌어내려는 이유를 설명하더니 손톱을 물어뜯으며 재촉했다. 보아하니 그녀를 빼내기 위해 몰래 들어온 듯했다. 누군가 오거나 들키기 전에 나가야 할 테니 초조하긴 초조할 터였다.

"하! 네가 지금 거기서 버틴다고 될 처지인 줄 알아? 몸으로 홀리려 해도 소용없어! 아가씨 말씀대로네. 정말!"

지금 돌아가는 상황이 어떤지는 몰라도 적어도 눈앞의 메이드를 따라나서는 것만은 안 된다는 사실은 클로에도 잘 알았다. 이즈리에를 위한다는 명목으로 누명을 씌운 여자다. 클로에가 찻잔을 건드리지 않았다는 사실 역시 누구보다도 제일 잘 알고 있을 여자였다. 그런 사람이 몰래 숨어 들어와 난데없이 나가 자고 한다면 당연히 의심스러울 수밖에 없었다.

"이걸 가져오길 잘했네. 자."

불신이 가득한 눈초리로 거리를 벌리려 하자 메이드는 숨겨 두었던 수단을 꺼냈다. 툭 묵직한 소리와 함께 침대로 떨어진 물건은 책이었다. 눈에 익힌 지 얼마 지나지 않은 책. 네르딘에 게 전할 메시지를 담았던 책이었다.

클로에는 떨리는 손으로 페이지를 펼쳤다. 다른 메이드에게 전해달라 맡겼던 책이 왜 갈색 머리 메이드의 손아귀에 들어왔 는지. 불안했다.

"그래. 인정할게. 너야 결백할 수도 있겠지. 그렇지만 네 오 라비라는 인간도 그럴까? 과연?"

클로에가 남겼던 메시지는 간단명료했다. 돌아가라는 내용. 그런데 막상 책에는 군데군데 페이지가 찢겨나간 흔적이 생겼 고 못 보던 메모지가 끼워져 있었다. 보내는 사람 이름이 네르 딘으로 되어 있는 쪽지엔 네 말대로 첫 번째는 성공, 두 번째 도 예정대로 진행하겠다는 내용이 적혀 있었다.

필체의 주인이 네르딘이 맞는지는 알 수 없지만 한 가지는 확실했다. 클로에가 네르딘에게 전하라고 한 책이었고, 그 책에 대답처럼 끼워진 쪽지다. 누가 보든 남매가 무언가를 공모한 것처럼 보일 터였다.

다만 걸리는 점이 있었다. 자신은 무의식적으로 떠올린 메시지 전달 방법을 썼다. 소설에 없었음에도 자연스럽게 떠올리고 이용했다. 네르딘이 아주 당연히 알아본다는 듯. 그렇다면 그가 제 여동생에게 보내는 답변 역시 같은 방식을 이용해야 했다. 필체의 주인을 확인할 필요도 없이 쪽지는 네르딘이 쓰지 않았을 확률이 높았다.

"어디로 나가면 되지?"

네르딘의 이름을 사칭한 쪽지와 종이 쪼가리에 적힌 두 번째라는 단어는 혼란스러운 머리를 단숨에 정리해주었다. 두 개의 주머니, 첫 번째의 성공과 두 번째 계획. 메이드는 파르세 남매가 이즈리에로도 모자라 다니엘레를 노린다고 했으니 첫 번째는 필시 이즈리에가 마신 독을 가리킨다. 남은 두 번째는 다니엘레고, 쪽지를 증거로 삼는다면 가장 유력한 용의자는 네르딘이 된다.

클로에는 깊게 숨을 들이쉬고 내쉬었다. 다니엘레가 했듯이 호흡을 가다듬으며 차가워지려는 몸을 진정시켰다. 허리와 어깨를 반듯하게 펴고 내리깔았던 시선을 들어 메이드를 똑바로 응시했다. 한결 평온을 되찾은 클로에에게선 자연스러운 지시

형 하대가 흘러나왔다. 그때까지만 해도 그녀를 무시하며 내려다보며 서 있던 메이드의 기세가 순간적으로 움츠러들었다.

"이즈리에가 나와 오빠를 피신시킬 장소를 알려주었을 것 아니니."

"네가…… 네가 뭔데 아가씨를 함부로 불러!"

"메이드가 공작가의 손님을 함부로 대하는 것보다는 자격이 차고 넘치지. 네 아가씨가 미래에는 공작부인이 되실지도 모르겠지만 지금은 아니잖니."

어찌된 영문인지 메이드의 날카로운 기세에도 주눅 들지 않고 익숙한 일인 듯 받아치고 있었다. 철저하게 아랫사람을 대하는 태도로 차분하게 설명하는 스스로에게 놀랐을 정도였다. 이와 같은 상황에선 어떻게 대처해야 하는지를 몸이 먼저 알고 있는 것 같았다.

"이 천한……!"

"네가 그렇게 좋아하는 신분으로 따져도 이즈리에보다는 내가 윗사람이란다. 그러니 이 저택의 격에 맞지 않는 입 조용히 다물고 어서 안내나 하렴."

분을 이기지 못하고 표독스레 대들기까지 해도 클로에는 겁먹지 않았다. 적당한 시점에서 험한 말은 끊어내고 의연하게 눈짓을 하자 이미 한풀 꺾인 기세는 더 눈에 띄게 줄어들었다. 메이드는 홀로 씨근덕거리다 팽 뒤돌아섰다.

☙

파놓은 함정으로 안내하는 여자의 뒤를 잠자코 따랐다. 단순한 협박뿐이었다면 무시하고 소리라도 질러 사람을 불렀겠지만 네르딘이 마음에 걸렸다. 오라비의 이름만 사칭했다면 차라리 다행이다. 그러나 배후에 있을 이즈리에는 클로에 하나만 눈엣가시로 여기는 분위기는 아니었으니 네르딘까지 위험해졌을 가능성도 분명 있었다.

야심한 시각이었다. 저택에 거주하는 대부분이 잠들었을 시간. 다니엘레의 방을 지키는 이들도 없었던 덕분에 내부 구조에 익숙한 여자는 클로에를 끌고 무리 없이 뒤뜰로 빠져나왔다. 제대로 된 신발 없이 슬리퍼만 신은 맨발을 차가운 잔디가 찔렀다.

"빨리 안 움직이고 뭐 해……요?"

따끔한 감각은 클로에의 발길을 붙잡으려는 것처럼 느껴졌다. 잘 따라오다 말고 막상 바깥으로 나온 후에는 서서 움직이질 않자 앞장섰던 메이드가 인상을 찌푸렸다. 스스로의 발치를 바라보는 클로에를 눈치채고 비웃으려던 여자는 눈이 마주치자마자 찔끔하며 말을 고쳤다.

"저택이 기이할 정도로 조용하지 않아?"

"별로……요?"

고작 며칠이었다. 며칠밖에 지나지 않았는데 그들에게 길들어 익숙해져 버린 걸까. 잔디가 주는 감촉이 네르딘 걱정으로 가득하던 클로에에게 이성을 조금이나마 되찾아주었다.

위영(衛影)이라는 이름을 지녔던 과거를 기억하는 클로에에게는, 모든 감각이 너무도 생생한 지금 이 순간에도 결코 흔들리지 않으리라 믿고 있는 절대 명제가 있다. 남자주인공은 여자주인공을 사랑한다. 오르시니 3형제는 이즈리에를 사랑한다. 뇌에 각인처럼 새겨진 문구였다.

"오빠는?"

"별채에서 기다리고 있어……요."

그러나 다른 한편으로는 절대 명제가 흔들릴 만한 일을 깨어난 이후로 너무도 많이 겪어왔다. 마음 한구석에선 그들을 거부해야 한다고 외치고 있었지만 그들의 말 한마디, 행동 하나하나는 이즈리에 대신 잠시 가지고 놀 뿐인 장난감을 대한다고 보기에는 무리가 있었다. 물론, 그녀의 착각일 수도 있다.

"그래? 알았어. 그럼 앞장서."

거짓말을 하고 있다는 분위기를 풀풀 풍기는 메이드를 짐짓 모른 체하고 지시했다. 모함을 받고 다른 곳에 갇혀 있든 지금 일어나고 있는 사태를 전혀 모르고 돌아갔든, 네르딘은 바깥에서 기다리고 있지 않다. 또한 오르시니는 클로에가 빠져나가도록 순순히 지켜보기만 할 리 없다. 따라서 클로에는 꼬여 있는 실타래를 조금이라도 풀어보고자 메이드가 안내하는 함정으로 따라 들어가기로 결심했다.

늦가을의 밤은 얇은 드레스만으로 버티기엔 힘든 기온이었다. 저 혼자 입을 외투를 준비한 메이드는 클로에가 숄이라도 구해 올 시간을 주지 않고 저택을 빠져나오도록 재촉했다. 긴 거리를 슬리퍼만 신고 걸으려니 체온은 점점 내려가고 발에서 약간씩 감각이 사라지려 했다. 힐끔 본 메이드의 신발은 처음부터 오래 걸을 준비가 되어 있었음을 여실히 보여주었다. 네르딘이 기다리고 있다 재촉하며 향한 별채는 뒤뜰에서도 한참을 구석으로 들어가야 했다.

"오빠는 역시 없네."

별채라고 보기에는 힘든 창고에는 다행인지 불행인지 아무도 없었다. 예상대로였다. 메이드는 창고의 문 두 쪽 중에서 하나만 연 상태였다. 클로에가 네르딘을 부르며 안으로 들어가길 기다려 문을 닫고 밖에서 잠가버릴 심산이었는지 손잡이를 놓지 않고 있었다.

"그 책의 메시지가 다 들통 난 마당에 어떻게 오겠어."

클로에가 쉬이 안으로 들어가려 하질 않자 메이드의 본색이 드러났다. 애매한 존대도 멀리 던져버리고 사실은 널 속였노라 밝히는 품새가 의기양양했다. 드디어 우세한 위치를 되찾아왔다고 생각이라도 하는지.

"너무 걱정은 하지 마. 며칠만 얌전히 기다리면 꺼내줄게."

"꺼내줘?"

"말했잖아, 아가씨는 심성이 고우시다고. 널 죽일 생각은 없어."

우악스러운 힘이 클로에가 입고 있던 드레스를 잡았다. 끌려가지 않으려 버텼지만 메이드를 이기기엔 역부족이었다. 문 근처까지 질질 끌려갔다.

"얌전히 이 안에서 기다려. 어수선한 것만 정리되면 꺼내줄 거야. 네가 아가씨께 저지른 일도 너무 걱정하지는 마. 아가씬 용서해주시기로 했고, 네가 나올 때쯤엔 네 오라비가 전부 떠맡은 후일 테니."

주절주절 떠들면서도 어찌나 신이 났는지 클로에의 멱살을 잡고 있는 손아귀의 힘은 약해지지 않았다. 그저 창고에 들어가지 않으려 버티려고만 했던 클로에도 참지 못하고 있는 힘껏 메이드의 정강이를 찼다. 곧바로 악! 비명을 지르는 메이드의 뺨을 내리쳤다.

"너! 이게!"

경쾌한 타격음과 함께 멱살을 잡고 있는 힘이 풀렸다. 클로에는 재빠르게 뒤도 돌아보지 않고 창고와 반대편으로 달려 나갔다. 뺨을 맞은 충격에서 한참 만에 벗어난 여자가 이를 갈며 쫓아오기 시작했다.

슬리퍼는 벗겨진 지 오래였다. 맨발바닥에 잔디와 흙이 밟혔다. 푹신하면서도 따끔거렸다. 차가운 공기가 거칠게 입을 통해 밀고 들어왔다. 뒤쫓는 뜀박질 소리가 점점 가까워졌지만 뒤를 돌아보는 그 순간에 둘 사이의 거리는 더더욱 좁혀질 터였다.

실내 생활에 익숙해진 몸은 잠깐의 거친 움직임만으로도 무척 힘들어했다. 다리가 조금씩 무거워지면서 도망치는 속도가 느려졌다. 불규칙적으로 거칠어진 숨소리가 스스로의 귀에도 고스란히 들렸다.

헐떡임이 늘어날수록 현기증이 났다. 눈앞의 풍경이 핑글핑글 도는 와중에 멍하니 생각했다. 이렇게 도망쳐야 했던 날이 또 있었다. 멀지 않은 과거에. 한 번, 두…… 번. 한 번은 게르에게 쫓겼을 때. 두 번째는…….

"아야!"

무언가 떠오르려던 순간 긴 머리채가 휘어잡혔다. 바짝 붙은 여자가 클로에 머리를 힘껏 당겨 넘어뜨렸다. 희미하게 피어나려던 이미지는 바로 사라지고 머리카락이 뽑히는 통증에 별이 반짝이면서 클로에는 앞으로 넘어졌다. 메이드가 씨근덕거리며 넘어진 클로에의 멱살을 다시 잡으려 했을 때였다.

"네까짓 게 뛰어봤, 누구, 헉."

간발의 차로 저지하며 두 사람 사이로 끼어드는 팔이 있었다. 뾰족뾰족 높아진 고음으로 화를 내던 메이드가 팔의 주인을 확인하고 화들짝 놀랐다. 다급하게 뒷걸음질 치다 제 발에제가 걸려 넘어지기까지 했으나 일어설 생각을 하지 못할 정도로 표독스러웠던 얼굴은 하얗게 질려 있었다.

"도, 도련님……."

"야옹인 참 독하다."

때마침 등장한 구원자는 미타이였다. 더듬으며 고개를 조아리는 메이드를 본체만체하고 넘어져 있는 클로에를 일으켜 세웠다. 밤의 추위에 차가워진 몸은 따뜻한 미타이의 체온에 닿자 조금씩 안정을 찾았으나, 귓가에 닿은 속삭임은 그가 주는온기에 비해 딱딱했다.

"잠시도 방심하면 안 된다니까."

클로에를 찾으러 나온 사람은 미타이 혼자가 아니었다. 미타이에게 부축을 받으며 일어서는 그녀를 지켜보는 두 남자가 더있었고, 그 둘의 표정은 밤의 기온만큼이나 싸늘했다.

"우리 사랑스러운 아가씨께서는 도무지 잡히려 하질 않는단말이죠."

예상했던 대로 그들은 클로에를 아무런 조치 없이 내버려두지 않았다. 이유에 대해서는 아직 알 수 없지만 어쨌든 누구든 그녀를 찾아 나서리라 생각했었다. 단지 셋 모두가, 다니엘레까지 나설 줄은 몰랐을 뿐.

그러나 희망은 있었다. 그녀를 찾아낸 사람이 지안니나 미타이였다면 화부터 냈겠지만 이 자리에 다니엘레가 있다는 사실이 약간은 위안이 되었다. 장남은 동생들과 달리 냉정과 이성으로 이루어진 남자고, 지금까지 클로에에게 비교적 심하게 굴지는 않았다.

다니엘레라면 그녀가 왜 메이드와 다투다 쫓기고 있었는지, 왜 바깥으로 나왔는지를 이성적으로 판단하고 처분해주리라. 본능적으로 그리 희망했다. 클로에의 시선이 미타이에서 시작해 지안니를 거쳐 다니엘레에게 도달했다. 바닥에 떨어져 있는 책을 보던 황금색 눈동자가 클로에를 마주했다.

∞

표정이 없는 다니엘레의 마지막 얼굴은 감정 없는 조각과도 같았다. 희망은 사라졌고 등줄기가 섬찟했다. 괜한 만용을 부렸나 보다, 후회를 하면서도 눈을 피하지는 못했었다.

"하아."

무거운 한숨이 새어 나왔다. 3형제는 클로에가 또 도망을 가려고 했던 것으로 결론지었다. 그녀를 악의적으로 유인했던 메이드는 깡그리 무시했다. 고의적인 무시도 아니었다. 그들에게 메이드는 발에 밟히는 잔디보다도 못했다. 존재 자체를 인식하지 않고 있었다.

오로지 클로에만을 올곧게 쳐다보던 3형제에게 어젯밤 기억에 남을 정도의 의미가 있었던 일은 단 하나였다. 도망치던 클로에를 다시 잡아온 것.

"여기는."

천천히 클로에는 자신이 현재 있는 장소를 시야에 담았다. 아니, 장소라고 할 수는 있을지.

성인 여럿이 여유 있게 누울 수 있을 공간을 높은 울타리가 빙 두르고 있었다. 다만 울타리의 높이가 무척 높았다. 창살이 어디까지 위로 뻗어 있는지 보려면 고개가 뒤로 꺾일 정도로 치켜들어야 했다. 끝은 없었다. 위로 뻗어 한참 높은 꼭대기에서 안쪽으로 구부러지고 다시 반대편에서 아래로 쭉 내려가는 형태는, 일종의 거대한 반구체였다.

창살도 말이 창살이지 실제로는 무척 화려해 결코 감옥 같은 느낌이 아니었다. 두 글자로 된 이곳의 정체가 머릿속에 떠올랐지만 맞지 않게 거대한 규모가 입 밖으로 내기를 저어하게 만들었다.

"새장이긴 한데…… 아니지, 새장이 맞지…….”

현실을 외면하고 싶었으나 자고 일어나 뺨을 꼬집어보아도 달라지지 않는 풍경이 현실을 인정할 수밖에 없도록 만들었다. 심지어 잠이 덜 깬 채로 새장을 구경하다 보니 천장에 매달려 있지 않은 것만으로도 다행이라고 생각해야 할지 모르겠다는 생각마저 들더랬다.

"성의 탑 꼭대기에 있는.”

간밤에 미타이는 원망 가득한 시선만을 쏘아 보냈다. 재차 독하니 어쩌니 하면서 자초지종을 설명하려는 클로에의 말문을 막아버렸다.

지안니도 별반 다르지 않았다. 맨발로 뛰고 넘어지면서 다친 상처를 치료해준 것까지는 좋았다. 그때까지도 별벌 떨며 고개를 들지 못하는 메이드를 슬그머니 가리켰지만 비웃음만 돌려받았다는 게 문제라면 문제.

다니엘레는 쐐기를 박아버렸다. 얼어붙은 클로에의 어깨 위에 언제 챙겨 왔는지 숄을 덮어주기는 했다. 이때까지만 해도 약간은 안심할 뻔했었다. 그러나 클로에가 저택으로 돌아가는 대신 성으로 돌아오게 된 배경은 다니엘레라고 봐도 무방했다.

그렇게 겨우 벗어났다고 생각한 성으로 되돌아온 것으로도 모자라 상상도 못 했던 성의 탑 꼭대기에 갇히는 신세가 되었다. 게다가 최상층부로는 마법을 통해 이동된 덕에 올라오는 길은 구경도 하지 못했다. 탑의 아찔한 높이를 직접 확인한 직후에는 고풍스러운 새장이 등장했다.

"오빠는 무사할까."

클로에는 한숨을 쉬며 새장 바닥에 깔려 있는 푹신푹신한 이불 위로 몸을 둥글게 말고 픽 쓰러졌다. 아무리 세게 박아도 아프지 않게끔 충격을 흡수하는 이불과 쿠션들은 호화롭기까지 했다. 그래봤자 그녀는 새장 안에 갇혀 있지만. 미타이와 지안니의 말에 따르면 도무지 불안한 심정을 가눌 길이 없어 장소를 옮겼다나.

"오빠는, 음."

당최 속을 알 수 없는 3형제는 둘째 치고 어찌 되었든 위험한 고비는 넘긴 기분이 들었다. 아무도 모르는 곳에 고립된 대신 안전을 위협하는 메이드가 접근하지도 못할 터였다. 남은 걱정거리는 네르딘. 듣지 못할 사람을 하염없이 부르며 보들보들한 감촉에 얼굴을 비비던 클로에의 시야에 거뭇한 인영이 잡혔다.

팔짱을 끼고 묵묵히 새장을 보고 있는 사람이 있었다. 몸의 대부분은 어두운 그림자로 덮여 있었으나 얼굴은 식별이 가능했다. 다니엘레였다.

"그대는 정말 변함이 없어."

클로에는 벌떡 상체를 일으켰다. 그의 중얼거림은 등줄기의 솜털이 전부 일어설 정도로 차갑고 딱딱했다. 이해는 안 되지만, 그럴 이유가 없지만 다니엘레는 마치 클로에에게 화가 난 것처럼 보였다.

그녀가 다니엘레를 인식한 이후 그는 어둠 속에 서 있는 대신 한 발짝씩 가까이 오더니 이윽고 새장에 근접했다. 어떻게 보면 잠에서 깬 클로에가 먼저 알아보기를 기다렸던 것처럼도 보였다.

"무슨……."

왜 화를 내는 걸까. 어젯밤도 그렇고 지금도. 당황스러워하는데 틈사이로 많이 익숙한 책이 쑥 들어왔다.

"아."

어제 메이드를 따라나서게 만든 책이었다. 클로에는 다니엘레가 어제도 그 책을 유심히 지켜보고 있던 기억을 떠올렸다. 동시에 왜 화가 났는지를 짐작했다. 네르딘 때문이리라.

"아니에요!"

"뭐가 아니라는 거지?"

클로에는 비틀비틀 달려가 창살을 매달리듯 잡았다. 냉랭한 금속이 전하는 온도는 싸늘하게 되묻는 다니엘레의 반문에서 느껴지는 그것과도 비슷했다.

"오빠가……."

네르딘이 쓴 쪽지일 리가 없다? 아니면 내용이 오해다? 네르딘은 물론이고 클로에 자신 또한 이즈리에를 해치려 하지 않았다? 소용돌이치는 수많은 부정 중에서 무엇을 먼저 꺼내야 하나. 다니엘레가 무슨 생각을 하는지를 정확히 알아야 그에 맞게 해명을 할 텐데.

"오해를 하고 계세요. 그러니까 오빠는……."

기세 좋게 외칠 땐 언제고 막상 다니엘레와 마주 보고 있으려니 말꼬리가 흐려졌다. 그의 심기가 급강하고 있음을 잘 알지 못하는 관계임에도 아주 잘 느껴지는 탓이었다.

"오해라."

왜 다니엘레가 허탈하게 웃은 듯 들렸을까. 클로에의 움찔 떨린 손끝이 부드러운 바닥을 꾹 눌렀다. 어느새 그녀는 주저앉아 있다시피 했다. 숨을 쉬기 힘들게 하는 압박감 때문이었다.

"그대의 오라비에 대해선 내가 오해하고 있는 부분이 없다, 안타깝게도. 선물이랍시고 가져온 찻잎은 찻잎이 아니었으니."

"네? 그럴 리가 없……."

그럴 리가 없다. 만약 쪽지대로 두 번째 타깃을 다니엘레로 했다면 그에게 쓸 독은, 주머니를 건네받은 주방 담당 메이드의 손에 있어야 했다. 네르딘이 다니엘레에게 직접 건네는 방식일 리가 없었다.

"바, 바뀌었을지도 몰라요, 내용물이……."

떠오른 추측은 바꿔치기. 네르딘이 클로에처럼 누명을 썼다면 가능성은 있었다. 생각을 하느라 고개를 숙인 클로에의 머리 위로 그림자가 졌다. 그만큼 다니엘레가 어느새 가까이 다가와 있었다.

"그만."

팽팽하게 맞서던 공기는 다니엘레가 먼저 눈을 깜빡이면서 풀렸다. 보일 듯 말 듯 한 미소가 떠오르면서 숨 막히게 하던 중압감은 사르르 사라졌다. 소리 없이 새장의 문이 열렸다.

"쏟아내는 단어라고는 제 오라비를 애타게 부르는 호칭뿐."

다니엘레가 새장 안으로 들어오고 있었다. 클로에를 가둬두기 위한 용도로만 쓰일 줄 알았던 공간으로 그가 들어오는 광경은 낯설고 기이했다. 사방이 막힌 구역에 들어오면서도 어색해하거나 찝찝해하는 기색도 없었다. 클로에가 있기에 온다, 단지 그뿐인 것처럼 보였다.

"앗."

그녀의 근처에 자리를 잡은 다니엘레가 떨어뜨렸던 책을 집었다. 사이에 끼워져 있던 쪽지도 재차 확인하고 페이지도 빠르게 넘겼다. 조마조마한 기분으로 그가 하는 양을 지켜보던 클로에는 다니엘레가 특정 페이지를 펼친 순간 저도 모르게 소리를 내버렸다.

"그대가 오라비에게 보내는 메시지는 진짜였지."

다니엘레는 정확하게 메시지를 조합하고 있었다. 그에겐 익숙할 리 없는 전달 기법인데도 많이 봐왔다는 듯 물 흐르듯 읽어 내려갔다.

"왜 하필 이 책이었는지. 몰랐다고는 해도 너무 얄궂어서."

쪽지는 읽지도 않았다. 다니엘레는 추억에 잠긴 듯 페이지를 사르륵 넘긴 후 처음으로 되돌아갔다. 낙서가 되어 있는 책이라 중요하지 않게 여길 줄 알았는데 착오였던 모양이다.

"원망스러울 정도야."

실수였다, 가볍게 여겼다. 그 어떤 말을 해도 변명밖에 되지 않으리라. 그렇지 않아도 그가 입을 열 때마다 조마조마한 마당인데 클로에와 네르딘이 받고 있는 오해로도 모자라 다니엘레가 아끼는 책까지. 간밤의 그는 그래서 그토록 무섭게 보였던 걸까.

"제가……."

침이 꼴깍 넘어갔다. 마주 서 있는 다니엘레를 응시하자 심장이 뛰었다. 입술만 달싹이다 말라갈 뿐, 의미 있는 육성이 제대로 나오지 않았다.

"클로에."

격식을 갖추고 파르세 영애라고 부르지 않는 이유는 무엇일까. 용의자로 대우하기 때문인가, 이즈리에를 괴롭히는 역할이기 때문인가. 그러나 불안에 떨면서도 말간 눈으로 올려다보는 클로에의 볼을 어루만지는 손길 때문인지 다니엘레가 그녀의 이름을 친근하게 부르는 것 같은 착각이 들었다.

"여기 이곳을 어떻게 생각하지?"

이곳이라 함은 성을 가리킬까, 새장을 가리킬까. 미세하게 흔들리는 클로에의 눈썹을 누르고 흘러내린 머리카락을 쓸어 넘겼다. 부드러우면서도 단단한 손 안에 얼굴이 폭 감싸였다. 언제라도 원한다면 떨쳐낼 수 있을 것처럼 느껴지지만 막상 밀어내면 고정이라도 된 듯 떨어져 나가지 않을, 커다란 손이었다.

"크고 화려하고……."

클로에 또한 성에 대한 감탄인지 새장에 대한 것인지 모르게끔 모호하게 대답했다. 그녀의 얼굴을 감싸고 있던 손길이 아래로 내려와 목 주변에 다다랐다.

"새장의 역할이 무엇이라고 생각할까, 그대는."

이번에는 얼버무리며 피해갈 수 없는 질문이었다. 새장이라고 명확하게 가리켰다. 그러나 여전히 질문의 의도는 알 수 없었다.

"쉬는…… 곳?"

비록 여는 방법을 몰라서 그렇지, 문을 여는 용도로 보이는 이상한 손잡이가 새장 안쪽에도 있었다. 일반적으로 밀고 당기는 방식으로는 문이 꿈쩍도 하지 않았을 뿐이었다. 클로에는 잠시 새장 내부를 둘러보며 조심스럽게 대답했다. 내심 스스로의 입으로 가두는 역할이라고 말하고 싶지 않기도 했다.

"그렇다면 누가 쉬어갈 수 있도록 만들었을까."

다니엘레의 손은 보기보다 커서 클로에 자신의 목이 한 손에 거의 감겼다. 단단하고 따뜻한 온기가 목에 빈틈없이 달라붙었다. 질문을 이어가는 어조는 평이하고 담담한데 그녀의 목을 감고 있는 손가락 끝에는 슬그머니 힘이 들어갔다.

"새……가."

덜컥 두려워졌다. 미타이처럼 무시무시하게 크지는 않았지만 다니엘레도 마음만 먹으면 그녀의 목을 쉽게 조를 수 있을 것 같았다. 긴장으로 가득 찬 침을 삼키자 다니엘레의 손도 그녀의 목을 따라 꿈틀거렸다.

"언제든지 이 손을 벗어날 생각만 하는 존재를 위해서다. 드디어 닿았다고 안도한 순간 언제 그랬느냐는 듯 흩어지는 누군가를 위해서고. 다른 남자만 애타게 찾는 이를."

지독히도 낮게 깔린 음성. 그래서 그의 말에 담겨 있는 터지기 직전의 감정을 눈치채지 못했다. 섬뜩할 정도로 변화 없는 무심한 표정 때문에 금안을 스쳐 지나간 찰나의 감정을 읽지 못했다.

"가두고 날개를 꺾고 가냘픈 팔다리에 족쇄를 채우고, 사라지지 못하게 가둬두기 위해서, 였지."

다니엘레를 잘못 판단했다. 불같은 성정과는 누구보다도 거리가 멀다 생각한 남자였는데 그렇지 않았다. 차갑게 내칠 기세로 대하는 것 같아도 막상 그렇게까지 무섭게 굴지도 않았었다. 결정적으로 이러니저러니 해도 클로에를 구해준 적도 있었다. 그래서 다니엘레가 이리도 고요히 불꽃을 내비칠 줄은 꿈에도 몰랐다.

"그래서, 쉬고 있어야 할 그대가 어젯밤 몰래 저택을 빠져나간 이유는."

힘을 주고 있지는 않았으나 목을 감고 있는 손을 풀지도 않았다. 등골이 서늘할 정도의 무시무시한 말을 언제 했느냐는 듯 화제가 전환되었다. 그녀가 쉬이 도망갈 수 없도록 허리를 단단히 옥죄었다.

"그대의 오라비인가."

"아니, 아녜요! 오빠가 아니고, 제가!"

반사적이었다. 두 번 생각하기도 전에 본능적으로 네르딘은 아니라는 부정의 외침이 나왔다. 독살 미수에 대한 누명을 쓴 것으로도 모자라 클로에를 빼내려고 했다는 의심까지 받게 할 순 없었다. 적어도 방을 나온 이유는 오로지 그녀의 의지였다.

"그대가, 라."

"네, 그러니……."

"그렇단 말이지. 이런 상황에서도 그대는. 아니, 감싸기 위해서라면 어떤 상황도 마다하지 않겠다는 뜻이겠군."

무거운 한숨이 눈썹 위로 내려앉았다. 그럴 줄 알았다면서도 어딘가 실망하고 언짢은 기색이 역력했다. 목을 감은 손에 전혀 힘이 들어가지 않았음에도 현기증이 났다. 발밑이 흔들리기라도 했는지, 심장이 불안으로 뛰는 탓인지 어질어질했다.

"지안니."

클로에는 물론이고 성인 여럿이 더 들어올 수 있는 거대한 크기의 새장이 있는 공간은 무척이나 커서 등불이 비치지 않는 구역은 육안으로 가늠하기 힘들 정도였다. 어둠에 묻혀 있던 한 사람이 등불 아래로 걸어 나왔다. 지안니를 발견한 클로에의 눈동자가 크게 뜨였다. 천장까지 솟아난 긴 그림자의 등장이 불길했다.

까닥까닥 움직이는 손가락을 보고서야 새장이 허공에 떠 있다는 사실을 알았다. 부유하는 듯한 느낌이 들었던 데에는 실제로도 새장이 흔들리고 있었다는 점이 한몫했다는 의미였다. 자각하고 나니 아주 천천히 좌우로 흔들리는 중인 새장이 느껴졌다.

"안녕, 아가씨."

그나마 다행인 것은 다리가 후들후들 떨려도 단단한 팔로 지탱해주는 다니엘레가 있어 넘어지지는 않았다는 점이었다. 안겨 있는 클로에를 응시하던 지안니가 비죽 웃으며 인사했다.

"그런 꼴로 숨으려 들면 절 자극하기만 한답니다."

의도하지 않았는데 다니엘레의 품 안에 숨어 눈만 빼꼼 내민 꼴이 되었다. 그가 목을 놓아주고 대신 어깨를 감싼 탓이었다. 지안니의 비소가 진해질수록 다니엘레는 클로에를 안고 있는 팔에 힘을 주었다.

"지안니, 오늘은."

두 번째 맹수의 등장으로 클로에를 향하고 있던 약간은 날섰던 기운이 가라앉았다. 네르딘과 클로에에 대한 의심에서 기인했던 분노는 씻은 듯 사라졌다. 오히려 한숨을 쉬며 동생의 이름을 부르는 어투에는 미미한 짜증이 배어 있었다.

"난 이걸 전해주려고."

지안니는 재빠르게 제 형의 말문을 막으며 무언가를 건넸다. 건넸다고 하기에도 조금은 애매했다. 지안니는 움직이지 않고도 마법으로 전하려 했다는 물건을 등장시켰다. 그가 굳이 이곳까지 찾아와서 건넨 것은 전에도 착용한 적이 있던 수갑이었다. 피부에 상처가 나지 않게 부드러운 털로 덧대어져 있어 본래의 용도에 비해 뿜어내는 위압감이 없다시피 했지만, 경험상 생긴 것과 달리 무척 단단하다는 사실을 잘 알고 있었다.

"형은 결국 하지 않으려고 할지도 몰라. 곤란해하는 눈을 보면 그 음습한 속마음을 숨기고 한 발 물러설지도 모르고."

"지안니."

"아니면 이런 나까지도 형의 계획하에 이미 있을지도 모르겠지만, 어쨌든."

"까!"

방금 전까지만 해도 클로에를 빼고 둘이서만 서로 대화를 나눴건만 최종적인 화살은 그녀에게 돌아왔다. 다니엘레가 받지 않은 두 개의 수갑은 저절로 움직였다. 수갑이 어디로 가는지 무엇을 하려고 하는지 알아챘을 때는 한발 늦었다. 수갑의 목적지는 클로에였다.

"아가씨. 섣불리 움직이면 다쳐요."

마법 때문에 자신의 몸인데도 통제를 벗어났다. 철컥 철컥, 지체 없이 잠기는 소리가 야속했다. 각 손목에 수갑이 하나씩 채워졌다.

"나머진 어디와 이어지게 해드릴까요."

두 개의 수갑은 각각 한 칸씩만 클로에의 손목을 잡고 있었다. 남은 고리를 어디에 채워 구속당할지를 골라보라는 시선은 답을 알려주듯 발목으로 향했다. 손목과 발목을 한데 묶어두는 편이 좋겠네요. 끝까지 듣지 않아도 생생했다.

"도망가다 잡혀왔으니까."

발목을 고른 이유까지 덧붙이자 마법을 막아주는 것 같았던 다니엘레의 힘도 스르르 풀렸다. 지안니의 말에 동조한다는 의미이리라. 엉덩이를 겨우 덮는 길이의 슬립에 발바닥이 닿았다. 간지럽다 느끼기도 잠깐, 나머지 수갑이 철컥 채워졌다.

"흡."

자신의 다리로 서 있기는커녕 허공에 떠버렸다. 허리를 감싸고 있는 팔이 풀리고 마법이 풀리면 곧장 바닥으로 떨어질 터였다. 무심코 호흡을 멈췄다가 한참 후에 들이쉬었다. 기다렸다는 듯 진한 체향이 코끝에 들이닥쳤다. 다니엘레로부터 나는 알싸한 향. 차를 즐기는 취미가 있다 했으니 알고 보면 찻잎의 냄새가 배었던 걸까.

"그럼, 훗날 시간이에요, 아가씨."

머리가 띵할 정도로 지독하게 유혹적인 향이었다. 지안니가 새장 밖에서 개막을 알려왔다. 찬찬히 흔들리고 있는 새장 때문인지 어지러운 증세가 조금씩 강해지고 있었다. 다니엘레는 휘청이는 클로에를 더 단단하게 고쳐 안았다.

"전."

"왜 방을 나갔지."

혼이 날 행동 따윈 하지 않았다, 가빠지는 호흡으로나마 중얼거리려 했으나 실패했다. 질문이 단호하게 끊으며 들어왔다.

"쉬고 난 후 이야기를 하자 했을 텐데. 아무것도 신경 쓸 필요 없으니 쉬는 데 전념하라고 했건만."

턱이 잡혔다. 찡그리며 가늘게 뜬 시선이 다니엘레에 의해 한쪽에 고정되었다. 고개를 숙일 수도 없게 만들었다. 눈을 피하지도 못하게 했다. 선명한 금안을 마주하고 있으니 더 몸이 붕 뜨는 감각에 사로잡혔다.

"오빠가 위험에……."

처한 것 같아서요. 거짓말을 하거나 다른 변명을 둘러댈 생각은 없었다. 방을 나간다는 것이 도망가는 행동으로 비칠 줄 몰랐다고도 덧붙이지 않았다. 당시 그녀의 머릿속을 지배한 것은 네르딘에 대한 걱정이었고, 잘 해결만 되면 돌아올 심산이었다. 아니, 더 솔직히 말하자면 그녀를 쉽게 놔줄 리가 없었던 이들을 믿었다. 바로, 쫓아오리라고.

"잊고 있었군, 그대의 오라비를."

비틀린 미소는 억지로 짜낸 것만 같았다. 그는 클로에의 말을 채 듣지 않았다. 동시에 딱, 소리에 언제부터 있었는지 새장 주위에 장식되어 있던 초에 불이 화르르 붙었다. 은은하게 퍼지는 향과 아른거리는 빛이 새장을 밝혔다.

"그래요, 아가씨."

지안니가 클로에를 불렀고, 다니엘레는 그녀를 안은 채 뒤돌아섰다. 새장을 사이에 둔 두 마리 맹수가 서로에게 눈짓했다.

"그토록 애타게 다른 남자가 보고 싶으면 만나러 가야죠. 우린 아가씨께 약하니까. 그래요, 그렇게 만나고 싶다는 데 말릴 방도가 있나. 그래서 말인데."

"새장의 문 하나 열 수가 없다면 갇힌 셈이나 다름없지. 자유롭게 드나들게 해주겠다는 의도와는 다르게."

클로에의 시야를 가리던 탄탄한 상체가 사라졌다. 돌아선 탓이었다. 서 있다고 할 수는 없는 자세지만, 어찌 되었든 새장의 문이 있는 방향을 향하게 되었다. 고개를 돌리지 못하게 한참을 잡고 있었던 탓에 어쩔 수 없이 같은 장소를 바라봐야 했던 클로에의 매끄러운 눈동자에 서서히 처음에 인지하지 못했던 기묘한 장식이 들어왔다.

"자, 잠깐만요……."

문에는 까만 손잡이가 달려 있었다. 당연하게도 갇혔다고 생각했기 때문에 애초에 열기를 포기하면서 자세히 살핀 적이 없었던 손잡이의 모양이 뒤늦게 보였다. 오닉스 손잡이는 남근의 형태를 띠고 있었다.

"언제든지 나갈 수 있도록 여는 방법을 알려주겠다."

"여는 방법? 아, 아뇨, 그보다……."

원하는 대로 클로에가 손잡이의 모양이 무엇인지를 인식하자 보고만 있던 지안니가 입꼬리를 끌어 올렸다. 여는 방법이라니, 모양만 보면 손조차 댈 수가 없게 생겼다. 그러나 바르작거리며 도망가려 해봤자 사지가 구속된 채로 안겨 있으니 달아날 수도 없었다.

좀처럼 마비되지 않는 코가 저릿할 정도로 달콤한 향을 감지했다. 새장을 둘러싸고 있는 초의 향연이 마치 몽롱한 환상처럼 느껴지게 만들었다. 부유하고 있는 새장은 클로에의 정신을 교란시켰고, 멀리 떨어져 있는 초의 열기를 예민하게 느끼고 있는 듯한 착각에 체온이 살며시 올라가기 시작했다.

"아니죠. 먼저 배워야, 잡힐 듯 잡히지 않을 듯 흩어져 저 멀리 높이 달아날 수 있지 않겠어요."

시간의 흐름은 빠르기도 하고 느리기도 했다. 지안니는 느릿하게 말을 늘이며 클로에를 불렀다. 그녀가 느끼는 몸의 변화를 알고 있는 듯 일부러 뜸을 들이는 것처럼 들렸다. 끊임없이 마시고 있는 달콤한 향을 잠깐 들이마신 것만으로도 몸이 욱신거렸다. 서늘한 공기에 닿는 것만으로도 하늘하늘한 슬립에 닿아 있는 피부가 따가울 정도로 예민해졌다.

어지러움 때문에 허리를 펴는 자세조차 힘들었다. 클로에의 이마에 땀이 송골송골 맺혔다. 체온이 높아지고 있는 몸을 흔들리지 않게 고정하기 위해 안고 있는 그의 팔에 닿은 부분부분이 화상을 입은 것처럼 후끈거렸다. 가슴이 얇은 천에 쓸린 순간 찌르르 퍼져 나간 감각 때문에 구속된 몸뚱이가 펄떡거렸다. 한껏 달아오른 피부가 슬립에 이리저리 쓸리는 것만으로도 순간순간 눈앞에서 강한 불꽃이 튀었다. 밑부에서 망울망울 끈끈한 액체가 새어 나오는 느낌을 고스란히 느끼고야 말았다.

"훗…… 이, 이상…… 으……."

끝을 모르고 불타기 시작한 몸은 부드럽지만 차가운 천 대신, 서늘한 공기 대신 비슷한 온기를 지닌 무언가를 원했다. 단단하긴 해도 따뜻한 무언가, 아플 정도로 차가운 외부로부터 보호하듯 감싸줄 커다란 무언가. 동시에 왈칵, 왈칵 만들어내는 샘물 따위로는 갈증이 해소되지 않고 있는 닫힌 꽃은 탐욕스럽게 마실 무언가를 원했다. 미치도록 괴로운 열기를 단번에 꿰뚫고 식혀줄 무언가.

아직 향에 사로잡히지 않고 겨우겨우 버티는 이성은 지금 막 내뱉으려던 애원을 말하지 말라 끊임없이 주문을 걸었다. 한편으로는 고통을 해소하는 데에 방해가 되는 이성을 놓아버리고 싶었다.

아니, 놓고 싶지 않았다. 아니, 속 시원히 놓아버리고……. 몇 번이고 본능에 질 뻔했다가 꾸역꾸역 이기는 것도 힘들어지고 있었다.

"대체…… 어째서……."

반쯤 어둠에 묻힌 지안니와 태산처럼 뒤에서 우뚝 버티고 있는 다니엘레는 한 번에 그녀를 낚아채기 위해 기다리고 있었다. 끈질긴 기다림에 익숙한 맹수들은 그녀의 무엇을 낚아채기 위해 이리 기다리고 있는 것일까. 땀에 섞인 눈물이 뺨을 타고 흘렀다.

어젯밤. 바로 쫓아오리라고 짐작했다. 예견했고 그래서 함정인 줄 알면서도 메이드를 따라갔다. 바꿔 말한다면, 클로에는 이 남자들을 믿은 것이다. 왜 믿었을까. 남자주인공이라는 정보 외에는 아무것도 모르는 이들을 대체 왜.

이 남자들도 마찬가지다. 왜 이즈리에가 아닌 클로에의 곁에서 떨어지지 않으려 하는 걸까. 어째서 지안니는 그녀를 잡아와 곁에 두었던 걸까. 무슨 이유로 미타이는 여주인공을 두고 그녀를 탐했을까. 또한 다니엘레는 왜 그녀에게 이리도 화를 내는 걸까.

가물가물 쉬이 잡히지 않는 희미한 기억이 떠오를 듯 말 듯 그녀를 약 올렸다.

"그만."

사나운 접근에 몽롱해지던 정신이 한 박자 늦게나마 돌아왔다. 답답한 마음에 입술을 깨물었던 모양이다. 상처를 내지 못하도록 난입한 엄지와 검지가 강제로 이와 입술을 떨어뜨렸다.

"어째서인지는 누구보다도 아가씨가 제일 잘 알 텐데요."

이마에 송골송골 맺혀 있는 땀방울을 한 알 한 알 누르고 또르르 눈썹을 찌르려던 방울은 낚아채어 터트렸다. 초췌해진 몰골이 새장 밖의 금안에 또렷이 담겼다. 지안니의 눈동자에 잡히기라도 한 듯 회피하지 못하고 받아내었더니 두피가 확 당기는 느낌이 들며 아찔해졌다.

"그대는 이렇듯 다른 이를 이 표표한 눈동자에 담잖나."

지안니를 더 이상 물끄러미 보지 못하게 고개를 뒤로 젖히게 만든 것이다. 위로 향한 턱을 감싸고 지그시 압박하는 손의 주인은 다니엘레였다. 가물가물한 옅은 색 눈동자가 가늘게 떨렸다.

심장이 뛰었다. 몸을 잠식한 열기 때문인지, 점점 가까워지는 다니엘레의 얼굴 때문인지. 온기가 담기지 않은 금안이 느릿하게 깜빡였다. 짙은 속눈썹이 클로에를 훔쳐 제 눈에 담았다. 벌어진 그녀의 입술에 온기가 스쳤다.

"그러면 손잡이를 따듯하게 품어볼까요."

준비가 되었다는 신호 따위를 보낸 적이 없는데. 멋대로 해석을 한 지안니가 다음 단계로 넘어가게끔 했다. 당황한 클로에가 젖혔던 고개를 바로 하려 애를 쓰며 지안니를 살폈다.

"보란 듯이 다른 남자에게 좋다고 매달리는 아가씨를 기다려줄 필요, 없는 거 알죠?"

그 다른 남자가 다름 아닌 그의 형이고, 좋다고 매달려 있지도 않으며 매달렸다기보다는 팔다리가 속박된 채 안겨 있는 형태였지만 지안니는 전부 의도적으로 무시했으리라. 어차피 클로에도 지적할 수 있는 상황은 아니었다. 호소는 배에 닿은 손 때문에 숨을 들이켜며 뚝 끊겼다.

"잠, 으읏, 시만…… 흡……."

턱이 살포시 위로 들렸다. 귓가를 간질이는 음성이 꾸며낸 핑계를 단호히 부정했다. 납작한 배를 감싼 손이 스르륵 부드러운 피부를 따라 위로 움직였다. 풍만한 곡선을 그리고 있는 살덩이 중 하나를 세게 움켜쥐었다. 지켜보던 지안니의 눈이 가늘어졌다.

"으응……!"

"그대는 이쪽을 봐야지."

단단한 손에 잡힌 턱이 다시 반쯤 올라갔다. 강제로 뒤로 약간 돌아보게 되자 다니엘레의 얼굴이 지척에서 기다리고 있었다. 천천히 속삭일 때마다 나오는 날숨이 뺨을 간질였다. 하지말라 애원하느라 시선을 돌리니 마음에 들지 않는다, 그리 속삭였다.

"어허. 아가씬 문을 여는 방법을 배워야죠."

수갑 때문에 손목이 발목 부근에 닿은 자세로 안겨 있었는데, 무형의 힘에 의해 몸이 앞으로 당겨지는 느낌이 들었다. 그러나 다니엘레가 놓아주지 않아 절로 배를 내밀려는 것처럼 등이 안으로 휘었고 가슴이 보기 좋게 앞으로 쑥 나왔다. 다른 남자에게 매달려 있니 어쩌니 비난을 하더니 지안니는 마법으로 클로에를 끌어가려 했다.

"홋, 아앗, 앗."

"클로에."

이름을 속삭이는 다니엘레의 한 손이 왼쪽 젖가슴을 잡고 힘을 주었다. 탄력 있는 표면이 구겨지며 모양이 바뀌었다. 주물러질 때마다 모양이 비틀리면서 쿵쿵 뛰는 심장의 속도가 빨라졌다. 손가락 끝이 심장의 위치를 가늠하고 있었다. 그녀를 안고 있는 맹수가 낚아채려던 목표물은 심장이었을까. 튀어나갈 기세로 뛰어대는 심장을 손끝이 지그시 눌렀다.

"흐읍."

벌어졌던 입술 사이로 뜨거운 숨결이 훅 끼쳤다. 놀란 클로에의 눈이 번쩍 뜨였다. 다니엘레의 곧은 콧대가 바로 눈앞에 있었다. 말라 있던 입술이 타액에 의해 조금씩 습기를 머금었고 갈 곳을 잃은 혀가 사로잡혔다. 키스만으로 목소리를 잃어버렸다. 빠르게 깜빡이는 눈에도 가벼운 입맞춤을 이어 눈을 감아버리게 만들었다.

"응, 으응, 읏."

심장을 누르고 있던 손이 움직였다. 손바닥에 눌려 있던 유륜을 두 손가락으로 눌러 잡으니 붉은 과실이 빼꼼 머리를 내밀었다. 열을 품고 밖으로 나온 탓에 찬 공기가 닿자 따끔따끔했다. 그러나 도로 안으로 들어가지는 못하고 있는 머리꼭지가 파르르 떨며 어쩔 줄을 몰라 했다. 매정한 공기는 유두의 열기를 가라앉히기는커녕 한층 괴롭히며 오히려 배 속이 더 부글부글 끓도록 만들었다.

"그대는."

저음이 계속해서 귓가를 간질였다. 잠깐 가라앉나 싶었던 흥분은 조금의 자극만으로도 금방 되살아나 아까보다 덩치를 더 키우고 있었다. 헐떡이는 숨소리를 바로 뒤에 있는 다니엘레가 듣고 있다고 생각하니 다리가 더더욱 들썩였다. 고개를 휘저으려 했지만 턱이 잡혀 있어 움직일 수도 없었다.

"퍽 보기 좋은 모습이네."

내리깔았던 눈을 들자 새장 밖 정면에서 지안니가 노려보고 있었다. 클로에의 몸이 빳빳하게 굳고 허리가 더 안으로 휘었다. 다니엘레의 품에 갇힌 채로 부끄러운 몰골을 고스란히 드러내고 지안니의 시선을 받아내고 있었다.

"안타깝지만 난 다른 남자와 놀아나고 있는 아가씨에게 자비를 베풀 마음은 안 드네요."

마치 클로에가 못 견디겠다고 하면 적당한 선에서 봐줄 심산이었다는 것처럼. 그럴 리가 없으면서도. 서늘한 미소에 되레 달아오를 만큼 달아오른 클로에의 다리 사이는 젖어들기 시작

했다. 지안니는 그녀의 상태를 잘 알고 있다는 듯 시선을 이동
했고, 다니엘레 때문에 지안니를 똑바로 보지 못하는 클로에의
얼굴에도 붉은 열기가 모였다.

왈칵 한차례 터져 나온 물을 쏟아낸 음부가 움찔거렸다. 턱
을 놓은 다니엘레의 손이 미끄러지듯 가슴을 스치고 내려가 수
풀을 파고들었다. 긴 손가락이 둔덕을 더듬었다. 툭 툭 건반을
치듯 두드린 손가락 끝이 샘물을 내보내고 있는 근원지를 찾아
냈다. 찾아낸 후 꽃눈을 살살 굴리던 손가락을 떼고 수풀에 가
려져 있던 도톰한 살을 잡고 가볍게 비틀었다. 예상치 못한 자
극에 소리를 담지 못한 비명이 터져 나왔다.

"하으읏!"

짧디짧은 절정이 그녀의 몸 곳곳을 때리고 사라졌다. 여운을
남기지 않고 간만 보여주고 간 감각에 끙끙거리고 있는 클로에
의 입술을 훔친 맹수가 그녀를 다독였다.

그러나 다독이는 행동 자체가 함정이고 덫이었다. 두 허벅지
가 주욱 앞으로 끌려가고 좌우로 슬금슬금 벌어졌다. 다리 사
이로 딱딱하고 매끈한 무언가가 닿았다.

"잠깐……."

까만 손잡이는 울퉁불퉁했다. 끝이 둥글고 긴 막대 형태였지
만 기둥 부분에는 올록볼록하게 까만 구슬이 박혀 있었다. 두
손은 앞으로 내밀 수가 없어 손잡이를 잡고 밀어낼 수가 없었

고, 발목 또한 손목과 연결되어 있으니 발버둥을 치기도 힘들었다. 번쩍 위로 솟아 있는 손잡이의 머리가 축축하게 젖어 있는 다리 사이로 파고들었다.

"이, 이거…… 하윽!"

뜨거운 속살을 차가운 오닉스가 파고들었다. 계속해서 흘러넘치는 체액에 물든 질구가 오닉스 기둥을 야금야금 삼켰다. 사람이 지닌 살덩이와는 확연히 다르게 딱딱한 감촉이 힘도 들이지 않고 부드럽게 밀고 들어왔다. 천천히 클로에의 몸이 아래로 내려가고 있기도 했지만 질구도 원망스러울 정도로 매끄럽게 손잡이를 쑥쑥 삼키는 탓이었다.

지안니를 보고 그만하라 외치고 싶은데 고개를 들 수가 없었다. 그뿐만 아니라 다니엘레에게 자꾸만 입술을 빼앗겼다.

"마음 같아서는 이대로."

허리를 잡고 있는 손에 힘이 들어갔다. 작은 목소리로 뇌까리던 다니엘레가 부들부들 떨고 있는 클로에의 목덜미를 깨물었다. 짧게 욱신거리는 통증이 스치고 쪽 쪽 빨렸다. 예민해진 피부에 키스마크가 새겨질 때마다 움찔움찔 떨었다. 눈물이 한가득 차올랐다.

"하아, 아아…… 응! 으읏!"

오닉스 기둥 손잡이를 품고 있는 질구를 더듬던 손가락이 살짝 부피를 키운 음핵을 잡았다. 세게 힘을 가하지 않았음에도 손잡이를 머금은 입구에 바짝 힘이 들어갔다. 꽃눈이 빙글빙글 돌아가자 손가락과 발가락이 쭉 펴졌다.

"형에게 애원해봤자 소용없어요."

"아앗!"

쑥, 상체가 아예 앞으로 끌려갔다. 다니엘레에게서 그녀를 빼앗아 오려고 새장 바깥의 지안니가 제 쪽으로 끌어당긴 탓이었다. 반동으로 함께 끌려온 얼굴이 창살에 부딪힐 뻔했으나 두 남자 모두가 그리 두지 않았다. 이마와 콧날과 턱을 잡아챈 큼지막한 손바닥에 얼굴이 폭 감싸였다.

"나가는 방법을 알게 되니 좋아 미칠 것 같은가 봐요, 내 아가씨는."

안심도 잠시, 오싹한 힐난이 이어졌다. 창살 사이로 도톰한 입술을 물고 으르렁거리는 맹수가 있었다. 달뜬 신음은 모두 지안니가 삼켰다. 송골송골 맺힌 이마와 콧잔등의 땀방울 역시 훔쳐냈다.

몸은 그녀의 의지와는 상관없이 천천히 위아래로 움직였다. 얇은 오닉스 손잡이는 클로에가 만들어내는 미끈한 꿀물에 흠뻑 젖어 쑥 빠져나갔다가 쑥쑥 들어왔다. 울퉁불퉁하게 튀어나온 구슬이 내벽을 긁었지만 강도는 아슬아슬하기만 해 배 속에 모인 열기를 쫓아내진 못했다. 잡혀 있는 클리토리스가 몇 차례 꼬집혔지만 짧게 때리고 가는 얕은 쾌감일 따름이었다.

"음, 읍, 음!"

게걸스럽게 탐하는 두 맹수에 번갈아 입술을 빼앗기고 또 빼앗겼다. 입이 막혀 있지만 않았다면 어떤 애원을 쏟아냈을지 그녀 스스로도 상상이 가질 않았다. 호흡을 강탈당하고 맹수들이 잠깐씩 놓아줄 때에나 들이쉴 수 있었다. 점점 몽롱해지고 뿌연 안개처럼 변해가는 머리로 확실히 알 수 있었던 하나는 손잡이로는 부족하다는 점이었다. 쿨쩍 쿨쩍, 끈적한 소리를 내며 삼켰다 뱉어내는 음부가 마치 입을 뻐끔거리는 것만 같았다.

"흐읏!"

지안니가 고개를 숙여 젖꼭지를 쪽쪽 빨았다. 겨우 벗어나 숨이 트인 입술에 또 다른 부드러운 입술이 부딪혔다. 고개가 반쯤 뒤로 돌아간 상태로 다니엘레의 키스를 받아내야 했고, 이번엔 그에게 신음이 넘어갔다.

누군가의 손이 둔덕을 넓게 벌리자 또 다른 손이 앞다투어 작은 쾌감의 씨앗을 낚아챘다. 까만 손잡이를 품고 있는 클로에의 하얀 엉덩이가 부르르 떨렸다. 활처럼 휘다 못해 앞으로 고꾸라지자 창살 틈으로 비집고 나온 젖가슴이 아득아득 물렸다. 여운이 짧은 쾌감에만 두드려 맞은 몸은 보다 깊고 진득한 감각을 요구했다. 반짝 터지고 마는 잠깐의 빛에만 쏘이니 의지를 벗어난 몸은 갈증을 해소하지 못해 뜨거운 것을 갈구하며 떨어댔다.

"아……."

"어떤가요, 아가씨. 조금은 방법을 알 것 같죠?"

간지러운 속삭임이 가슴 부근을 집요하게 맴돌다 흩어졌다. 끝나지 않을 것 같은 미진한 쾌락은 오히려 고통이었다. 달아오른 열기가 등을 감싸고 곧이어 평평한 배를 어루만졌다. 높은 체온에 끊임없이 부딪힌 등과 엉덩이가 화끈거렸다. 강인한 두 맹수 사이에서 부드럽고 말랑한 살결이 낭창낭창 흔들렸다.

"아흐읏!"

새장의 창살 사이로 들어온 손이 그녀의 허벅지를 잡고 느릿느릿 위로 밀어 올렸다. 다리 사이에서 오닉스 손잡이가 빠져나오고 있었다. 질척이는 소리가 날 정도로 흠뻑 젖은 손잡이는 아무런 저항 없이 매끄럽게 나왔다. 충족되지 않는 쾌락의 고통 때문에 엉덩이를 잘게 떨며 굳어 있는 쪽은 오히려 클로에였다.

"나오고 싶을 때, 떠나고 싶을 때 얼마든지 이렇게 열고 나오면 된답니다."

젖은 눈가에 달라붙은 속눈썹이 눈을 찔렀다. 떠지지 않는 눈을 억지로 떴다. 절정에 취해 헐떡이는 동안 달칵, 잠금 장치가 풀리는 소리가 났다. 그녀의 허벅지에 밀려 슬쩍 옆으로 기울어진 까만 손잡이는 물기에 의해 반들반들 윤이 났다.

"이, 악……취미."

말이 나가고 싶을 때 언제든지 나가라는 거지, 이런 방법을 맨정신으로 쓸 수 있을 리가 없다. 자신만만하게 안에서도 열 수 있다고 하는 이유가 있었던 셈이다. 그러나 직접적으로 악취미라 비난을 해도 지안니는 웃어넘기기만 했다.

"자, 잠깐만, 왜, 왜 들어……오는 거예요."

잠겨 있던 문이 열리자 지안니까지 새장 안으로 들어왔다. 클로에 외에도 건장한 체격의 성인 남자가 둘이나 있는데도 내부는 전혀 비좁지 않았다. 그러나 지안니마저 새장 안으로 들어오자 덜컥 겁이 났다. 마침 두려움을 증폭시킬 요량이기라도 한 듯 새장의 문도 스르르 닫혔다.

"그대는 무엇을 걱정하는지."

팔짱을 끼고 그녀를 내려다는 보는 지안니의 금안에 시선을 빼앗기기가 무섭게 저릿한 저음이 고막을 울렸다. 괜찮으니 안심하라 위로해주는 것 같으면서도 은근히 서릿발 어린 음성에 뒷목의 솜털이 쭈뼛 섰다.

"그대를 잡아주고 있는 짐승은 따로 있건만."

다니엘레는 스스로를 짐승이라 칭했다. 클로에가 그들을 볼 때마다 맹수 같다 느낄 때와는 다르면서도 같은 의미이리라. 진짜로 짐승이 되겠다는 선언과 함께 휙, 정면에 들어오는 풍경이 뒤바뀌었다.

그녀를 안고 있는 남자와 마주한 자세가 되었다. 팔과 다리의 구속은 풀리지 않아 여전히 허공에 떠 있었지만 다니엘레는 그녀를 빈틈없이 밀착시켜 단단하게 받쳐 안았다. 코끝이 부딪칠 정도로, 눈동자에 서로의 얼굴이 비칠 정도로 가까워졌다. 촉촉한 혀끝이 닿는다 싶더니 입술의 윤곽을 따라 더듬었다.

"아……응."

클로에의 입 속으로는 혀가 들어오지 않았으나 아래는 달랐다. 질척하게 젖어 있는 양 날개를 벌려 비집고 뭉툭한 봉우리가 파고들었다. 위로는 여전히 표면의 입술을 살짝살짝 핥고 지나갈 뿐이었지만 아래쪽에서는 육중한 질량이 약간의 공기 방울이 들어갈 틈도 허용하지 않고 자리를 잡기 시작했다.

"흐읏."

손잡이와는 다른 감각이 천천히 클로에의 안을 채웠다. 진짜 사람의 것이고, 다니엘레의 것이었다. 뭉근하게 마찰되는 맨가슴이 화끈화끈 달아올랐다. 팔이나 다리 어느 하나라도 자유로웠다면 뒤통수를 쥐어짜는 으스스한 감각에 다니엘레를 부서져라 꽉 끌어안고 매달렸을지도 모르겠다.

그때였다. 손가락과 발가락만 마냥 꼼지락거리며 그녀를 파고들어 점령해가는 남자의 분신을 붙들고 있는데, 딱 하는 소리와 함께 새장이 높이 떠오르기 시작했다.

"참, 새장은 위에 있어야 어울리지 않겠어요."

클로에와 이어지는 순간을 용케 가만히 지켜보고만 있었다 싶더니 결국은 심술을 부렸다. 다니엘레는 쯧 혀를 차며 클로에를 안고 있는 팔에 힘을 주었다. 세게 안긴 몸이 약간 아래로 내려가며 다니엘레와 더 깊이 연결되었다. 다리가 반으로 접혀 있는 탓에 위를 향한 발바닥이 둥글게 말렸다.

올라가기만 하다 천장에 부딪히면 추락할지도 모르겠지만. 풍성한 머리카락 다발을 잡고 지안느는 흥얼거리듯 속삭였다. 그 또한 같은 새장에 있음에도, 제 형제도 같은 공간에 있음에도 떨어지든 말든 개의치 않는 듯했다.

"아니면……."

허공으로 상승하는 감각이 고스란히 전달되어 저도 모르게 하체에 힘을 주었나 보다. 움츠러들던 무릎은 다니엘레에게 찰싹 달라붙었다. 엉덩이에 힘이 들어가자 다니엘레의 지독히 낮은 숨소리도 잠시 멈추었다. 옆에서 클로에의 머리카락을 지분거리던 지안느는 제 앞에서 뒤엉켜 있는 남녀에게 닥친 변화의 징조를 눈치챘다. 잔혹한 금빛이 반짝였다.

"같은 방법으로 멈춰질지 실험해볼까요."

"잠…… 흐으!"

잠깐이라고 외칠 새도 없었다. 고개가 옆으로 돌아가고 정면으로 지안느라는 폭풍우가 밀려 들어왔다. 다니엘레가 조심스럽게 핥고 스쳤던 부위를 재차 점령해갔다. 숨쉬기가 버거울 정도로 세차게 쏟아지는 끈질긴 키스에 호흡을 놓치고 버거워하자 잠깐 놓아주자마자 기다렸다는 듯이 교성이 터졌다.

"훗, 으으……."

이미 한 번 배를 반으로 가르는 짜릿한 감각에 꿰뚫린 뒤였다. 불에 달군 인두 같은 봉오리가 좁은 질을 파고든 후 자리를 잡은 울퉁불퉁한 성기와 한 몸이 된 것처럼 빈틈없이 꼭 맞물려 있긴 했지만 거대한 존재감이 쉬이 사라지지는 않았다. 겨우겨우 숨을 돌리려는 차에 엉덩이의 맞물린 틈에 온기가 전혀 없는 둥근 머리가 스쳤다.

딱딱하지만 묘하게도 무척이나 미끌미끌한 기둥은 어렵지 않게 엉덩이 사이로 숨어들었다. 손잡이에서 나오는지 아니면 착각인지 달콤한 향이 코를 마비시키고 곧이어 미끈한 기름이 좁고 빡빡할 입구를 부드럽게 이완시켰다.

"빼, 빼주……."

분명 어마어마한 질량이 클로에의 안을 가득 채웠기에 무언가를 더 받아들일 여력은 남아 있지 않다고 생각했다. 헐떡이며 가쁜 숨을 들이켜는 사이 말랑말랑한 점막은 손잡이를 삼키며 쏘옥 오므라들었다. 단단하게 하체를 받치고 있던 손길이 그녀를 아래로 이끌자 두 개의 길쭉한 족쇄에 단단히 붙들려버렸다.

"으응, 웃, 응!"

결코 풀리지 않게끔 영원히 빠지지 않는 열쇠가 내부에서 소용돌이치는 느낌이 이럴까. 뒤의 엉덩이는 움직이지 않는 기둥에 고정되었지만 앞에서는 커다란 파도가 천천히 몰아치기 시작했다.

철퍽, 철퍽. 살과 살이 부딪히는 소리는 정말로 파도가 치는 소리처럼 들렸다. 다니엘레의 상체와 클로에의 가슴이 마구잡이로 부딪히고 비벼졌다. 파도의 크기는 점차 커져서 몰아칠수록 그녀의 배 속을 헤집어놓는 원흉이 점점 더 깊이 들어오고 있었다. 뜨거운 물살을 뒤집어쓴 절정이 숨을 턱 턱 막히게 했다.

"아가씨."

등줄기를 휘게 만드는 찌릿찌릿한 전율에 입술을 깨물며 그만 고개를 돌렸다. 상처를 내는 꼴을 보지 못하기로는 지안니도 다니엘레 못지않다. 안타까운 신음을 흘리며 잠시 움직임의 속도를 늦추고 클로에의 입술을 핥으려는 사이 지안니가 먼저 선수를 쳤다.

"대신 물고 있어요."

클로에의 입을 먼저 앗아간 맹수는 지안니였다. 고개를 제 쪽으로 돌리게 해 입술 사이로 두 손가락을 집어넣었다. 씹어버리고 싶은 것이 필요하면 언제든지 자신의 손가락을 물어뜯으라며 속삭이며 덧붙였다.

"알았어요. 손가락이 싫거든, 그럼 이거라도 대신 물어요."

그러나 아무리 당사자가 허락했다 해도 손가락을 와작 깨물

순 없다. 도리질을 치며 이를 대지 않기 위해 입을 벌리려 애를 썼다. 지안니는 저런, 혀를 차고는 손가락을 빼냈다.

"흡!"

대신 물고 있으려던 것은 그의 성기였다. 조막만한 입 안으로 반들반들한 귀두가 차근차근 들어왔다. 아래턱이 지그시 눌리니 입이 벌어졌다. 이 사이로 붉은 기둥이 자리 잡는 바람에 클로에로선 더더욱 다물 수가 없었다. 손가락도 행여나 깨물까 싶어 저어했는데 하물며.

"우읍, 응! 흐으…… 으응."

빠근하게 벌어진 입을 드나드는 불덩어리는 습한 혀에 휘감겨서도 뜨겁게 불타올랐다. 울컥 울컥 터져 나오기 직전이었던 숨결은 불덩어리에 밀려 다시금 안으로 방향을 바꾸었다. 질 수 없다는 듯 아래쪽에서 치고 너울너울 올라오는 불의 파도 또한 기세가 맹렬했다. 배 속 깊은 곳은 거센 불길에 수차례 자극당했다.

절정은 새처럼 활짝 날개를 펴듯 몸속 곳곳으로 날아올랐고, 민감해진 살갗을 바짝 조이는 감각은 새장이 아래로 떨어지고 있는 것처럼 수직으로 낙하해 섬찟했다. 어떻게 된 일인지 생각할 겨를은 없었다.

날카로운 절정이 조각조각 퍼졌고 곳곳에 자리 잡은 쾌락의 산란은 그녀의 온몸을 비틀어 쥐어짰다. 배 속을 깊이 파고드는 다니엘레를 감은 다리가 훅 조였고, 혀뿌리를 세게 누르는 지안니를 머금은 뺨이 홀쭉해졌다. 눈물로 잔뜩 젖은 갈색 눈을 웃고 있는 것 같은 금색 눈이 달아나지 못하게 잡았다.

৪০

뻑뻑한 눈을 억지로 뜨니 꽉 닫힌 천장과 어두운 색조의 벽, 시야를 가리는 단조가 차례로 시야에 잡혔다. 미약으로 인한 착시였나 싶을 정도로 새장은 바닥에 잘 붙어 있었다.

"크흠, 흠, 흠."

시험 삼아 헛기침을 했더니 아니나 다를까 목은 잠겨 있었다. 남근 모양을 한 손잡이를 장난감처럼 속에 품고 질척질척한 소리를 내면서 절구질을 하다가 결국은 체위를 다양하게 바꿔가면서 다니엘레와 지안니에게 안겨 목이 갈라져라 앙앙 울어댔으니 당연한 결과였다.

"목마르다⋯⋯."

미약에 취해 있을 때 갈증을 느끼는 부위는 목이 아니라 아래쪽이었는데 정신을 차리고 나니 갈라진 목이 수분을 원하고 있었다. 클로에는 물을 찾고자 찌뿌둥한 육체를 일으켰다. 체액으로 흥건해진 천과 입고 있던 슬립은 어느새 뽀송한 새것으로 갈아두었고 한 가득인 쿠션과 베개도 전부 새것으로 교체되어 있었는데 정작 새장 안에 마실 만한 것은 없었다.

바깥의 하늘은 잠들기 전과 똑같이 어두운 색이라 시간이 얼마나 흘렀는지는 짐작하기 힘들었다. 수갑은 이제 채워져 있지 않았지만 문은 잠겨 있을 테니 손발이 자유로워도 진정 자유롭다고 할 수는 없었다. 성인이 여럿 누워도 넉넉한 크기의 새장은 악취미에 가까운 데다 사람까지 실제로 가두어두었으니 사람이 드나들 확률은 낮지 않을까. 그렇다면 지안나 다니엘레 둘 중 한 명이 올 때까지 목마름도 참아야 할 것 같았다.

클로에는 가까이 있는 베개를 안고 엎드렸다. 클로에 키의 반만 한 베개에 힘을 주고 끌어안자 쑥쑥 들어가는 감촉이 굉장히 푹신했다.

"야옹아. 여기. 물."

"아?"

금방 체념하고 엎드리는데 생각지도 못한 음성이 날아왔다. 어쩌면 클로에가 한정적인 곳만을 애타게 바라본 탓일지도 모른다. 아무리 사각지대에 서 있었다고는 하지만, 눈에 띄는 체격에도 불구하고 미타이가 같은 공간 안에 있는 줄은 까맣게 모르고 있었다.

"너무 곤히 자서 못 깨우는 사이 하루가 지났어."

물컵을 손에 든 미타이가 빙 돌아와 새장의 문을 열었다. 확실히 이번에는 새장이 안 날아다니고 얌전히 잘 붙어 있었다. 어렵지 않게 성큼 들어선 그가 불쑥 손을 내밀었다.

"잘 잤어?"

순수하게 인사를 건네는 미타이의 환한 미소가 눈부셔서 클로에는 멍하니 물컵을 받아 들었다. 털썩, 바로 옆에 힘차게 주저앉자 반동으로 컵에 담긴 물이 찰랑 흔들렸다. 쏟아질 정도는 아니었지만 클로에는 반사적으로 컵을 두 손으로 꽉 쥐었다.

"배고프지 않아?"

"우유는 싫어요."

"쳇."

하루를 꼬박 잤으니 응당 배가 고파야 할 텐데도 굶주림은 느껴지지 않았다. 그토록 기를 쪽쪽 빨렸는데도 의외였다. 그러나 배고프냐는 질문을 던지는 상대가 미타이니만큼 경계의 날을 세우고 거절하니 허를 찔린 사자가 멋쩍게 갈기를 긁적였다.

"미타이님."

정말 이상하게도 미타이는 대하기 편했다. 섹스를 하자고 들이댈 때 거절하는 것도, 먼저 다가가는 것도 확실히 편했다. 은근슬쩍 달려들기도 전에 단호하게 거절당하는 바람에 눈동자만 이리저리 굴리고 있는 사자를 보고 있노라니 충동적으로 부르기도 쉬웠다.

"앗. 내보내주는 건 싫어. 내가 아무리 야옹이한테 물렁해도 싫어."

기껏 부른 용건이 무엇인지 꺼내기도 전에 미타이는 다급하게 안 된다 못을 박았다. 새장의 문을 여는 방법을 일단 클로에도 안다는 사실을 모르는지 사자는 엄숙한 척 거절했다.

"뭐든, 할게요."

내보내주는 건 싫다. 그의 거절은 클로에가 직접 손잡이를 사용하지 않아도 미타이의 권한으로 꺼낼 수 있는 가능성을 내포하고 있었다. 커다란 베개로 언뜻언뜻 비치는 가슴을 가리고 이마를 두 손으로 문지르며 조용히 중얼거렸다. 아주 클로에의 옆에 자리를 잡고 팔베개를 하고 누워 있던 미타이가 눈을 크게 떴다.

"뭐? 잠깐만, 지금 뭐라고?"

"확인하고 싶은 일이 있어서. 무리라는 거 아니까 완전히 풀어달라고는 안 할게요. 그러니 작은 부탁 하나만……."

"아니, 아니, 야옹아. 그거 말고. 방금 뭐라고?"

"확인하고 싶은 일?"

"아니! 그전에!"

"……."

사자가 콧김을 뿜는 환각이 보였다. 벌떡 일어난 미타이가 후다닥 달라붙었다. 클로에의 어깨를 잡고 마구 흔들며 다시 말하기를 종용했다. 클로에는 흔들흔들 어지러울 정도로 흔들리면서도 입술을 깨물고 앙다물었다. 이 맹수가 흥분한 이유가 「그 말」 때문은 아니겠지.

"부탁이 있다고 하기 전에 한 말! 뭐냐고! 똑똑히 들었으니까 다시 말해봐!"

"……."

다만 결심은 육체적 고통을 견뎌낼 정도로 굳건하지 않다는 게 문제랄까. 하도 흔들려서 현기증으로 쓰러지겠다는 생각이 드니 얄미운 감정이고 뭐고 깔끔하게 날아갔다. 그렇다, 모로 가든 도착하기만 하면 되는 법 아니겠는가. 클로에는 살포시 미간을 좁히며 자그마한 목소리로 속삭였다. 흥분해 있었음에도 용케 알아들은 미타이가 그 즉시 움직임을 멈추고 가늘게 눈을 떴다.

"완전히 풀어달라고는 안 한다고? 야옹이가 하고 싶은 부탁이 뭐기에?"

"오빠, 네르딘 파르세가 어떻게 되었는지 알고 싶어요."

"응."

"아. 그리고 혹시, 이즈리에 영애는 상태가 좀 어떤지도 궁금하고……."

"흐음?"

"그리고요, 음, 조용히 단둘이서 이야기를 나눠보고 싶은 메이드가 있는데……."

사자는 의외로 침착했다. 가장 알고 싶었던 하나로 시작했던 부탁은 진지하게 들어주려는 사자의 태도에 용기가 생겨 둘, 셋으로 늘어났다. 슬금슬금 미타이의 눈치를 살피며 하나하나 손가락을 꼽았다.

"그게 전부야?"

그런데 재밌다는 듯 눈을 빛내는 사자의 미소가 짙어질수록 왜 불안해지는지. 클로에는 나열하던 부탁을 멈추고 슬쩍 두 손을 베개 사이에 파묻었다.

"오, 오빠를 만나고 싶어요."

어차피 집으로 돌려보내달라는 요청은 받아들여지지도 않으리라. 그 외의 부탁 또한 하나든 두 개든 들어준다는 보장은 없었다. 밑져야 본전이었다. 두 눈으로 네르딘에게 아무 일도 없는지를 확인하고 싶어 더 용기를 내보기로 했다.

"부탁 말이야. 다 들어주면 내 소원을 「뭐든지」 들어주는 거지?"

"……네에."

역시 못 들었을 리가. 미타이는 클로에가 내건 거래 조건을 아주 똑똑히 들었다. 그래서 몇 번이고 확인을 하려 들었다.

"첫 번째랑 두 번째 부탁을 들어주면 야옹이는 꼬리랑 방울 목걸이를 달고 내 위에서 내 장난감을 가지고 노는 거다?"

"……네에."

"세 번째 부탁을 들어주면 야옹이는 내가 주는 우유 거절하기 없기고."

"……매일은 힘든데."

"하루 세 번 주고 싶은데 내가 참는 거야."

"…….'

클로에를 약 올리려는 의도는 아니겠지만 신이 난 미타이는 보란 듯이 손가락을 접어가며 숫자를 세었다. 굵은 손가락이 하나 접힐 때마다 미타이의 소원을 듣고 있던 클로에의 눈썹이 살며시 올라갔다. 어떻게 보면 예상 범위 안이고 어떻게 보면 예상 밖이다. 뭐든지 하겠다는 조건을 놓치지 않은 미타이는 당장 아까 전에도 클로에가 거부했던 범위의 소원을 들이댔다.

"그리고 음. 마지막 부탁은."

마지막은 네르딘 파르세의 만남. 잠시 흥이 나 있던 미타이가 안정을 되찾고, 가볍게 이어질 줄 알았던 소원이 영 나오질 않았다. 사자의 미소가 조금씩 옅어지자 클로에는 겁이 났다.

"야옹아, 미안한데."

설마 네르딘에게 이미 무슨 일이라도 생긴 걸까. 클로에가 생각하기에 네르딘은 제법 편리한 인질이 될 수 있는 존재였다. 클로에를 협박하고 겁주기 위한 목적이라면 가장 효과가 좋을 수단이었다. 따라서 비록 누명을 쓰고 있다고는 해도 네르딘에게 별 탈은 없을 줄 알았다. 그랬는데 미타이가 뜸을 들이니 불안해졌다.

"설마, 아니죠?"

클로에는 미타이의 팔에 매달리듯 손을 얹고 대답을 잇기를 종용했다. 동시에 덜컥 불안해졌다. 당연히 네르딘을 건드리지 않으리라 믿었던 것은 그녀의 자만이었던가.

3형제는 클로에를 잡아온 사냥감을 가지고 놀듯 대했다. 한 번씩 분명 단순히 장난감을 대한다고 보기에는 다소 이해가 가지 않는 행동과 표정을 보일 때가 있었으나, 이즈리에도 아닌 클로에를 좋아할 리는 없으므로 장난감으로 생각한다고 봐야 할 터였다.

적어도 3형제는 클로에의 몸을 원했다. 그 사실만큼은 분명했다. 그렇다면 작은 도박 정도는 해볼 만했다. 흥미가 사라질 때까지 가지고 노는 용도의 장난감이라 해도 상관없다. 클로에 파르세의 몸에 집착한다면, 최소한 그녀의 가족인 네르딘을 독살 혐의만으로 보복부터 할 리 없다. 그렇게 생각했다.

"오빠를……."

어렵지 않은 부탁을 했다 여겼던 클로에의 말끝이 흐려졌다. 자만이었나. 네르딘을 건드리지 않는다는 것은 곧 클로에의 마음이 다치지 않도록 하고 싶을 때에나 할 법한 일. 여주인공인 이즈리에가 버젓이 가까이 존재하는데, 과연 클로에에게 그만큼의 가치를 두기나 할까 싶었다.

"야옹아?"

붉어진 뺨을 느끼며 클로에는 슬쩍 손을 치우고 감추었다. 미타이가 의아하다는 듯 불렀지만 되레 뒤로 엉덩이를 빼며 도망쳤다. 이즈리에를 떠올리고 중요한 전제가 잘못되었을지도 모른다는 실수를 깨닫자 터무니없는 착각에 부끄러워진 탓이었다. 만약 그녀에게 관심이 있어서 몰아붙인 것이 아니라면 몸을 거래의 대가로 바치려는 그녀가 얼마나 가소로웠을까 생각하니 미타이에게 계속 조를 수도 없어졌다.

"갑자기 왜 침울해졌어. 그 남자, 아니. 음. 크흠. 야옹이의 오빠가 이미 죽었을까 봐 그래?"

부끄럽기 짝이 없어 베개 아래로 몸을 숨기고 싶을 따름이었다. 그러나 베개가 아무리 크다 한들 클로에를 숨겨줄 정도는 되지 않았다. 빨개진 얼굴을 말없이 묻고만 있자 당황한 미타이의 입에서 상상도 하기 싫은 말이 튀어나왔다. 숨으려던 클로에가 벌떡 반응하며 일어났다. 미타이가 무심코 때린 뒤통수는 바로 방금 전의 수치심을 전부 잊게 만들었다. 클로에는 곧바로 앞으로 고꾸라졌다가도 오뚝이처럼 벌떡 일어나 울먹이며 외쳤다.

"오르시니가 오빠를 죽였어요?!"

"어? 어…… 우리가 왜 죽여?"

"그야! 독살하려 했다고 오해하고 있으니까!"

"그래서 그건 야옹이 네가 대신 잡혀 있잖아."

"나, 나는 잡아두고 오빠는 죽였어요?!"

"우리가 왜 죽이냐니까."

"그야 오빠가 다니엘레님을 죽이려 했다고 오해를……."

"야옹아. 잠깐만 진정해봐. 야옹이 오빠는 안 죽었어. 안 죽여. 죽일 이유 없는데."

"그러면 왜 분위기를 잡는 건데요!"

"아니, 야옹이가 이상한 오해를 하는 것 같아서."

"오해……요?"

"난. 아니, 우리는 야옹이 오빠를 인질로 삼을 생각이 없어. 그 남자가 혼자 위험한 곳을 기웃거리다 봉변을 당할지는 모르지만 적어도 우리 손에 의해 위험해질 일은 없어. 그런 우아하지 못한 수고는 형들의 취향이 아니야."

"……."

"나도 그래. 야옹이 네가 여기 남아 있는 한, 너 하나만 쫓아다니는 것만으로도 충분히 바빠. 그 깜찍한 머릿속에서 생각하는 귀찮은 일, 할 이유도 의향도 없어."

"그, 그럼."

"그래도 뭐. 생각해보니까 우리 야옹이가 오빠 걱정이 되긴

할 거야. 그치? 만나고 싶겠다. 이해해. 만나게 하긴 싫지만 어쩔 수 없네, 응."

흥분은 가라앉혔지만 미타이가 하는 말을 도통 이해할 수 없어 떨떠름하게 갸웃거리던 클로에가 미타이의 진한 미소를 보고 바짝 긴장했다. 힘의 우위가 누구에게 있는지, 자신이 어떤 처지였는지도 잊고 네르딘을 이미 제거해버렸을까 봐 눈물을 글썽이면서 따지듯 따박따박 덤볐었다는 사실을 뒤늦게 떠올렸다. 클로에는 외려 미타이가 후후 웃고 있는데도 흠칫흠칫 떨었다. 다시 베개 뒤로 숨는 클로에를 통나무 같은 팔이 덥석 잡아 제지했다.

"야옹아? 이리로 와야지? 응?"

허망할 정도로 단숨에 끌려갔다. 미타이의 힘을 하루 이틀 겪어본 것은 아니지만 매번 끌려가고 불쑥불쑥 안길 때마다 허탈했다. 나름 이불에 손톱을 갈고리처럼 박아도 봤지만 단 1초를 버티지 못했다.

"진짜 고양이 같아. 기지개 펴는 야옹이."

소중한 보물이라도 되는 양 베개를 안고 있는 클로에를 품에 가둔 미타이가 뭐가 그리 좋은지 하하 웃었다. 필사적이었던 몸부림조차 그의 눈에는 그저 한 줌도 안 되는 한 마리 고양이와 다를 바 없다니.

"저, 저기! 하나 궁금한 게 있어요!"

바르작거리는 목덜미에 미타이가 입술을 댔다. 애가 탄다는 의미가 충분히 담긴 키스였다. 클로에가 목을 비틀고 달아나지 못하도록 턱을 고정하고 쪽 쪽 피부를 빨았다. 사자의 발에 짓눌려 숨만 겨우 쉬는 쥐포 신세가 되는 것은 시간문제였다. 격한 정사를 치르고 나면 또 기절하듯 잠이 들 터, 그전에 캐낼 수 있는 모든 것을 가능한 한 캐야 했다. 클로에는 밀려나지 않는 그를 팔꿈치로 밀면서 방해 공작을 시도했다.

"뭐가 궁금한데?"

얼마든지 무시할 수 있을 텐데도 미타이는 착실하게 대답했다. 덩치 큰 사자가 편한 이유 중 하나는 바로 이것 때문일지도 모른다. 클로에의 말을 들어주는 시늉이라도 하는 것.

"저…… 사실은 기억이 없어요."

"응?"

"그게. 으음. 다쳤다고 해야 하나. 사고가 있어서 예전의 기억을 다 잃었는데."

어떻게 포문을 열어야 하는지 고민하기도 전에 술술 나오고 있었다. 두서가 없어도 미타이라면 끈기를 가지고 들어주는 척을 하니까 묻기도 쉽다. 무엇보다도 클로에에겐 미타이 외엔 물어볼 만한 사람이 없기도 했지만.

"다쳤다고? 내가 모르는 사이에 언제? 어디서 어떻게!"

"그게 중요한 게 아니고요. 어…… 그러니까. 오, 오빠랑 이즈리에 영애가…… 왜 헤어졌는지 혹시 아시나요?"

서문의 요점은 「기억을 잃었다.」인데 사자는 「다쳤다.」에 과하게 반응했다. 빠르게 다다다 쏘아붙이며 추궁을 하긴 했지만 클로에에게 영문 모를 이상반응은 고려할 대상이 아니어서 가볍게 무시하고 하고자 했던 말을 이어갔다.

"흐음. 야옹이는 왜 나한테 물을까?"

"오빠는. 별일 아니라고 말을 안 해줬어요. 너무 사소하다고. 그런 오빠가…… 이즈리에 영애 때문에 가족을 위험하게 만들 일을 할 리가 없거든요."

"그래서 야옹이는 파혼 사유를 생판 남인 내가 알 것 같다?"

"네, 미타이님은 이즈리에 영애를 좋아하……."

"쓰읍."

"……는 것 같진 않고, 잘 알고 있는 걸로 보여서."

미타이가 여주인공을 좋아하고 있으리란 생각은 아직도 변함이 없었으나, 언급할 때마다 불쾌해하는 듯싶더니 지금은 아예 노려보기까지 했다. 조금이나마 남은 눈치가 그녀더러 얼른 말을 바꾸기를 종용했다. 사자의 부리부리한 눈에 굴복한 클로에는 숨도 쉬지 않고 얼른 다른 이유를 덧붙였다.

"영애도 오르시니와 친분이 많아 보여서요."

여주인공과 네르딘이 파혼한 정확한 시기는 모른다. 소설의 서술은 여주인공의 첫 남자가 오르시니 3형제 중 한 명이라는 뉘앙스였다. 서술자는 네르딘이 술에 취해 있을 때 다가가는 동안에도 이미 안면이 있는 사이임을 나타내지 않았다. 또한 네르딘이 술주정으로 여주인공에게 매달리는 동안에도, 지나가던 미타이가 구해줄 때에도 여주인공은 네르딘을 철저하게 모른 척했다. 그랬다. 미타이가 네르딘을 때려눕히고 곤경에 빠진 여주인공을 구해주면서 아는 남자냐 물었을 때. 여주인공은 분명히……

"글쎄요. 모르는 분이네요. 너무 취하셔서 마부라도 대신 불러 드릴까 하여 다가갔을 뿐이에요."

"이즈리에 양은 우리 오빠를, 나처럼 잊어버린 것 같아서."

"흠. 야옹이는 기억을 잃은 지 얼마나 된 것 같아?"

"한 달하고 조금 더……?"

잠깐의 정적이 흘렀다. 미타이는 클로에의 머리 위에 제 턱을 얹은 채로 안고 있었고, 클로에는 베개를 안고 가만히 안겨 있었다. 과연 대답을 해줄까.

일반적으로 미타이는 네르딘과 이즈리에의 파혼 사유를 모를 가능성이 높았다. 그러나 한편으로는 좋아하는 상대인 여주인공에게 관심이 없을 리도 만무하다. 관심이 있으니 어느 정도는 이유를 알고 있을 확률도 못지않게 높았다. 그래서 잠자코 기다렸다.

"표면적으로는 파르세가의 문제라고 알려져 있어. 네르딘 파르세에게도 문제가 있었는데 파르세 가문도 무너지는 중이었다고. 무엇보다 페인 부부가 사기를 당하고 큰 빚을 지게 된 원인이 파르세 때문이라지."

"표면적으로?"

예상을 크게 벗어나지 않았다. 막연하게나마 네르딘의 동생인 자신은 전 약혼녀가 얄미운 입장일 수밖에 없었는데, 사실전 약혼녀의 입장에 있었다면 파혼이 답이지 않을까 하긴 했었다. 부자는 망해도 3대는 간다지만, 파르세가는 그렇지 못했다. 그래서 네르딘이 종종 슬픈 얼굴을 해도 못 본 척 넘어갔더랬다. 전 약혼녀가 여주인공이라는 사실을 몰랐기도 했거니와.

"작은형에 의하면, 네르딘 파르세가 모든 잘못을 제게 돌리기로 하고 약혼까지 없었던 일로 해줬다지, 아마? 그 여잔 공식적으로는 약혼한 적이 없다는 의미야."

"그랬군요."

공개적으로 정식 약혼식을 올리지 않았고 남자와 여자 둘 다 사교계에서 관심을 가질 만한 집안이 아니었기 때문에 가능했으리라. 네르딘이 기억을 잃었다는 동생에겐 별일 아니라고 둘러대고 넘어갈 만도 했다.

"그러면. 이즈리에 영애와 오빠의 약혼 사실을 알긴 하지만, 엄연히 파혼한 상태니 문제 될 부분은 없고……. 다니엘레님과 이즈리에 영애는 이대로 결혼하나요?"

"엥. 형이 왜 그 여자랑 결혼을 해."

"네? 이즈리에 영애가 미래의 공작부인이라고."

"형이 그랬어?"

"네? 아, 아뇨. 그렇지 않은데……. 그렇지만 영애를 좋아하시잖아요?"

"형이? 뭐, 설마 다니엘레 오르시니 말하는 거야?"

"네? 네. 다니엘레님. 지안니님. 그리고 미타이님까지. 이즈리에 영애를 짝사랑……."

"야옹이 너! 도대체 어디서 누구한테 뭘 어떻게 들었는데?"

클로에를 범인으로 몰아세웠던 메이드는 여주인공이 미래에 공작부인이 되리라고 철석같이 믿고 있었더랬다. 저택의 고용인들이 그토록 자연스럽게 받아들이기까지 여주인공은 얼마나 자주 저택을 드나들었을 것이며, 다니엘레와의 다정한 모습을 얼마나 자주 보였을 것인가. 그렇지 않고서야 그 메이드가 어떻게……. 지금의 이즈리에는 비록 클로에가 읽은 소설 속 여주인공과 퍽 달라 보였으나, 그 점에 있어선 클로에의 오해일 확률이 높았다.

지안니와 미타이가 여주인공을 좋아하긴 해도, 미래의 공작은 다니엘레가 될 테니 여주인공이 현재 맺어질 상대도 당연히 다니엘레일 터. 자연스럽게 실연을 당한 셈이 되는 미타이 앞에서 할 이야기는 아니었지만 그렇다고 어떻게 돌려서 표현해야 할지도 몰랐다. 모두가 아는 사실을 지나가는 행인에 가까운 자신도 알고 있을 뿐이라는 표정을 지으며 조심스럽게 입을 열자 미타이는 아주 클로에를 돌려 앉혔다.

뒤에서 안고 있는 상태로는 눈을 마주칠 수 없으니 답답함을 참을 수 없는 탓이렷다. 둥근 어깨를 붙잡은 채 시선을 똑바로 마주하고는 인상을 쓰는 사자가 주는 위압감에 살짝 움츠러들었다.

"말 못 해요."

몇백 페이지에 걸쳐 3형제의 여주인공 사랑을 지켜봤다. 소설로 봤노라고 말을 할 수가 없어 억울하긴 했지만 모르려야 모를 수가 없고 부정하려야 부정할 수가 없다. 자세히는 말 못 하지만 어쨌든 다 알고 있다. 그러니 숨기려 해도 소용없다는 의미에서 압박을 느껴도 눈을 피하지 않았다.

"음, 야옹아?"

"네."

"하나만 묻자. 내가 지금 야옹이를 안으려는 이유가 뭐라고 생각해?"

"그야, 발……."

……정 난 짐승이기 때문이지요. 무심코 대답할 뻔했다. 불행인지 다행인지 클로에도 이 정도 수위는 위험하겠다는 판단 정도는 내릴 줄 알아서 아슬아슬하게 입을 다물었다.

"바꿔서 묻자. 내가 왜 그 여자를 좋아한다고 주장하고 강경하게 밀어붙이는 건데?"

"사, 사실이니까……가 아니고요. 네, 아닙니다. 그냥."

"그냥?"

베개를 빼앗겼다. 콧잔등을 찡그리며 사납게 웃고 있는 사자가 눈에 보이지도 않는 속도로 베개를 빼앗아서 뒤로 던져버렸다. 어찌나 세게 던졌는지 부드럽고 푹신한 물건이 새장 창살에 부딪히는 소리가 났다. 막히지 않았으면 벽에 처박힐 뻔했고, 아마 하려던 말을 계속 했으면 그녀도 베개와 비슷한 꼴이 되었을 확률이 높았다. 클로에는 열심히 고개를 끄덕이며 내뱉었던 말을 주워 삼켰다.

"오, 오, 오빠가 그랬어요."

"야옹이 오빠가?"

그리고 죄 없는 네르딘을 팔기로 했다. 이게 다 얇디얇은 슬립을 단숨에 찌익 찢어서 그런 것이 맞았다. 클로에는 그렇게나 지키려 했던 가족에게 누명을 냅다 씌웠다. 미타이가 흐응 코웃음을 쳤다.

"여, 이즈리에 영애를 지키는 기사로 보였다고."

"기사?"

"네, 네. 이즈리에 영애는 곤경에 빠진 레이디였고 미타이님은 고, 공주를 구하러 오는 기사……."

"기절하느라 바빴을 텐데?"

"……."

네르딘이 무슨 생각을 했는지 알 게 무언가. 불쌍한 오라비는 클로에가 하는 거짓말처럼 생각했을 리가 없지만 하는 수 없이 클로에는 입술에 침을 발라가며 소설의 장면을 애써 떠올리며 그럴듯한 핑계를 댔다. 미타이가 단번에 비웃었지만.

"그래서 그 때문에 내가 그 여자를 좋아한다고 생각했다고?"

"그, 그리고! 그 머리핀! 머리핀을 서, 선물했으니까요!"

"하?"

속옷을 입고 있지 않다 보니 겨우 가려주고 있던 천 쪼가리나마 찢어지면 말끔한 알몸이 되어버린다. 가슴을 가리기도 전에 손목을 잡혀 일찌감치 제동이 걸렸다. 이제 정말로 엉엉 울부짖는 건 시간문제가 아닐까. 아직 묻고 싶은 게 많은데 제대로 물은 것이 하나도 없다는 조바심에 애타는 마음으로 머리를 굴리니, 하늘이 하나의 구명줄이나마 던져주려는지 제법 말이 되는 근거를 떠올리게 해주었다.

머리핀.

여주인공의 외양을 형상화한 아름다운 머리핀은 다니엘레와 결혼할 것이 기정사실이 되었음에도 빼놓지 않고 착용하고 다니는 액세서리다. 그만큼 여주인공의 마음에 쏙 든 장신구를 선물한 사람은 미타이. 머리핀을 떠올렸다는 사실에 클로에는 화색이 도는 얼굴로 담뿍 웃었다.

"머리핀 선물이 애정의 증표다?"

"네, 귀한 보석이라고 들었어요."

떨떠름한 듯, 기가 막힌 듯, 어이가 없는 듯, 한마디로 정의 내리기 힘들게 알쏭달쏭한 표정. 미타이는 클로에가 하고 싶었던 말을 간단하게 정리했다. 실제로 소설의 서술자도 머리핀의 가치, 적나라하게 표현하자면 가격이 여주인공에 대한 3남의 애정의 크기라고 했었다. 클로에는 자신 있게 끄덕였다.

"그래, 머리핀을 선물하면 내가 그 여자를 좋아한다 이 말이지. 그렇지. 머리핀이."

마치 스스로를 세뇌하듯 작게 중얼거리며 잡고 있는 손목을 제 쪽으로 끌어당겼다. 무릎을 꿇고 앉아 있는 자세였던 클로에는 철퍼덕 앞으로 넘어졌다. 기도를 하는 것처럼 두 손을 맞잡고 눈을 꼭 감았다. 새장의 바닥은 푹신푹신한 매트리스가 깔려 있어 아프지는 않다 해도 원치 않는 충격에는 대비해야 했다.

"깍?"

클로에가 벽이나 바닥에 쿵쿵 그대로 부딪히도록 두는 남자는 아니어서, 엎어지기 전에 튼튼한 팔로 클로에의 윗배를 감쌌다.

"야옹아."

정좌 자세로 앉아 있는 미타이와 마주 보고 엉거주춤 반쯤 앉게 되었다. 무릎을 대고 서지도 앉지도 않은 것이 두 팔만 앞으로 쭉 내밀고 있었다. 꼼지락꼼지락 손목을 **빼는** 클로에의 귓가에 살짝 쉰 듯한 음성이 박혔다.

"귀엽긴 한데."

눈을 크게 뜨고 말똥말똥 바라보고 있는 클로에의 정수리를 누르며 안쪽으로 당겼다. 묵직하게 얹힌 손의 무게에 눌려 클로에는 얼굴을 앞으로 쭉 내밀었다. 코끝이 미타이의 목에 부딪혔다 떨어졌다.

"조금 화난다."

쓴웃음 사이로 들리는 으르렁거리는 소리에 긴장했다. 한층 더 세게 누르는 손바닥 때문에 오똑한 코가 단단한 피부에 꾹 눌렸다. 미타이는 클로에의 머리를 제 쪽으로 세게 당겨 기대게 했다.

"숨, 막히⋯⋯."

맨 무릎은 미타이의 발톱과 부딪쳤다. 엉덩이를 가능한 한 뒤로 **빼고** 있는 바람에 머리만 미타이에게 기대고 무릎 꿇고 서 있는 우스꽝스러운 모양새가 되었다. 손목을 비틀어 **빼려고** 했지만 미타이가 한 손으로 잡고 있는데도 클로에의 힘으로는 역부족이었다.

"옷 벗겨."

옷 벗어도 아니고 벗겨. 클로에는 어차피 맨몸이고 옷이라고 부를 만한 것을 걸치고 있는 사람은 미타이니 「벗겨.」가 맞긴 맞았다. 다만 문제는 왜 갑자기 옷을 벗기라는 명령을 내리느냐는 것.

"귀한 선물이 애정의 증표라며?"

"……그, 그렇죠?"

우물쭈물하며 버티고 있자 미타이는 쪽 쪼옥 가볍게 두세 번 클로에의 입술을 훔친 후 방긋 웃으며 아까 했던 말을 반복했다. 꿍꿍이를 알 수가 없어 애매모호하게 끄덕끄덕 긍정한 클로에의 머리가 다시 눌렸다. 천천히 눌린 머리는 아래로, 아래로 내려갔다.

"……!"

코끝에 후끈한 향이 푹 끼쳤다. 가슴팍을 지나고 배를 지나 클로에의 머리는 아래에 파묻혔다. 숨 쉴 구멍은 있었지만 천 몇 조각 차이로 눈앞에 무엇이 있는지 알고 있는 이상 마음 편히 호흡하기는 힘들었다.

"그래서 내가 야옹이한테 정말 꼭 주고 싶은 선물이 있으니, 풀어봐."

얼굴을 묻은 부위는 한마디로 사타구니였다. 미타이가 리듬을 타며 톡 톡 정수리를 쳤다. 한 손은 클로에의 머리를 압박하고 있었다.

"어서."

두 손목은 한데 잡혀 위로 들려 있으니 풀 수 있는 방법이 없다. 클로에가 고개를 뒤로 젖히고 보일 듯 말 듯 가로저었다. 무리다. 무리인데 미타이가 되레 가로저었다. 할 수 있으니 풀거나 벗기라는 뜻이었다.

숨을 참다가 견디지 못하고 마셨을 때, 콧속을 파고들고 폐부를 찌르는 미타이의 고조된 열기가 두려웠지만 다른 방법은 없었다. 클로에는 머뭇거리며 입술을 벌렸다.

무릎을 꿇고 엉덩이를 발뒤꿈치에 붙이고 앉아 앞으로 숙였다. 만세 하듯 위로 들린 팔은 도움이 되지 못한다. 붙였다 떼었다 뻐끔뻐끔하는 입술 사이로 옷자락을 물었다 놓았다 하며 바지 벗기기를 시도했다.

딱 붙은 가죽 바지는 클로에의 여린 입만으로 벗길 순 없다. 그래서 클로에는 미타이가 의미하는 벗기는 정도는 허리춤의 끈을 푸는 정도가 아닐까 어림짐작했다.

"계속해."

앞섶은 불룩해서 조금만 숨을 크게 쉬어도 얼굴에 톡 닿는 바람에 클로에의 뺨이 빨개졌다. 코와 입에 아슬아슬하게 닿는 불룩한 것의 정체가 저절로 눈앞에 그려진 탓이었다. 미타이가 주겠다는 선물이 무엇인지 슬프게도 너무나 잘 알고 있는 클로에는 끙, 앓는 소리를 내며 눈을 치켜뜨다가 미타이와 시선이 마주쳤다.

"갖기 싫어?"

"……."

머리를 누르던 압박이 풀렸다. 손가락의 꺾인 마디로 클로에의 뺨을 톡 쳤다. 다정한 어조였지만 이대로 끄덕이면 안 된다. 그 정도는 알았다. 긴장으로 속눈썹이 파르르 떨렸다.

"야옹이는 내가 준 목걸이는 선물로도 안 치니까 말이야."

"……!"

잊고 있었다. 까맣게 잊고 있었다. 생각도 못 하고 있었다. 직접 받기까지 했는데도 클로에에겐 미타이가 여주인공에게 선물한 머리핀만이 강렬하게 뇌리에 남아 있었다. 왜 줬는지 영문 따위 모를 목걸이는, 안타깝게도 조금도 생각하지 못하고 있었다.

"그래서 대신 다른 더 큰 걸 원하는 거지?"

당황해서 입술에 불룩 튀어나온 바지가 쓸리거나 말거나 열심히 고개를 가로저었지만 미타이는 다 알고 있다며 클로에의 머리를 쓰다듬었다. 아니, 누르는 것에 가까웠다.

손목을 놓아준 미타이는 클로에가 풀지 못한 포장을 대신 풀었다. 꿈틀거리는 화산이 용솟음치듯 갈라진 천 사이로 위용을 드러냈다. 고작 천 조각에 억눌려 있었을 뿐인데 많이 갑갑했는지 성이 난 물건은 흉흉한 기세를 뿜고 있었다. 클로에의 얼굴이 하얗게 질렸다. 왜 평소보다 더 커 보이지.

"목걸이로 성에 안 차니까 이것도 줄게."

"아, 아니, 그, 저!"

"걱정하지 마. 이건 다른 사람한텐 아무도 안 줄 거야. 야옹이 거니까 찜해."

"아뇨, 아뇨, 아…… 읍!"

다급하게 애원하듯 거절하는 벌어진 입 사이로 쏙 뜨거운 김이 훅 끼쳤다. 깜짝 놀란 혀에 미끈한 머리가 닿았다. 구음이 처음은 아니지만 매번 제대로 삼키지 못해 중간에 어설프게 끝내곤 해서 익숙해지지 못했다. 그 탓에 입 안에 굵직하고 후끈한 것이 들어올 때마다 깜짝깜짝 놀라곤 했다. 이번에도 마찬가지였다.

"읍, 우읍……!"

뱀처럼 스르륵 파고들어 점령하는 성기는 입을 꽉 채워 간신히 벌리고 있는 게 고작이었다. 혓바닥이 눌리고 혀뿌리에 살살 귀두가 닿았다. 한계치까지 벌어진 입을 다물 수가 없어 미타이의 물건을 머금고 가늘게 숨을 쉬며 헐떡거렸다.

"야옹아. 침 발라야지."

다정하게 머리를 쓰다듬으며 전하는 속삭임은 하나도 다정하지 않았다. 그러나 이대로 가만히 턱이 빠져라 벌리고 있는다고 해서 풀려날 수 있는 것은 아니다. 클로에는 움직일 공간이 없는 입 안에서 눌린 혀를 간신히 **빼내** 꼼지락꼼지락 움직였다. 혀끝으로 페니스를 핥으려는 시늉이라도 해야 했다.

"흡! 흐으읍……."

꿈틀거려봐야 몇 번이나 움직였다고 클로에의 혀에 몇 번 쓸린 몽둥이가 부피를 또 키우는 바람에 혓바닥은 꼼짝없이 갇혀버렸다. 이대로 입 안이 풍선처럼 터져버리면 어쩌지, 클로에는 미타이의 무릎을 잡고 매달려 흐느꼈다.

"쉬잇."

미타이가 짧은 한숨을 터트렸다. 클로에의 **뺨**을 감싸고 살살 성기를 **빼냈다.** 천천히 바깥 공기가 희미하게나마 들어오고, 들썩거리는 혀를 누르던 성기의 머리가 완전히 **빠져나갔다.**

"선물 하나 제대로 못 받아 챙기는 야옹이라니까."

멍하니 벌어진 입술 주변이 갈무리하지 못한 액체에 물든 모습에 미타이가 하하 웃었지만 클로에는 따라 웃을 수 없었다. 그의 말대로 제대로 **빨지도** 못한 성기는 아직도 미끈미끈한 상태로 클로에를 향해 우뚝 솟아 있었다.

"훗!"

차마 똑바로 보지 못하고 시선을 회피하는데 몸이 번쩍 들렸다. 미타이의 것을 삼키느라 반쯤 엎드리고 있던 클로에를 일으켜 세워 허벅지 위에 앉혔다. 꺼떡거리는 귀두가 배꼽 부근에 닿았다.

사람 위에 올라탄 상태로 손을 맞잡혔다. 미타이가 눈짓하며 뒤로 누웠다. 똑바로 하늘을 향해 우뚝 선 기둥이 클로에의 배를 쿡 쿡 찔렀다. 스스로 엉덩이를 들어서 품으라는 의미였다.

한참을 주저했다. 지금까지와는 달리 클로에가 스스로 달려들기를 바라는 사내 앞에서 자신을 내려놓는 결심을 하기란 쉽지 않았다. 못 하겠다, 하기 싫다, 몇 번을 달싹였지만 소리가 되어 나오지는 않았다.

"야옹이가 하고 있는 목걸이 말이야."

고민을 하고 있노라니 미타이가 툭 말을 던졌다. 고개를 푹 숙여 내려다보니 목걸이가 있었다. 속옷은 입혀놓지 않았어도 목걸이는 남겨두었던 거다.

"무슨 의미겠어?"

머리핀이 애정의 증거라면 목걸이도 마찬가지라는 소리인데, 그녀의 입으로 미타이가 클로에를 좋아한다는 뜻이라고 말해야 한다는 소리이기도 했다. 그래서 대답을 하지 못하고 우물쭈물했다. 미타이가 여주인공이 아닌 그녀를 좋아한다니. 그럴 리가 없다. 없는데…….

"다시 삼켜. 이 선물도 끝까지 받자, 야옹아?"

미타이는 클로에가 혼란스러운 머릿속을 정리하도록 두지 않고 마주잡은 손을 당겨 재차 선물을 들이밀었다.

"하웃……."

간밤 정사의 여운이 알게 모르게 남아 있었는지 살짝 부어 있는데도 이미 축축하게 젖어 있는 은밀한 숲의 입구가 열리기 시작했다. 그러나 충분히 젖어 있다고 해도 뻑뻑하게 버거운 상대가 미타이다. 귀두를 품고 쿵쿵 요동치는 불그스름한 기둥을 삼키려 허리를 내리는 동안에는 배를 채우는 압박감에 허덕여야 했다.

"훗……."

반쯤 일으켜 세웠다가 슬그머니 앉는 시간이 영원과도 같았다. 한계치까지 벌어진 질구가 야금야금 미타이의 것을 삼켜나갔고 덜덜 떨리는 다리에 애써 힘을 주면서 천천히 주저앉았다. 엉덩이가 다시 미타이의 다리에 닿는 순간, 안쪽 깊숙한 곳을 찌르며 내부를 터져라 밀어내는 성기에 꿰뚫려 고정되는 듯한 감각이 등을 때리며 내달렸다. 클로에는 참았던 숨을 푸훗, 터트린 후 푸들푸들 떨었다.

"너무…… 깊어요……."

"예뻐."

평소에도 안길 때마다 쾌감에 물든 꼬치가 된 기분이긴 했지만 지금은 더 강렬했다. 클로에는 상체를 숙이며 속삭이고 마주잡고 있는 손에 힘을 주었다. 칭찬을 요구하는 투정이 아니었는데 미타이는 딴소리만 했다. 아주 조금 허리를 쳐올렸을 뿐인데 진짜 반으로 갈라질지도 모르겠다는 불안이 덜컹 생길 정도로 푹 쑤셔졌다. 제 밑에 있는 남자를 원망하지도 못하고 클로에는 끙끙거리며 미타이에 맞춰 엉덩이를 움직이려 했다.

"잠, 잠시, 앗, 아⋯⋯! 흐, 흐으⋯⋯."

기승위라고 해서 통제권을 가져올 수 있으리란 기대는 거의 하지 않았지만 이토록 강하게 **빼앗길** 줄은 몰랐다. 가볍게 쳐 올리는 허릿짓만으로도 깊숙한 곳까지 파고든 성기가 세차게 내부를 쑤셔댔다. 통 통 튀어오를 때마다 휘청이는 상체는 마 주잡고 있는 손에 의해 겨우겨우 지탱되었다.

"더 세게 해도 돼, 그렇지? 겨우, 이 정도로는 받았다는, 사 실도 금방 잊을 테니."

풍만한 가슴이 꿰뚫릴 때마다 함께 덜렁 덜렁 흔들려 아플 정도였다. 탁 탁 강제로 춤을 추듯 올라갔다 내려오면서 표면 과 표면이 부딪히는 소리가 방 안을 울렸다. 조금만 살살 해달 라고 애원할 겨를도 없었다. 말도 하지 못하고 끊임없이 몰아 붙여졌다. 아아, 흑, 으응, 애달픈 신음이 가쁜 숨소리에 묻혀 사라졌다.

"이런."

절정에 다다르기 직전이었다. 반복적으로 자극당하고 비벼지 고 푹 푹 찔려, 터질 것 같은 압박감과 몸이 반으로 쪼개질지 도 모른다는 공포에 밀려나 있던 쾌감의 싹이 겨우 싹트려던 시점이었다. 돌연 미타이가 움직임을 멈추었다. 정처 없이 흔들리던 클로에는 간신히 잡을 뻗했던 하얀 빛을 놓쳐버렸다. 달궈지기만 하고 몸을 집어삼키는 불꽃에 시원하게 태워지지 못한 탓에 아플 만치 덜렁였던 가슴의 꼿꼿해지고 피부가 민감하게 곤두섰다. 왜 중간에서 애를 태우듯 멈춰버렸나.

"손님이 오고 있네."

미타이가 혀를 찼다. 오르시니와 있을 때 방문하곤 했던 손님치고는 좋은 결과를 가져다준 사람이 없었는데. 클로에는 반사적으로 손님을 확인하려 뒤돌아보려 했다.

"어허. 다른 데 정신 팔면 안 되지."

"하, 하지만."

그러나 머리가 잡혀버렸다. 손을 놓고 고개를 돌리지 못하게 고정한 손바닥이 이윽고 귀까지 덮었다. 이제 손님의 정체를 보기는커녕 작은 소리는 들을 수도 없게 되었다.

"누가 오면, 이런 꼴은, 앗!"

남사스럽게 미타이 위에 올라탄 자세에다가, 두 사람의 몸을 함께 가릴 수 있을 이불은 육중한 덩치에 깔려 있어 빼낼 수가 없었다. 타인의 정사를 예고도 없이 목격하고 좋아할 사람은 없으리라. 귀에 웅웅 울리는 자신의 목소리를 못 들은 척하고 애원했다.

"으, 응, 으으⋯⋯."

잠시 멈추었던 움직임이 재개되었다. 푹 푹 아래에서부터 강하게 쳐올려졌다. 찰싹 찰싹 클로에의 엉덩이가 가볍게 부딪혔다. 지탱해주던 손을 잃은 후 클로에는 두 팔을 허우적허우적 허공을 휘젓다 미타이의 가슴을 누르며 앞으로 기울어지는 상체를 지탱했다. 세찬 튕김에 그래도 위로 튕겼다 떨어지는 순간 팔이 꺾여도 쓰러지지 않을 수 있었던 데에는 큼직한 손에 머리가 잡혀 있는 덕이 컸다.

"사, 사람이, 응! 오, 훗, 흐!"

손님이 온다고 했으니 멈춰달라는 호소는 입 밖으로 채 나오지 못했다. 미타이의 움직임이 보다 더 과격해졌다. 탈탈 흔들리는 젖꼭지가 팔에 부딪혔지만 아픔은 느끼지 못했다. 모든 감각이 아래로 쏠렸다. 집요하게 다리 사이를 파고드는 팔뚝만 한 드릴로부터 도망가지도 못했다.

숨이 턱 턱 막혔다. 미타이의 것을 받아들일 때만큼 크게 벌어진 입술에서 의미 불명의 소리만 새어 나왔다. 뜨겁게 달구어진 하체를 통해 호흡도 하지 못하게 만드는 절정의 압박이 찾아왔다. 클로에는 등을 새우처럼 구부리고 눈을 감았다.

"하아, 하아."

아기처럼 몸을 웅크리고 미타이의 가슴팍에 기대어 엎드렸다. 아직 정액을 내보내지 않아 팽팽하게 부풀어 있는 페니스가 고스란히 클로에의 몸 안에 남아 있었다. 3형제는 클로에가 그들의 밑에서 쾌감을 견디지 못하고 수차례 몸부림을 치지 않으면 사정을 하지 않곤 했다. 오늘의 미타이도 평소대로였다.

"엉덩이 들어봐."

아나나 다를까 미타이가 제게 기댄 클로에를 토닥이며 엉덩이 한쪽을 움켜쥐었다. 클로에는 무릎에 힘을 주고 살짝 엉덩이를 들었다. 깊이 박혀 있던 성기가 조금 빠져나가는 것 같기도 했다.

"지금 내 자세로는 자세히 들여다볼 수 없다는 게 한이네. 내 걸 오물오물 물고 있는 아래 입이 참 꽃 같을 텐데 말이야."

클로에를 팔뚝으로 감싸면서 쭉 뻗어 엉덩이 두 짝을 모두 잡고 양쪽으로 벌렸다. 쑥 위로 내민 상태에서 강한 힘에 의해 벌어지며 엉덩이 골 사이로 서늘한 공기가 닿자 음부가 움찔움찔했다. 웃음이 머리맡을 간질였다.

"그렇지, 다니엘레 형?"

"……!"

손님이란 다니엘레였던가. 언제 도착해서 어디서부터 보고 있었던 걸까. 미타이를 말처럼 타고 앙앙 교성을 질러대며 몸을 흔들고 있었던 꼴을 다 본 걸까. 화들짝 놀란 클로에가 다급하게 손아귀에서 벗어나려 했지만 미타이는 단단했다.

"조이지 마, 야옹아. 형이 보고 있으니까 그렇게 좋아?"

놀란 나머지 아직 미타이와 이어져 있다는 사실도 잊고 하반신에 힘을 주었는데 미타이가 웃음기를 지우고 으르렁거렸다.

"훗…… 보, 보지 말……."

다니엘레는 말이 없었지만 지금 새장 밖에서 지켜보고 있을 터였다. 미타이는 보란 듯이 가능한 한 클로에의 엉덩이를 활짝 벌려 성기를 삼키고 있는 부위를 보여주었다. 오르시니 중 두 사람을 동시에 상대한 경험이 없진 않았지만 이렇게까지 적나라하게 연결된 부위를 보여준 적은 없었다. 화끈 얼굴이 달아올랐다.

"일어났는지 보고만 온다던 녀석이."

벌거벗은 동생과 붙어 있는 여자를 보면서도 다니엘레는 그럴 줄 알았다는 듯 태연했다. 안 오는 시점에서 이미 예상했다는 투였다. 나무라는 것 같으면서도 귀여운 막내를 대하는 모습은 전혀 화가 나지도, 못 볼 꼴을 봐 기분이 나쁘지도 않아 보였다.

"알면서 형은 왜 왔어?"

미타이 역시 좋은 시간을 왜 굳이 방해하느냐며 툴툴거렸다. 클로에는 지금이라도 가리거나 몸을 빼내고 싶었지만, 그는 놓아주지 않고 바르작대는 그녀를 지그시 눌렀다.

"허기졌을 테니까."

동생이 날을 세우거나 말거나 형은 덤덤했다. 고용인을 시키지 않고 끼니를 챙기러 손수 올라왔다는 말에 클로에는 오히려 긴장했다.

"그러네. 야옹이 배고프겠네. 들어와, 형."

미타이는 다니엘레의 의견에 동의하며 새장의 주인도 아니건만 선심 쓰듯 출입을 허락했다. 다니엘레는 가타부타 말이 없었다.

"아……흑!"

위에 올라탄 채 엎드려 있는 클로에를 일으켜 세운 후, 손쉽게 돌려 앉혔다. 미타이와 연결된 채로 팽그르르 돌아가니 묵직한 기둥을 에워싸고 있는 내벽에 엄청난 자극이 가해졌다. 시야가 아주 잠깐 까매지면서 어질어질했다. 가슴을 가리고 푸들푸들 떠는 클로에의 등에 따뜻한 온기가 닿았다. 어느새 같이 일어나 앉은 미타이가 뒤에서 감싸 안았다.

"식사 뭐 가져왔는데?"

미타이의 다리 위에 앉아 다니엘레와 마주 보는 자세가 되었다. 아직 미타이와 연결된 성기가 빠지지 않아 묵직한 압박감이 배 속에 가득했다. 집사처럼 트레이에서 은색 쟁반을 들고 온 다니엘레가 말없이 뚜껑을 열어 보였다.

"간단하네."

에그 베네딕트, 메이플 스콘, 프렌치토스트, 샐러드를 비롯해 진짜 우유와 주스, 커피가 예쁘게 진열되어 있었다. 새장 안에서 먹기 쉬운 종류로 골라 왔다는 뜻이다.

"배고프지?"

"아니…… 네."

만들자마자 바로 가져왔는지 따끈따끈한 냄새가 코를 찔렀다. 지금까지 고프지 않다고 여긴 배에선 언제 그랬느냐는 듯 작은 천둥이 울렸다. 하는 수 없이 인정하는 수밖에 없었다.

"식사부터 해. 그동안은 참아볼게."

미타이가 슥슥 머리를 쓰다듬고 정수리에 또 턱을 올렸다. 위로는 묵직한 무게에 짓눌리고 아래로는 거대한 압박감에 배가 팽팽했다. 아무리 클로에가 식사를 하는 동안 기다려준다고 해도 이래서야 편히 먹을 수 있을 리가 없는데 그는 비켜줄 생각을 하지 않았다.

"미타이님, 이, 이것만이라도…… 읍?"

머리를 눌러대는 것까지는 참아볼 테니 다리 사이에 박힌 것만 빼달라고 부탁을 하는데 입술에 혹 차가운 기운이 닿았다. 순간 놀라 벌어진 입으로 먹기 좋게 작게 썰린 샐러드의 채소 한 덩어리가 들어왔다.

"으으?"

먹을 것이 난데없이 들어왔다는 사실보다 들이민 사람이 다니엘레라는 사실에 더 놀랐다. 다니엘레의 손에 쥐어진 포크가 왜인지 모르게 무서웠다. 미타이가 들었어도 이보다 무섭지는 않았으리라. 무표정하게 먹여주는 다니엘레의 행동에 등줄기 위로 소름이 돋은 클로에는 얌전히 입을 벌리고 받아먹었다.

"흠."

"잠깐, 아까 차, 참는다고…… 흭!"

기묘한 구도는 둘째 치고 배고픈 본능이 앞서기도 했고 다니엘레의 포크를 거부했다간 혹시라도 얼굴이 찔릴까 봐 열심히 받아먹는 중에 가슴을 감싸는 온기가 느껴졌다. 시선을 내리까니 미타이가 슬금슬금 클로에의 가슴을 만지고 있었다. 풍만한 유방을 주무르는 손길은 아무리 무시하려 해도 은근한 유혹을 내비치고 있었다.

신경을 **빼앗**기면서 다니엘레가 내미는 음식을 한번 놓쳐버렸다. 비껴가면서 노른자가 입가에 묻었다. 다니엘레의 눈치를 보던 클로에는 당황해 미타이의 손을 치우려 했으나 되레 양쪽 젖꼭지가 꼬집히는 바람에 밀어내지 못하고 신음을 터트렸다.

"다 먹었나 보군."

"흐…… 흐아, 아, 아니……! 아아……."

어찌할 바를 모르고 안절부절못하는 클로에를 내려다보던 다니엘레가 차분하게 식사를 치웠다. 아직 멀었다고 고개를 가로젓는데 가슴을 주무르는 미타이의 손이 한층 대담해졌다. 형이 보고 있어도 신경 쓰지 않고 클로에의 귓불을 자근자근 물면서 젖가슴을 쥐고 **뾰**족하게 만들었다.

"야옹이 넌 내 우유는 거부하면서. 형이 주는 건 잘도 받아먹네."

"그 우유가 아니잖…… 으응!"

참아보겠다던 약속을 깬 것은 아까 다니엘레가 준 진짜 우유를 클로에가 받아 마신 탓이라며 이를 가는 사자에게 아무리 다르다고 말한들 소용은 없었다. 아니, 말하지도 못하고 억울하다는 토로는 교성에 묻혀버렸다.

"하아, 하, 하앙."

오므려 붙이고 있던 무릎 사이가 벌어졌다. 가슴을 애무당하고 귓가에 야릇한 숨소리가 쿡쿡 박히니 견딜 재간이 없었다. 서서히 바람 빠진 풍선이 된 것 같은 몸뚱이에 꿈틀거리는 전류가 차기 시작했다.

"오늘 배부르게 먹여줄게."

질벽을 꽉 채우고 있던 성난 물건이 반쯤 빠져나가는 듯하더니 쿵 쿵 내벽을 긁으며 들어왔다. 미타이가 클로에의 허리를 잡고 들어 올렸다가 빠르게 내리찍었다. 미타이의 손목에 매달려 위아래로 흔들리는 동안 다리가 좌우로 벌어졌다. 야금야금 깨물린 귓불과 목덜미가 화끈거렸다.

미타이를 밀어내는 듯, 잡고 매달리는 듯. 클로에 자신도 어떻게 하고 싶은지는 딱 잘라 말하기 힘들었다. 그가 빠져나간다 싶으면 허전한 감각에 몸이 미타이를 원하며 보챘고, 들어온다 싶으면 화가 난 그가 버거워서 밀어내려고 애를 썼다. 미타이의 팔에 휘둘려 시야의 높낮이가 휙휙 바뀌던 중, 눈물로 젖은 눈을 잠깐 뜨다 다니엘레와 시선이 마주치고야 말았다.

"보……지 말…… 아아!"

다니엘레는 제 앞에서 정사를 벌이고 있는 남녀를 조용히 응시하고 있었다. 초연한 남자의 시선에 뺨이 붉게 달아올랐다. 부끄럽다는 생각이 들자 몸의 감각이 훨씬 기민해졌다.

다니엘레의 눈동자가 느긋하게 아래로 이동했다. 빨개진 볼을 훑고 여러 차례 깨물린 귀와 목을 훑었다. 쇄골을 쓸고 흔들리는 가슴을 쓰다듬었다. 시선이 천천히 아래로 떨어지다 마지막으로 미타이의 것과 연결된 접합부에 닿자 배에 잔뜩 힘이 들어갔다.

"제발……."

미타이는 코웃음을 치며 다니엘레를 노려보곤 클로에를 안은 팔에 힘을 주었지만, 클로에는 미타이처럼 앞에 있는 사람을 무시할 수 없었다. 아무리 애원에도 다니엘레가 미동을 않자 견디지 못한 클로에가 눈을 감았고, 순간 음식물이 달라붙어 끈끈해진 입가에 부드러운 무언가가 닿았다 떨어졌다.

"……?!"

다니엘레가 엄지로 입 주변을 문질렀다. 엄지로 옮겨 떨어진 잔해는 다니엘레의 입술 가까이 다가갔다. 붉은 혀가 나오나 싶더니 놀란 눈을 한 클로에의 정면에서 보란 듯이 음식물을 삼켰다.

"악!"

딱히 크게 동작을 취하지도 않았다. 웃음기 없는 조각상 같은 얼굴로 클로에의 입가에 붙은 음식물을 하나하나 떼어다 삼킬 뿐이었다. 그때마다 날름거리는 혀만이 지독히도 요사스럽다는 느낌이 들었다. 순간이나마 뒤에 있던 미타이의 존재를 잊고 멍하니 다니엘레를 응시하자 벌이 주어졌다.

"아파……요……."

큼직한 손이 오른쪽 가슴을 쥐었다. 풍만한 곡선을 잡아 뜯을 것처럼 세게 쥐고 모양을 바꿨다. 압력이 가해진 지점이 욱신욱신 아팠지만 한참 전부터 꼿꼿하게 서 있던 유두가 손바닥에 눌리자 잠잠해졌던 전류가 흐르기 시작했다.

"날 품고 다른 남자를 보면 곤란하지, 응?"

미타이가 이를 갈며 귓가에 속삭였다. 몸을 겹치고 있어서일까 잠깐이라도 다니엘레에게 시선을 빼앗겨 넋을 놓고 있었음을 바로 눈치채버렸다. 화를 내는 사자가 거칠게 목덜미를 물었다. 피부가 따끔거렸다. 사자의 불기둥에 꿰여 있는 자세로는 도망갈 수도 없다. 클로에는 무심코, 정말로 본능적으로 다니엘레를 보았다.

아무 말도 하지 않은 클로에의 시선을 어찌 해석했는지는 몰라도 미타이가 클로에의 왼쪽 가슴을 마저 쥐려 했을 때 다니엘레가 이를 막았다. 미타이도 놀랐지만 클로에는 더 놀랐다.

오른쪽 가슴에는 사자의 손자국이 울긋불긋 나버렸으나 왼쪽은 아직 하얗게 깨끗했다. 마저 벌을 받기 전에 다니엘레가 막아주었다. 미타이는 자신의 손을 쳐낸 형을 노려보았고, 다니엘레는 무시했다.

"흡."

턱이 살짝 위로 들리고 입술에 부드러운 입술이 닿았다 금방 떨어졌다. 미타이에게 잡힌 몸뚱이가 위아래로 흔들리고 있었지만 다니엘레는 어렵지 않게 가볍게 포갰다. 입 주변에 남아 있는 흔적을 마저 혀로 핥았다.

조각조각 먹기 좋게 잘려 있는 프렌치토스트의 일부가 다물린 입술에 닿았다. 달콤한 향이 코끝을 찔렀다. 흔들리던 중이었기에 끈적끈적한 음식은 입술 주변에 문질러져 형태가 무너졌다. 다니엘레가 먹을 것을 내민 의도가 무엇일까. 그러나 이대로 입을 다물고 있자니 프렌치토스트가 뭉개질 때까지 얼굴에 비벼질 것 같았다.

"……흐읍?"

하나를 받아 입 안에 넣었다. 잘못 씹었다간 혀까지 씹을 것 같아 어쩌지는 못하고 머금고만 있는데 다니엘레의 얼굴이 다시 가까워졌다. 인중과 뺨을 꼼꼼하게 핥아 여기저기 묻은 꿀을 지워냈다.

"……!"

아직 삼키지도 못했건만 또 하나의 조각이 들이밀어졌다. 클로에를 흔드는 움직임이 더 빨라졌다. 시야를 한곳에 고정하기 힘들 정도라 다니엘레가 건넨 식사를 받아먹을 수가 없었다. 결국 **뺌**을 친 토스트 조각이 툭 아래로 떨어지면서 출렁이는 유방을 스치고 다리 사이의 무성한 수풀에도 스쳤다.

"으, 으으! 읍!"

끈적끈적한 것이 묻은 부위를 눈으로 찍더니 다니엘레가 고개를 숙였다. 부풀어 오른 왼쪽 둔덕을 핥고 **빳빳**해진 붉은 과실을 입에 머금었다. 습윤한 공기가 유두를 덮치고 축축한 해일에 휘말렸다. 강한 회오리바람에 쭉쭉 빨려 뽑혀 나갈 것 같아진 순간, 고개가 강제로 뒤를 향해 돌려지고 아랫입술을 깨물렸다.

미타이가 클로에를 먹어치울 기세로 키스를 했다. 왼쪽 가슴은 다니엘레가 야금야금 점령해갔다. 왼쪽 유두가 후끈한 폭풍우에 흔들리고 사로잡혀 있던 오른쪽 유륜이 살살 손끝에 긁힐 때마다 등줄기가 저릿저릿했다. 이미 질척거리는 음부에서 새콤한 꿀이 새로이 솟아나며 수풀을 적셨다.

미약이 없는데도 정신이 혼미했다. 촉촉하게 젖은 수풀 속으로 더듬고 들어오는 손가락이 있었다. 반질반질하게 빛나는 붉은 진주를 찾으러 오는 것일 터였다. 간신히 트인 입에서 아아, 아 신음이 삐질삐질 새어 나오는데 기어코 보물을 찾아낸 침입자가 버튼을 눌렀다. 발견한 음핵을 어루만지고 엄지로 누르며 비틀었다. 몸이 달아오를 대로 달아오르는 사이 부풀어 있던 진주 꽃이 짧은 자극만으로도 쾌락의 폭죽을 터트렸다.

"홋, 흐읏! 읭! 아……!"

젖가슴을 덮치고 있는 거대한 존재가 가하는 자극이 느껴지지 않을 정도로 강한 전류가 다리 사이에서 피어났다. 등이 휘었지만 다니엘레의 입과 미타이의 손에 막혀 앞으로 나아가지 못했다. 미타이가 놓아준 입에서는 흐트러진 교성만이 나왔고 몸을 치닫고 달려간 전율의 여운이 채 가시지도 않아 여전히 음부는 부들부들 떨리고 있었다. 탱탱하게 부어 있는 음핵은 다니엘레의 손이 닿을 때마다 짜릿짜릿했다.

"아흐읏!"

덜덜 떠는 몸을 잠시 쉴 수 있게 해주었던 미타이가 다니엘레로부터 클로에를 빼앗듯이 클로에의 몸을 돌려 앉혔다. 사자의 물건에 꿰인 채로 몸이 돌아가자 클로에가 발가락을 오므리고 끄응 끙 떨었다. 내벽이 긁히면서 회전하는 감각은 아직도 익숙해지지 않았다.

"그렇다면야."

다니엘레가 짧은 웃음을 터트렸다. 클로에의 어깨를 안고 있던 미타이가 맏형의 보기 드문 웃음에 놀랐는지 방심했다. 다니엘레가 미타이를 밀어내다시피 눕혀버렸다. 미타이 위에 올라탄 자세가 된 클로에에게 키스했다.

"식사는 여기로 마저⋯⋯."

미타이가 입술을 댔던 부위에 닦아내듯 겹친 후 클로에의 몸을 기울였다. 꿀이 가득한 병을 들고 와 등 위에 쏟아버리자 끈끈하고 달콤한 액체가 등줄기를 타고 흘러내렸다. 미타이가 하, 코웃음을 터트렸다.

"잠, 잠시, 하앙!"

미타이의 가슴을 짚고 지탱하는 클로에의 엉덩이가 들렸다. 꿀은 엉덩이 골 사이로도 쏟아졌다. 끈적끈적한 것이 꼼꼼한 손길에 골짜기 사이 주름진 곳에 가득 발렸다.

"⋯⋯해야지."

간밤 녹진녹진하게 녹았던 뒤쪽은 아직 풀려 있었다. 다니엘레가 미타이로부터 클로에를 빼앗아 오며 엉덩이를 잡고 제 몸을 바짝 붙였다. 꿀로 뒤덮인 틈으로 역시 꿀에 젖은 귀두가 빼꼼 머리를 들이밀었다.

"아아⋯⋯."

미타이가 신경질을 내며 클로에를 되찾아오기 위해 제 쪽으로 세게 끌어당겼지만, 다니엘레 또한 클로에를 놓지 않았다. 앞으로는 미타이가, 뒤로는 다니엘레가 클로에를 꽉 채웠다. 두 사람이 조금이라도 움직이는 순간 터져버릴지도 모르겠다. 클로에는 가쁜 숨을 내쉬었다.

"형은 좀 나갔으면 좋겠는데. 야옹인 내가 좋다고 했단 말이야."

각각 팔이 하나씩 잡혔다. 미타이가 아래에서 클로에의 옆구리를 잡고 한 손을 잡아 깍지를 끼며 다니엘레더러 비키라 종용했다. 다니엘레는 뒤에서 클로에의 손목을 잡고 뒤로 돌리고 어깨를 잡으며 희미한 웃음소리를 냈다. 대꾸는 없었으나 물러날 마음은 결코 없다는 의사 표시였다.

"훗, 이, 이거 이상한데……."

앞뒤로라니. 어제와는 많이 다른 감각이다. 풍선처럼 빵빵한 미타이의 것과 내벽의 모양을 바꿔버릴 것만 같은 기묘한 생김새를 한 다니엘레의 그것을 동시에 품고 있는 느낌은 많이 이상했다. 가운데 낀 클로에는 움찔움찔 떨면서 고개를 숙였다.

"아, 미안. 야옹이한테만 집중할게."

집중해달라는 소리가 아니었다. 아니었는데. 아니라는 말은 미처 내보내지 못했다. 미타이가 클로에의 허리를 잡고 제 성기를 쳐올린 탓이었다. 순간적으로 소리를 내지 못한 클로에의 입이 벌어졌다.

"그대……는, 저 짐승 것만 좋다고 먹지 않았으면 하는데."

다니엘레가 뒤에서 몸을 숙이고 겹쳤다. 나른한 음성이 귀를 간질였다. 무심한 듯 냉정한 사람이 언제부터인가 이상하게 달라졌다. 그러고 보니 언제부터 그녀를 두고 그대로 불렀던가.

흠칫 놀란 클로에의 엉덩이에 따뜻한 체온이 꼭 따라붙었다. 집요하게 파고든 성기가 주름진 내벽을 헤집었다. 끄으 끄으 대답도 못 하고 클로에의 입에선 턱 턱 숨이 막힌 쉰소리만 새어 나왔다.

무릎에 더 이상 힘을 주지 못하고 이리저리 흔들렸다. 앞뒤로 내부를 꿰뚫은 질량감이 어마어마했다. 내벽이 정신없이 비벼지고 깊은 곳이 찌릿찌릿 찔렸다. 하아 하, 깊은 숨이 터져 나왔다. 주인의 제어를 벗어난 몸이 기쁨의 탄성을 터트렸다. 분명히 힘든데 쿡 쿡 긁히고 찔리는 내부에서부터 작은 불꽃이 이리저리 튀었다. 미타이가 앞에서 푹 추어올리면 다니엘레가 뒤에서 클로에를 가를 듯이 헤집었다.

"아훗, 응응, 훗, 흐으…… 응, 으응!"

교성이 쉼 없이 터졌다. 멍한 정신으로 클로에 자신이 듣기에도 제 목소리는 반쯤 쉬고 비명과도 같아 아찔한 교성이라고 빈말로라도 하기 힘든데, 말라버린 입술 사이로 쏟아내면 신이라도 나는 듯이 흔들림이 강해졌다. 앞뒤에서 파고드는 속도가 빨라지고 거세지는 탓이었다.

툭툭 터지던 작은 폭죽의 크기가 커졌다. 쿵 쿠웅, 두 개의 성기에 의해 점화된 폭죽이 사지를 붙들었다. 숨을 쉴 수가 없었다. 벗어날 수도 없었다. 눈이 크게 뜨였지만 앞에 보이는 것은 아무것도 없었다. 등을 둥글게 휜 클로에의 머릿속이 하얗게 변하고 번쩍거리는 불꽃이 터졌다.

절정에 다다랐다가 풀썩 쓰러지는 상체를 미타이가 받아냈고 땀으로 젖은 머리카락을 치우며 눈꺼풀에 키스했다. 아래로 쓰러지도록 놓아주나 싶었던 다니엘레가 파묻었던 몸을 빼내었다. 잠시 후 미타이 위에 엎드려 색색 숨을 쉬는 클로에 등 위에 흩어진 머리카락을 치운 다니엘레가 날개뼈 자리에 키스했다.

클로에는 두 남자의 입술과 손길이 마치 자신에게 얽힌 덩굴 같다는 생각을 했다. 혼자만의 상상에 답이라도 주려는 것처럼 숨을 쉬느라 오르락내리락하는 몸 이곳저곳에 부드러운 입김이 닿았다. 땀으로 범벅이 된 몸에 이어지는 키스라니. 기분이 이상했다.

∞

"또 하루가 바뀌었나."

정사만 벌였다 하면 기절이다. 조금, 아니 사실은 많이 힘들긴 하지만. 그래도 그렇지, 툭하면 의식을 잃다니. 눈이 떠지자

마자 한숨이 나왔다.

기절하듯 잠이 든 사이에 밤꽃 냄새가 스며든 침구는 깔끔한 새것으로 또 바뀌었다. 찢겨 사라진 슬립 대신 잠옷의 역할을 하는 튜닉도 입혀져 있었다. 이번에는 클로에가 일어날 때까지 지켜보는 사람 없이 새장의 문은 닫혀 있었다. 맨정신으로 보기에는 낯 뜨거운 오닉스 손잡이도 문 안쪽에 그대로 붙어 있었다.

"어차피 저건 열리는 손잡이도 아닐 거야, 음, 음."

손잡이는 공중에 떠 있는 새장을 내리는 용도로 쓰였고 문을 열고 닫는 레버는 따로 있을 것이다. 그렇게 믿고 싶었다.

애써 외면하고 다른 부분을 샅샅이 뒤지는데 오닉스 손잡이가 붙은 문 외에는 열었다 닫았다 할 수 있는 것이 없었다. 두 손으로 눈을 가리고 손가락만 살짝 벌려서 실눈을 뜨고 문이 있는 방향을 보았다. 역시나 까만 오닉스만이 떡하니 자리하고 있었다.

울상을 지은 채로 가까이 다가가 애써 손잡이를 자체 모자이크한 후 문을 당겨 열 수 있을 만한 무언가가 없는지 바깥쪽을 요리조리 살폈지만 아무것도 보이지 않았다.

심지어 열쇠 구멍조차 만져지지 않았다. 잠금 장치가 없는 종류인가 싶어 희망을 안고 틀을 잡고 밀어보기도 하고 당겨보기도 했지만 문은 꼼짝도 하지 않았다. 마치 고풍스럽지만 괴이한 이 새장의 문을 열 수 있는 수단은 오로지 오닉스 손잡이뿐이라는 것처럼 느껴졌다. 지안니가 알려주었던 대로.

공중으로 부유하는 새장을 내리게 만드는 방법은 간단했다. 오닉스 손잡이의 모양이 남성의 성기를 본떴고, 보통의 손잡이와는 달리 옆으로 눕지 않고 위로 솟아 있는 데에는 다 이유가 있는 법이다. 지안니와 다니엘레 사이에 끼었던 날, 가장 확실한 방법 또한 온몸으로 똑똑히 체득했다.

"이건 꿈이야. 흑."

그렇다 해도 그 방법을 쓸 수는 없다. 만에 하나 쪽팔림을 무릅쓰고 자위하듯 손잡이를 썼는데 문이 열리는 대신 공중으로 떠버리면 안 하느니만 못하다. 클로에는 거칠게 머리를 휘저으며 도망갔다.

"사자 놈은 섹스하면 꺼내줄 것처럼 말해놓고!"

미타이와는 거래를 했다. 밤의 유희를 벌이면 클로에의 요구를 들어주기로 했다. 그래놓고 기절한 사이에 튀다니. 클로에가 기절하며 까무룩 잠들었으니 나름 그는 억울할 수도 있겠으나 그녀의 입장에선 먹고 튄 것과 다름없었다.

"나쁜 변태 놈들!"

눈을 뜨면 옆에서 꼭 한 명은 머무르고 있는 상황에 자신도 모르게 익숙해지고 있었는지 아무도 달려오지 않는 지금이 조금은 어색하기도 하고 허전하기도 했다.

"아니, 아니야. 허전이라니. 말도 안 돼."

여주인공도 아닌데 곁을 지키는 3형제라니. 믿기도 힘들고 상상하기도 힘든 구도다. 비록 미타이로부터 말도 안 되는 고백 비슷한 헛소리를 들은 것 같은 착각이 들기는 했는데, 몸을 섞느라 들린 환청이었을 것이다. 클로에는 손을 휘휘 저어 무심코 떠올렸던 자신과 3형제의 그림을 지워냈다. 파블로프의 개도, 스톡홀름 신드롬도, 흔들다리 효과도 아니고 그들이 없다고 하여 허전하다는 커다란 착각을 하다니. 아직 정사의 기운이 덜 가셨을지도 모르겠다.

"불굴의 의지로 도망갔다가, 이번에 잡히면 새장 감금 정도가 아니라 진짜로 팔다리가 똑똑 부러지려나?"

가만히 생각해보면 탈주 시도를 한 번 할 때마다 주어지는 신체의 자유는 단계적으로 축소되었다. 성, 저택, 그리고 새장. 비록 일반적인 경우와는 다르게 무서울 정도로 화려하고 거대하다는 점이 당혹스럽긴 하지만, 새장은 새장이다. 그럼에도 칠전팔기의 자세로 빠져나간다면 클로에의 도전정신을 높이 사며 풀어주는 대신 이번에는 아예 도망갈 수 있는 수단을 없앨 확률도 없진 않았다.

"으음. 에이 설마, 하하."

나가고 싶으면 나가라고 지안니가 친절하게 문을 여는 방법까지 알려주지 않았던가. 클로에가 맨정신으로는 열지 못하리라 믿고 알려주었을지도 모르고 애초에 반어법이나 다름없는 말이었을 수도 있으나, 클로에는 혼자 어색한 웃음을 터트리며 일말의 가능성을 털어냈다.

"내가 여주인공도 아닌데 말이야."

3형제의 운명의 상대인 여주인공도 아닌 것치고는 몸을 제법 조금, 아니, 많이 섞어버린 것 같지만. 무서워하면서도 주인의 의지와는 반대로 다리 사이는 때만 되면 흠뻑 젖곤 했다. 그들이 이즈리에가 아닌 클로에에게 덤벼드는 이유를 고민하지도 않고 몸은 환희에 물들어 받아들였다. 받아냈다 뿐이랴. 엉엉 울면서도 절정에 다다른 몸뚱이는 쾌락의 체액을 끊임없이 쏟아냈다.

"……아?"

무서운데도, 무섭지 않았다. 거부해야 마땅한데도 딱히 밀어낼 생각은 들지 않았다. 3형제를 보며 두려움을 분명 느끼기는 했다. 그러나 싫거나 혐오스럽다는 감정과는 확실히 달랐다. 오히려 때로는 클로에를 걱정하는 듯한 그들의 품에 안기면서 안정을 되찾아가는 자신이 있었다.

상식적으로 말이 되지 않는다. 몸을 섞을수록 안정을 되찾다니. 당장 연이은 지난밤의 정사만 해도 어떠했던가. 단순히 관계를 맺었다는 표현으로는 부족할 정도로 농밀하고 질퍽한 시간이었다. 뺨이 화르르 달아오르다 못해 불타버릴 것 같아서 떠올리기 힘든 그런 시간이었다.

"언제부터……였지, 두통이 나타나고 사라졌던 게."

연관 관계는 없을지도 모른다. 보통은 있을 리가 없었다. 가면무도회장에서 처음 겪고 난 후 두통은 잊을 만할 때면 그녀를 괴롭혔었다. 그러나 수시로 찾아와 클로에의 머리를 깨뜨리려고 하던 통증은 지금 나타나지 않고 있었다. 그럴 리는 없겠지만 3형제와의 접촉이 늘어날수록 통증의 강도가 약해지는 느낌이었다. 마지막에는 구토가 동반될 정도로 어지러웠던 적이 있었는데 때마침 다니엘레의 손길이 닿으면서 스르륵 사라졌었다.

"……."

볼이 화끈화끈했다. 클로에는 크게 숨을 들이쉬며 두 눈을 부릅뜨고 손잡이를 노려보았다. 위풍당당한 까만 기둥은 어떻게 보면 셋 중 한 명의 그것을 닮은 것도 같았다. 못 할 것도 없다, 그리 되뇌고 침을 꿀꺽 삼킨 다음 손잡이의 아랫부분을 잡았다.

이대로 가만히 앉아 얌전히 기다렸다가 먼저 오는 누군가에게 어찌 된 일이냐 물어볼 수도 있다. 그러나 클로에는 용기를 내어 새장 밖으로 나가는 길을 택했다.

클로에는 머릿속 한구석에 낙인처럼 남아 있는 「오르시니는 이즈리에의 것.」이라는 문장을 잊지 않고 있었다. 원작과는 상당히 많이 진행이 달라졌다지만 클로에에게 있어 3형제는 남자주인공, 이즈리에는 여전히 여자주인공이다. 클로에와 파르세 가문에 찾아올 불행만 없던 일로 할 수 있다면, 여주인공을 괴롭히고 남자주인공을 빼앗는 역을 맡는 대신 조용히 평화로운 삶을 사는 엑스트라로 돌아가는 것도 좋으리라. 그때까지는 3형제가 여주인공을 두고 클로에에게 집착을 하고 있는 듯한 모양새에 대한 판단은 보류하기로 했다.

"에잇."

부끄러움도 잠깐이다. 손잡이에 닿아야만 문이 열린다면 차라리 보는 눈이 없을 때 시도하는 것이 나았다. 실패하면 실패하는 대로 아무도 모를 테니까.

∞

추측은 맞아떨어졌다. 다만 클로에가 시도한 방법은 손끝을 이용하는 것이었지만, 다행히도 먹혔다. 처음에는 입을 써볼까 고민했는데 결심했음에도 불구하고 부끄러워서 차마 입이 벌어지지 않았다. 그래서 손끝으로 잡고 위아래로 쓸어내리며 혀끝으로 훑었다. 손잡이에 가해지는 열기와 압박감, 그리고 수분의 양을 인식하고 작동하는 것이 아니겠느냐는 추측이 맞았음은 얼마 지나지 않아 소리 없이 열리는 입구를 보고 알 수 있었다.

환각이 아니라고 머리가 채 깨닫기도 전에 몸이 먼저 밖으로 구르듯 뛰쳐나갔다. 새장은 바닥에 고이 붙어 있었지만, 두 발에 닿아 있는 딱딱한 감촉이 바닥이라는 사실도 몇 번 쿵쿵 굴러본 후에야 인지했다. 휙휙 주위를 둘러보았는데 지키는 사람이 없었다. 순서대로 머리에 집어넣고 나니 밖으로 나가라는 명령을 내리기도 전에 몸이 움직였다.

새장이 있던 방 밖을 지키는 감시자도 없었다. 탑 꼭대기에 있다더니 아래로 내려가는 회전 계단만이 끝이 보이지 않을 정도로 길게 이어져 있을 뿐이었다. 조심조심 한 발, 한 발 디디던 발은 이윽고 속도가 빨라졌다.

내려가기만 했기 때문에 숨이 차 멈춰 설 일은 없었다. 굶주린 배에서 꼬르륵 장기를 두드리는 소리를 내보내긴 했지만 버틸 만했다. 클로에는 오로지 누군가 이 계단을 올라오기 전에 빨리 벗어나겠다는 의지로 움직였다.

"조금만 더……."

무한의 고리처럼 빙 둘러 있는 계단의 끝이 보이자 클로에는 발걸음을 늦췄다. 꽈배기처럼 꼬인 계단의 가운데에 뻥 뚫린

공동이 사이에 자리한 구조였다.

"음?"

지체하지 않고 계속 내려가려던 클로에의 시야에 낯익으면서도 낯선 물건이 포착되었다. 탑의 벽이 아닌, 계단이 만들어 낸 벽에 수십, 수백 개의 액자가 걸려 있었다. 액자 속 그림의 주인공들은 전에 성의 복도에서 보았던 초상화의 주인공과 같은 사람들이었지만 이렇듯 한 자리에 모아놓고 보니 개수가 훨씬 많아 보였다.

"아니야. 더 많구나."

복도에 걸려 있던 초상화는 역대 공작만 걸려 있었다고 한다면 탑에는 공작과 공작의 직계 가족은 물론 다른 사람의 초상화도 있었다. 예를 들어, 현 공작은 외동이 아니었기에 그의 형제가 이룬 가족의 구성원을 그린 초상화까지 전부 걸려 있었다. 초상화로 거대한 탑에 일종의 가계도를 구축한 셈이었다.

클로에가 멈춘 지점에는 다니엘레와 지안니, 미타이, 현 공작 부부가 있었고, 연결되는 가계도를 보았을 때 현 공작에게는 여자 형제와 남자 형제가 각각 한 사람씩 있었다. 공작의 작위는 현 공작에게 이어졌고, 오르시니가 가지고 있는 하위 작위는 여자 형제가 결혼하면서 그녀의 남편에게 이어졌다. 물려받은 작위 없이 먼저 타계한 남자 형제에게도 부인이 있었다.

"금색이 번쩍거리니까 무섭네."

오르시니 가문의 특징은 금안이다. 소설이라서 그런지 마치 피의 약속처럼 가문을 이을 직계에겐 금안이 나타났다. 현 공작은 당연히 금안에 흑발이고, 공작부인이 푸른 눈이었지만 3형제는 약속이라도 한 듯 운명처럼 모두 금색 눈동자로 태어났다.

"공작님은."

현 공작의 운명은 기구하다면 기구하다. 남부럽지 않은 가문의 장자였던 그는 당연한 수순으로 공작 위를 물려받았지만 부인은 셋째를 낳자마자 하늘나라로 떠났다. 소설에서는 공작의 형제에 대해 묘사하지 않았지만 초상화를 보니 남자 형제도 비슷한 시기에 사고사한 모양이었다. 공작은 가족을 연달아 둘이나 잃은 셈이었다.

"남동생의 부인은…… 어라?"

남자 형제의 부인은 전 공작부인을 많이 닮았다. 결혼 전 성을 읽어보니 자매는 아닌데, 초상화를 그릴 때 비슷한 화장에 비슷한 드레스를 입고 같은 화가가 그렸는지 분위기가 무척 비슷했다. 두 여자 모두 벽안인 데다 해를 가린 구름과도 같은 머리색을 하고도 청초한 느낌을 풍기는 탓에 드는 착각인지.

"흰 머리……. 벽안…… 벽안."

노인의 백발이라기보다는 윤기 흐르는 구름을 닮은 머리색을 한 여자를 둘이나 보고 나니 갑자기 뇌리를 스치는 또 한 명의 여자가 있었다. 소설에서 은발이라고 해서 클로에도 보자마자 저 머리색이 글로만 보던 은발이구나, 싶었던 색상. 초상화 속의 두 여인보다 여주인공의 머리색이 조금 더 진했지만, 푸른 눈까지 나란히 놓고 보니 세 사람은 모두 은발 벽안이라고 통틀어도 무리는 없을 정도였다.

"설마. 여주가……?"

세 사람 사이에 연관성은 물론 없다. 전 공작부인은 죽었지만, 다른 벽안의 여자는 살아 있는 것으로 되어 있다. 작위를 물려받지 않은 남편이 죽으면서 수중에 아무것도 없었을 여자가 유산은 받았는지, 재혼이라도 했는지는 기록되어 있지 않았지만 적어도 현 공작의 남동생의 부인으로 이름을 올렸고, 사망연도는 적혀 있지 않은 상태니 아직 살아 있다고 볼 수 있을 터. 무엇보다도 둘 사이에 자식은 없는 것으로 되어 있어 어린아이의 초상화는 걸려 있지 않았다. 3형제에게도 여자 형제는 없고.

게다가 성도 다르다. 전 공작부인과 다른 여자의 결혼 전 성은 물론이거니와 여주인공의 성도 페인으로 마찬가지로 달랐다. 입양되기 전에는 고아였으니 성이 없었을 테고.

"혹시 이 성에 오고 싶어 했던 이유가 이거였나?"

여주인공은 고아원에 버려졌다. 만약 친어미가 자식을 버리고 떠났다면.

그러나 오르시니 가문이 한낱 하찮은 귀족도 아니고, 마음만

먹는다면 현 공작은 조카 한 명 정도야 얼마든지 거둘 수 있을 터, 솔직히 앞뒤가 맞지는 않았다. 무엇보다 태어난 핏줄 하나 제대로 조사하지 못할 가문도 아니어서 클로에는 떠오른 가정을 바로 지우려 했다.

"아니. 성에 오고 싶어 했던 이즈리에는 소설 속의 이즈리에였잖아?"

혼란스러워지면서 생각이 뒤엉켰다. 소설의 이즈리에. 지금의 이즈리에. 소설의 클로에. 클로에의 몸에 빙의한 자신. 소설의 3형제. 지금의 3형제.

"지금의 이즈리에는…… 어떻지?"

한번 떠오르고 나니 사고가 쉽게 다른 방향으로는 전환이 되지 않았다. 많은 부분이 소설과 다르게 진행되고 있어도, 무엇보다도 그녀가 읽었던 소설 속 캐릭터와는 많이 달라 보일지라도 지금의 이즈리에 또한 소설에서와 마찬가지로 비슷한 의문을 품고 있으리라는 생각이 들었다.

—여왕은 축복과 저주를 동시에 타고났는데, 축복은 아름다운 미모였고 저주는 태생이었지. 세상을 발밑에 거느렸어도 여왕은 자신을 갉아먹는 근원을 극복하지 못했어.

미타이가 그답지 않게 동화처럼 들려주었던 이야기가 문득 뇌리를 스쳤다. 클로에와 딱히 관계가 없다 생각해 흘려들으려 했던 이야기. 그러려 했으나 끝내 클로에를 불안하게 만들었던 이야기의 시작.

당연하게도 여왕은 이즈리에를 가리킨다 생각했었다. 만약 미타이가 지칭했던 여왕이 이즈리에가 맞는다면, 지금의 이즈리에도 출신에 대해 궁금해한다 해석할 수 있었다.

"물론 그렇다 해도 일찌감치 다 알아봤을걸."

클로에야 이렇게 비교해놓은 초상화를 보고 나서야 의심을 하게 되었지만 3형제는 다르다. 세 여자를 각각 직접 만나봤거나 적어도 알고 있는데, 클로에처럼 지나가던 사람조차도 떠올리는 의심을 그들이라고 해보지 않았을까. 당연히 의심하고 조사를 끝냈을 터. 여주인공이 다른 두 여자와 관계가 있을지도 모른다는 가정은 지나친 상상에 불과하다는 결과가 나왔으리라. 그러니 이즈리에에겐 여전히 페인이라는 성이 붙어 있을 테고. 그럼에도 지금만큼은 왜인지 으레 그랬듯 자신과 상관없는 일이다 무심히 넘기기가 힘들었다.

—결국 여왕은 세 명의 기사를 얻고 마녀를 제거하기 위한 게임을 시작하기로 했어.

"아, 맞아. 게임. 왜 잊고 있었지, 내가?"

여왕에 비유되었던 이즈리에에 관한 이야기를 떠올리니 함께 들었던 게임에 관한 이야기도 자연스럽게 기억이 났다. 당시에는 게임의 대상이, 3형제가 함께 무너뜨리고자 하는 사람이 클로에 파르세라는 의미로 받아들였다. 아마도 그 탓인 듯했다. 클로에 자신과는 하등 상관이 없는 이즈리에가 지닌 출생의 비밀이 마음에 걸려 발걸음을 떼지 못하는 이유가.

"누구는 마녀인데 누구는 여왕. 딴에는 여주인공이다 이거지. 맹수들도 스스럼없이 여왕이라 칭할……."

─형이 왜 그 여자랑 결혼을 해.

과거의 클로에가 대체 무슨 짓을 했기에 빙의한 자신이 마녀가 되었는지 그 처지가 조금은 억울해 장난처럼 투덜거리던 클로에의 혼잣말이 희미해졌다.

그러고 보면 미타이는 이즈리에를 두고 꼬박꼬박 「그 여자」라 부르곤 했다. 알게 모르게 지안니와 다니엘레 역시 그리 부른 듯했는데, 그들의 어투에는 애틋한 애정이 티끌만큼도 담겨 있지 않았다. 기본적으로 이즈리에에 대한 호감도가 높을 것이라 굳게 믿어 의심치 않았으나 인제 와서 생각해보면 이해할 수 없는 구석이 있었다.

"분명히 내가 읽던 건 로맨스 소설이었……지 않나?"

자신도 모르게 읽었던 소설 내용이 곧 진리고 변해서는 안 되는 절대 명제라는 강박관념에 사로잡혀 있었던 모양이다. 보고도 외면하고 있던 사실들이 조금씩 보이기 시작했다.

게르와 라스에게 둘러싸여 협박을 당하고 있었을 여주인공을 구하려 했을 때 이즈리에가 지었던 표정. 여주인공의 입매가 딱딱하게 굳고 처연한 눈매가 훅 올라가며 순수한 느낌이 잠깐이나마 사라졌던 순간. 미술관에서 지안니를 대하던 표독스러운 태도. 저택에서의 티타임 때 미타이와 지안니가 있는 앞에서 드러냈던 묘한 경계심, 적의. 전 약혼자였다던 네르던에게까지 향했던 불쾌감.

"잠깐만. 그러면 내가 뭔가 오해를 한 것 같은데."

한 사람을 재기할 수 없게 만드는 게임을 한다는 말에 소스라치게 놀라는 바람에 더 캐물을 새도 없이 넘어갔더랬다. 그런데 찬찬히 되짚을 여유가 생기자 조금은 다르게 들리는 부분이 있었다.

─한 사람을, 그 사람이 가진 모든 것을, 소중히 여기는 전부를 빼앗고 다시는 일어설 수 없게 만드는 게임.

─결국 여왕은 세 명의 기사를 얻고 마녀를 제거하기 위한 게임을 시작하기로 했어.

시작의 주체는 여왕이었으나 세 명의 기사, 즉 3형제는 무조건 여주인공 편이라고 받아들였었기에 여왕의 의지가 곧 3형제의 의지일 줄 알았다. 따라서 이즈리에를 위해 마녀인 클로에를 망가뜨릴 게임을 하고 있다는 뜻으로 해석했었는데, 그렇지 않을 수도 있겠다 싶었다.

"이즈리에는 더 이상 내가 안다고 생각하고 있던 여주가 아니고……."

여왕이 게임을 시작하게끔 만든 근본적인 배경은 방금 전까지 클로에가 본 탑의 내부와 연관이 있으리라는 확신이 들었다.

─고민 끝에 여왕은 자신을 완벽하게 만들 방법을 떠올렸어. 누구나 인정하는 가장 높은 자리에 올라가기로.

3형제 또한 분명 이즈리에가 떠올린 의심을, 의문을 비슷하게라도 떠올렸을 터였다. 그런데도 이즈리에의 신분과 처지가 달라지지 않았다는 것은 오르시니가 이즈리에를 잃어버린 혈육으로 인정하지 않았다는 의미가 된다.

"맹수들은……."

거기까지는 그럴 수 있다. 양보해서 이즈리에가 혼자 의심을 하며 파헤치려 한다 하더라도 오르시니 측에서 원치 않는다면 무시하거나 묻어버리면 그만인 문제였다. 그러나 정작 3형제는 이즈리에에게 호응해주고 있었다.

─여왕은 세 명의 기사를 원했지.

비록 이즈리에의 뜻에 따라 게임에 참여하기로 했다고 직설적으로 말하진 않았지만, 정황이 그러했다. 이즈리에가 미래의 공작부인이 되리라 믿어 의심치 않는 메이드. 자유롭게 오르시니의 저택에 드나드는 듯했던 이즈리에. 소설과 비슷하게 일어나버린 과실주 사건. 이즈리에를 사이에 둔 네르딘과 미타이의 조우.

일련의 상황들이 3형제가 이즈리에를 위해 움직이고 있는 것처럼 보이게 했다.

"내가 아는 남주가……."

확신이 서지 않았다. 이즈리에가 소설의 여주인공과 다르다, 지금 이 현실이 소설과는 다르다는 사실을 인지했을 때와 같은 명확한 확신이 들지 않았다. 남자주인공인 3형제가 여자주인공을 좋아한다는 명제가 너무도 강하게 뇌리에 박혀서 지워지질 않았다.

—기억해요. 잊지 마요. 내게 빼앗기는 거야. 날 원망하고 싫어해도 좋아요. 단, 아가씨를 훔쳐가는 사람이 누군지를, 몸에 각인하도록 해요.

—안타깝지만 난 다른 남자와 놀아나고 있는 아가씨에게 자비를 베풀 마음은 안 드네요.

—누굴 보고 귀엽다는 생각을 한 건 처음이라 잘 몰라.

—야옹이가 하고 있는 목걸이 말이야. 무슨 의미겠어?

—날 품고 다른 남자를 보면 곤란하지, 응?

—그대……는, 저 짐승 것만 좋다고 먹지 않았으면 하는데.

탑의 출구가 보였다. 구르듯이 내려가던 걸음의 속도가 차차 느려졌다.

3형제가 여주인공을 두고 클로에게 집착을 하고 있는 듯한 모양새에 대한 판단을 보류하려고 했었다. 당연하지 않겠는가. 오르시니가 3형제는 지금도 소설에서처럼 이즈리에를 위해 클로에를 망가뜨리려는 것처럼 보이는데.

—그런데 어느 날, 여왕 앞에 마녀가 나타났지. 여왕에게 있어 마녀는 보잘것없고 하찮은 존재였어. 마녀가 응당 여왕에게 왔어야 하는 것들을 빼앗아가기 전까진.

출구가 가까워졌는데, 발걸음이 쉬이 떨어지지 않았다. 탈출에 성공하리라는 자신이 있어서 나온 것은 아니었다. 현실적으로 확률은 낮다. 공간이동 마법을 쓸 줄도 모르는 클로에가 성을 용케 벗어난다 한들 천연 요새와도 다름없는 위치에 지어졌으니 조난당하는 것은 시간문제. 그저 버릇처럼, 본능처럼 새장의 문을 열어 빠져나왔다.

출구 앞에서 클로에는 높이 솟은 탑의 내부를 올려다보고 기나긴 상념의 끝을 알리는 출구처럼 보이는 실제의 문을 보았다. 어떻게 해야 할까. 어떻게 하는 것이 맞을까. 어떻게 하고 싶을까.

"나는⋯⋯."

오르시니는 이즈리에의 것. 3형제는 이즈리에를 좋아한다는 외침의 꼬리도 줄어들었다.

—언제든지 이 손을 벗어날 생각만 하는 존재를 위해서다. 드디어 닿았다고 안도한 순간 언제 그랬느냐는 듯 흩어지는 누군가를 위해서고. 다른 남자만 애타게 찾는 이를 가두고 날개를 꺾고 가냘픈 팔다리에 족쇄를 채우고, 사라지지 못하게 가둬두기 위해서, 였지.

세 명의 기사는 여왕의 의지를 대변하는가, 대변하지 않는가. 여왕은 왜 분노의 화살을 마녀에게 겨눴는가.

　클로에는 불안으로 흔들리는 마음을 다잡았다. 용기를 쥐어짤 시간이었다.

다음 권에서 이어집니다.